Corine Hartman

Schijngestalten

Karakter Uitgevers B.V.

© 2010 Corine Hartman
© 2010 Karakter Uitgevers B.V., Uithoorn
Opmaak binnenwerk: ZetSpiegel, Best
Omslagontwerp: Wil Immink
Omslagbeeld: Uli Wiesmeier/Corbis

ISBN 978 90 6112 588 4
NUR 332

Schijngestalten

Ook van Corine Hartman:
Schone kunsten
Tweede adem
Open einde
In vreemde handen

L'Estate

Sotto dura staggion dal sole accesa
Langue l' huom, langue 'l gregge, ed arde il pino,
Scioglie il Cucco la voce, e tosto intesa
Canta la Tortorella e 'l gardelino.

Zeffiro dolce spira, ma contesa
Muove Borea improvviso al suo vicino;
E piange il Pastorel, perchè sospesa
Teme fiera borasca, e 'l suo destino;

Toglie alle membra lasse il suo riposo
Il timore de' Lampi, e tuoni fieri
E de mosche, e mosconi il stuol furioso.

Ah, che pur troppo i suoi timor son veri
Tuona e fulmina il Ciel e grandinoso
Tronca il capo alle spiche e a' grani alteri.

Vivaldi, zomersonnet

PROLOOG

Pluto telt. Elf, twaalf, dertien...

Ploeterend baant ze zich een weg over de koude, dode ratten. Het is alsof ze hun verstijfde poten naar haar uitsteken, naar haar wijzen. Hun grote kraalogen, waaruit alle glans is verdwenen, lijken haar aan te staren, en dan vliegen de zwarte lijken plotseling in brand. Het vuur verspreidt zich snel, de vlammen likken aan haar hielen, en ze haast zich. Ze struikelt over het rattentapijt en laat een glas limonade vallen. Als het vocht over de dode dieren druipt, weet ze zeker dat het bloed is. Haar eigen bloed. In de dikke rook zoekt ze haar weg.

Vijfendertig, zesendertig...

Mammie ligt in het ziekenhuis en elke keer als ze daarheen gaat, is ze bang dat ze niet terugkomt.

De weeïge stank van de smeulende rattenkadavers doet haar kok- halzen.

Vierenvijftig, vijfenvijftig, zesenvijftig...

Waar ze een flonkerende sterrenhemel verwacht, is ze in een lange gang met een grijze vloer en vale muren. Ze zoekt haar vader. Wat, wat is dit? Een ijskoude ruimte met muren waarin haar voetstappen hol weerklinken. Met de bedwelmende rook komen de stemmen. Een sil- houet. Een man. Onverstaanbare stemmen. Is daar iemand?

Achtenzeventig, negenenzeventig, tachtig...

Ze is onzichtbaar. Goed zo, zal Pluto zeggen, ik kan je niet vin-

den... Is daar iemand? De rook ontneemt haar alle zicht, terwijl de stemmen dichterbij komen. Ze stopt haar vingers in haar oren, drukt haar handen tegen haar hoofd. Niets helpt.

Negentig, eenennegentig...

De stemmen omringen haar. Hoewel ze niet begrijpt wat ze zeggen, weet ze zeker dat ze haar te pakken zullen nemen, en ze doet haar uiterste best zichzelf zo klein mogelijk te maken, zich te verstoppen. Tevergeefs.

Waar is Pluto?

Honderd. Ik kom!

Is daar iemand? Pluto? Nee... het is pappie. Wat is er? Waarom ben je boos? Ik wilde alleen maar... Wacht, ze weet... Honderden verkoolde rattenogen staren haar plotseling aan. Het zijn geniepige ogen, en ze komen op haar af.

I

Op het moment dat ze de koffer inpakte, dacht Anne aan een soldaat die zich opmaakt voor een uitzending naar vijandelijk gebied. Hij gaat mee voor volk en vaderland of omdat hij geen keuze heeft omdat er brood op de plank moet komen, maar hij staat allesbehalve te popelen om zijn gezin te verlaten voor een gevaarlijke opdracht. Een missie waar hij niet op zit te wachten. Zij hoeft geen oorlog te vrezen, of de dood in de ogen te kijken, maar ze heeft wel degelijk een missie. Desondanks wenste ze dat ze geveld was door een besmettelijk virus en haar flat absoluut niet mocht verlaten. Ze had een kop koffie willen drinken bij Dante of rond willen struinen op de Albert Cuyp. Net als de soldaat had ook zij echter geen keuze. Antwoorden had ze nodig, zodat ze haar leven op orde kon brengen. Eigenlijk moest ze blij zijn met deze kans om de spoken uit haar verleden te verjagen.

Haar vader zou vijfenzestig jaar worden, een respectabele leeftijd, een mijlpaal die om iets speciaals vroeg. En dus nam Anne, met haar zus, het vliegtuig naar de stad van de lelie. Stad van Leonardo da Vinci, en Michelangelo. De Duomo, waaraan maar liefst honderdveertig jaar werd gewerkt. Wat een historie, wat een cultuur. De toren van Giotto, het Baptisterium, de Ponte Vecchio en natuurlijk de Piazza della Signoria. Alleen

een veel te korte landingsbaan. Ze wist het en zette zich schrap, maar het hielp niet. Al haar ingewanden wisselden voor haar gevoel van plaats voordat het toestel tot stilstand kwam, en sindsdien hebben ze hun plek nog niet teruggevonden.

Gisteravond zijn ze aangekomen op Amerigo Vespucci, het vliegveld van Florence. Ze is amper twaalf uur in Toscane en als het mogelijk was, als ze missieloos was, nam ze de eerste vlucht terug naar Amsterdam. Volgens Stefanie zou het gezellig worden. Gezellig. Een gaargekookt woord.

Het voelt onwennig, onwerkelijk zelfs, nu ze deze ochtend samen aan het ontbijt zitten. Vader, moeder, Stefanie en zij. Het zou herinneringen aan vroeger moeten oproepen, maar realistischer is de gedachte dat ze ook toen zelden samen ontbeten. Pa nam koffie en ging naar zijn werk, ma bleef regelmatig in bed, omdat ze nog te moe was. En nu is haar vader een oude man, met diepe groeven in zijn gelaat, en ontelbare rimpels rond zijn intelligente, bebrilde ogen. Opa van Stefanies twee kinderen.

'Wanneer ga je stoppen met werken?' vraagt ze. 'Vijfenzestig jaar, veel mensen verheugen zich daarop. Zeeën van tijd om te lezen, te wandelen, wie weet zelfs postzegels te verzamelen...'

Haar vader kijkt haar aan alsof ze praat over buitenaardse wezens. 'Wandelen? Postzegels? Dat is tijdverdrijf voor uitgebluste bejaarden.'

Haar zus schuift een vierkante doos, omwikkeld met fleurig papier, in zijn richting. 'Kijk eens, dit is van ons beiden.' Stefanie zoent hem. 'Nogmaals, van harte. Ik hoop dat je er nog jarenlang met ma van kunt genieten.' Ze blijkt een cd-box van Vivaldi te hebben gekocht, inclusief *De vier jaargetijden*.

Die nerveuze, jengelende violen?

'Wisten jullie dat mijn Vivaldi-cd vast was blijven zitten in de speler van de auto?'

Dat wist zij niet, maar haar zus knikt.

'Dank jullie wel.' Haar vader loopt naar de muziekinstallatie, plaatst een schijfje in de lade en drukt op een paar knopjes. 'Ik wil vanzelfsprekend het zomerconcert.'

'Anne, wil je geen broodje?' vraagt Stefanie.

'Ik heb geen honger. Koffie is genoeg.'

'Gisteravond heb je ook niet veel gehad.'

'Straks, oké?' Vioolmuziek vult de kamer. Ze onderdrukt de behoefte om de volumeknop naar nul te draaien.

'Onder de meedogenloze verzengende zonnehitte...' zegt ma.

'Lijden mens en dier, de pijnbomen zijn verdord,' vult haar vader aan. 'De koekoek verheft zijn stem en al gauw stemmen tortelduif en distelvink daarmee in.' Pa legt even zijn hand op ma's arm. 'Weet je nog dat ik hiermee een uiterst onhandige poging deed je hart te veroveren?'

'Een onhandige en tevens zeer geslaagde,' knikt ma.

'Meedogenloze verzengende zonnehitte, zeg dat wel,' zegt Anne, terwijl ze nee schudt als Stefanie haar alsnog een broodje wil toeschuiven. 'Het schijnt hier vandaag vijfendertig graden te worden; het is goed dat we de bergen in gaan.'

'Een zacht briesje beroert de lucht, maar de jaloerse noordenwind veegt het opzij,' vult haar moeder aan, terwijl ze pa glimlachend aankijkt. Misschien ook met weemoed.

Ze houdt haar commentaar op een jaloerse wind voor zich.

'De bedroefde herder beeft van angst,' zegt ma. 'Zijn... eh...' Een glimlach verandert in een trieste blik.

'... instinct en het gezoem van vliegen en muggen zeggen hem dat het gaat stormen,' neemt haar vader over.

'Droom lekker verder,' mompelt ze in zichzelf.

'Zijn vermoeide ledematen verstijven bij voorbaat van angst voor bliksemflits en rollende donder. Helaas, zijn gevoel voor de natuur bedroog hem niet: het dondert en bliksemt aan het firmament en hagelstenen knakken de rijpe trotse korenaren.'

Hij geeft haar moeder een zoen op haar voorhoofd. Twee grijze tortelduiven, en dat op de vroege ochtend. Wat een schijnvertoning.

'Wat ontroerend,' zegt Stefanie. 'Ik wist helemaal niet dat het zomersonnet een speciale betekenis voor jullie had. Als we dat hadden geweten, hadden we die ingelijst, toch, Anne?'

'Een poster van drie bij drie, op zijn minst.' Ze verbaast zich over pa's pogingen tot poëzievoordracht. Een eigenaardige liefdesverklaring, als ze het al zo kan noemen. Ma leek van haar stuk toen ze de tekst niet meer wist. De gedachte schiet door haar hoofd dat ze nu in ieder geval weet wat ze op ma's rouwkaart kunnen zetten. In gedachten bedankt ze Stefanie. Dankzij haar zus maakt ze geen slechte beurt bij haar vader. Hij lijkt zowaar zijn laboratorium te vergeten door de muziek. Voor zo lang het duurt. Bejaard, opa... Die benamingen passen net zo goed bij haar vader als nieuwbouw bij Florence.

Pa verheugt zich erop, zegt hij. Een feestje ter ere van zijn verjaardag bij zijn baas, minister Umberto Tarantini, hoog in de bergen van Rufina, een plaatsje op ongeveer dertig kilometer ten noordoosten van Florence. Het kleinste en koelste chiantigebied van Toscane. Zijn baas woont er in een enorm kasteel, op achthonderd meter hoogte. De bergen in is een aantrekkelijk vooruitzicht wegens de aanhoudende hitte in de stad. Voor ma zal het een dagje kuuroord worden, want meneer Tarantini heeft niet alleen een buitenzwembad, maar ook een speciaal massagebad. Op het feest zullen zijn Nederlandse en Italiaanse collega's aanwezig zijn, en enkele ziekenhuismedewerkers.

Zijn woorden gaan grotendeels langs haar heen. In haar moeders bijzijn kan ze niet anders dan denken aan de woorden die tijdens haar vorige bezoek in juli zo traag over ma's lippen kwamen, en die haar op dit moment compleet absurd en onrealistisch voorkomen. Ondanks het vooruitzicht van koelere temperaturen heeft ze geen zin in deze dag.

Wil je me helpen. Het begin van alle ellende.

Ze zat bij haar moeders bed, die zondagmiddag begin juli, nu net een maand geleden. Estella had ma haar medicijnen gegeven. 'Je moeder heeft rust nodig,' fluisterde de verpleegster voor ze wegging. Ze voelde zich opgelaten in de kamer, die doordrenkt was met een scherpe, chemische ziekenhuisgeur, en ze had spijt gekregen dat ze bij haar ouders op bezoek was gegaan. Maar ja. Ze was naar de Biënnale geweest in Venetië en ma had als vanzelfsprekend aangenomen dat ze dan ook Florence zou aandoen. Aangezien ze dit jaar nog niet was geweest – haar laatste bezoek dateerde van vorig jaar december, ergens voor kerst – had ze niet durven weigeren.

Ze was geschrokken van haar moeders slechte gezondheid. Ma had problemen met haar ademhaling en kreeg extra zuurstof uit een apparaat, waarin een pomp traag op en neer bewoog. En op een onwerkelijk moment dat ze sindsdien niet meer uit haar gedachten krijgt, met Bachs Matthäus Passion op de achtergrond, zadelde ma haar met een levensgroot dilemma op. Haar moeder ademde in, en ze had de neiging met haar mee te doen. Tot ze die woorden tegen haar zei. Langzaam, maar tegelijk zo dwingend dat een vraagteken erachter een belediging zou zijn. Annes ademhaling stokte.

Sommige mensen verliezen in bed hun waardigheid, ze hebben kleding en een verticale houding nodig om te imponeren, maar dat gold op dat moment zeker niet voor haar moeder. Ze toonde klasse. Een kwaliteit die niet in het omhulsel zit, nee, die van binnenuit komt. Opvoeding, studie en carrière hebben er niets mee te maken, kunnen hoogstens het tegenovergestelde verdoezelen. Allemaal waar. Het was evengoed uitgerekend deze moeder, die in haar herinnering zacht en meelevend was, die haar belastte met een onmogelijke vraag. Ma reikte naar haar hand.

Ze schoof voorzichtig het zuurstofkapje opzij. 'Wat is er?'

'Wil je...' Ma gleed iets opzij met haar hoofd.

'Wacht even.' Geïrriteerd verschoof ze het kussen. 'Zo beter?' Haar moeder schudde haar hoofd, en toen zei ze het. 'Wil... je... me... helpen.' Vier woorden, die fluisterend over de lippen kwamen, waaruit alle kleur was verdwenen. Ma bekende dat ze de aftakeling haatte, en dat ze niet meer wilde. Dat ze zelf het moment wilde kunnen bepalen.

Ze trok een mouw van haar moeders paarse zijden pyjama recht en dacht dat ze iets zinnigs moest zeggen, maar ze was te geschokt en kon geen woord uitbrengen. Ma schoof een hand onder de hare, en kneep erin. Ma's hand voelde knokig en krachteloos, haar eigen hand voelde klam.

O, god. Ze kon zich niet indenken dat ze haar eigen moeder...

Wil je me helpen. Vier woorden die haar volledig omver bliezen. De akelig korte zin waarmee de misère begon.

2

De streek rondom Rufina hoort bij Toscane, maar strookt niet met haar beeld van de regio, waarin door zonnebloemen en cipressen bedekte heuvels het landschap bepalen. Er zijn druivenstruiken en olijfbomen, maar het is er ruig. Geen idyllische heuvels; in plaats daarvan duizend meter hoge bergen, waar volgens haar vader in de winter een dichte mist kan hangen. Die zal dan de villa's in de spaarzame dorpjes waar ze doorheen rijden ongetwijfeld omtoveren tot mysterieuze spookhuizen die perfect zouden zijn als locatie voor een horrorfilm.

Anne doet haar best zich te verheugen op deze dag. Niet zozeer vanwege de buitentemperatuur, die van eenendertig in Florence daalt naar vierentwintig graden Celsius, wat op zich heel prettig is, maar vooral omdat dit een feestdag moet worden. Vandaag geen gepieker, geen nare gedachten. Een partijtje ter ere van vader, negen letters. Paasfeest.

De ontvangst op Tarantini's kasteel is hartelijk en de koele, fruitige prosecco zorgt onmiddellijk voor een goede stemming. Na de lunch sluit ze zich aan bij enkele andere gasten die een rondleiding krijgen over het landgoed, en de middag vliegt daarna voorbij, met gesprekken in luie stoelen en een frisse duik in het zwembad. Het aansluitende, uitgebreide diner is voortreffelijk, de zelf geproduceerde rode chiantiwijnen vol en krachtig. Tijdens het hoofdgerecht observeert ze de groep mensen om zich heen. Haar vader lijkt in een discussie verwikkeld met enkele van zijn medewerkers, haar moeder amuseert zich met paps Nederlandse collega's; ze voeren een zichtbaar geanimeerd gesprek, waarin ook Stefanie zich mengt.

Er is de hele dag niets aan te merken op wie of wat dan ook. En toch. Ondanks de vrolijke conversaties trilt de lucht van spanning in het kasteel. Misschien zijn het de hoge plafonds en echoënde voetstappen in de hal, eerder vermoedt ze dat het aan haarzelf ligt. Wat haar zus zeker zou beamen; ze kunnen Artis drie keer vullen met alle reuzenslangen en prehistorische monsters die Stefanie vroeger onder haar bed vandaan haalde. Iedereen geniet, zelfs haar moeder, die vanmorgen een flinke dosis medicijnen moet hebben ingenomen om hier te doen alsof er niets aan de hand is.

Vlak voor het dessert, als een van haar vaders collega's een verhaal vertelt over de verdwijnziekte van bijen, houdt ze het niet meer, ondanks haar goede voornemens. Ze wil naar buiten om frisse lucht te happen, mompelt iets over een wandeling en loopt naar de binnenplaats, waar ze bijna over een bloempot struikelt. Ze probeert haar blik op scherp te zetten, wat niet meevalt door de glazen prosecco en rode wijn die ze de afgelopen uren als water door haar keel heeft laten glijden.

Het kasteel is indrukwekkend, ze kan zich voorstellen dat iemand die hier woont arrogant wordt, omdat je overal op kunt neerkijken; de plek moet ooit vanwege strategische redenen zijn gekozen. Keurig gerangschikte, ontelbare rijen druivenstruiken en olijfbomen verdwijnen honderden meters verderop in het niets, en in de wijde omgeving is geen mens of huis te zien. In de winter moet dit een onheilspellende plek zijn. Haar vader gaf het de benaming 'kasteel'. In de letterlijke zin heeft hij wellicht gelijk, maar ze dacht daarbij onmiddellijk aan romantische torens en een gracht. Hier ziet ze alleen gestuukte gele muren, met zegge en schrijve één toren, en die is nog vierkant ook. Nee, 'vesting' lijkt haar een passender typering. Een lichte huivering trekt door haar lijf. Ze steekt een sigaret op en denkt aan haar moeder. Gedachten laten zich niet sturen.

Langzaam rijdt een gammel bestelbusje langs, de achterportieren wijd open. Druk gesticulerende mannen wijzen naar wat er in hun laadbak ligt: een drietal wilde zwijnen, badend in het bloed. Zojuist geschoten, vertelt een van de jagers. Hij tilt trots de kop op van een van de beesten, met hoektanden als stevige vingers. *'Cinghiale,'* zegt hij.

'Very nice,' zegt ze, haar bescheiden kennis van het Italiaans plotseling vergetend, *'I'm a vegeterian. I hate hunting animals.'* Waarop ze zich enigszins onpasselijk afwendt.

'Als je hier geen cinghale lust, zou je wel eens om kunnen komen van de honger,' zegt een van de mannen grijnzend, terwijl hij met zijn wijsvinger doet alsof hij zijn eigen keel doorsnijdt. De auto rijdt weg en hun bulderende gelach verstomt.

Ze roept: 'Wie is de koning van Wezel?' in een terracotta vat, waarin ooit olijfolie werd opgeslagen. Wezel blijkt vanavond geen koning te hebben. Ze gooit de peuk van haar sigaret in het vat, en loopt naar binnen, de hal in, waar haar blik naar de verzameling schilderijen wordt getrokken. Ze heeft de doeken eerder vandaag vluchtig bekeken en ging er blindelings van uit dat het replica's waren. Weliswaar goed gemaakt, maar niet authentiek. Maar nu meent ze dat ze die conclusie wel eens te snel kan hebben getrokken. Ze herkent enkele oude meesters. Een rivierenlandschap van Jan van Goyen, en een vergezicht op de Sint-Jan in Gouda, waarvan ze gelooft dat Van Mastenbroek de maker is.

Met de trap mee, in een wijde boog naar de eerste verdieping, hangen meer doeken, en ze loopt tot halverwege de trap om een sfeervol landschap met schapen van Paul Chaigneau te bewonderen. Een schaapskudde, geleid door de herder en zijn hond, op weg naar huis, met boven de kudde de warme, roze stralen van de ondergaande zon. Ze strekt haar nek uit om de signatuur te controleren, als ze boven een deur hoort dichtslaan. Boven? Iedereen is toch aan het feesten?

Nieuwsgierig loopt ze de trap verder op, en ze constateert dat de indrukwekkende reeks schilderijen op de eerste verdieping wordt voortgezet. Die Tarantini weet wel wat hij in huis heeft gehaald; het is net alsof ze in een galerie rondloopt. Hoort ze nu iets, daarbinnen? Ineens beseft ze dat het de kamer van Tarantini's zus kan zijn. Die heeft ook MS. Ma heeft haar vanmiddag een tijdje gezelschap gehouden, zei ze. Heeft de vrouw hulp nodig? Ze is in dubio. Ze heeft hier niets te zoeken, maar wat als ze weggaat, en er blijkt iets mis?

De bezorgdheid wint. Ze opent deuren, waarachter zich een badkamer, een slaapkamer en een kantoor bevinden. Ze opent opnieuw een deur, besluitend dat dit haar laatste is, omdat ze zich een gluurder voelt, en dan kijkt ze verbaasd de ruimte in. Een slaapkamer, nee, het is eerder een ziekenhuiskamer, compleet met piepende apparaten die lampjes laten flikkeren, infusen, en de indringende geur van ontsmettingsmiddelen en medicijnen. Er ligt een vrouw in het bed, en ze neemt aan dat het Tarantini's zus is. De vrouw slaapt, haar ademhaling is rustig en ze snurkt lichtjes. Ze sluipt op haar tenen verder de kamer in. Onder een gordijn dat de kamer in tweeën deelt, ziet ze het onderstel van een tweede bed. Ze schuift het gordijn iets opzij, en dan valt haar mond open. Beduusd strijkt ze een losgeschoten haarlok achter haar oren, en schudt haar hoofd. Het beeld verandert niet. De kamer is enigszins verduisterd door halfgesloten gordijnen voor de ramen, maar ze twijfelt geen moment aan wat ze ziet.

Ze denkt een geluid achter zich te horen, en net als ze zich wil omdraaien flitst er een felle pijn door haar hoofd. Ze wankelt. Haar handen zoeken houvast aan het stalen frame van het bed. Tevergeefs. Ze grijpt ernaast, verliest haar evenwicht en valt. Vaag hoort ze het geluid van scheurende stof. Wazige, grijze vlekken dansen voor haar ogen.

'... *non ficcare il tuo naso dappertutto...*'

Een fluisterende stem. Ze wil luisteren, zien wie er praat, maar in plaats daarvan merkt ze hoe ze steeds verder wegzakt in een stille duisternis.

3

'Anne?'

Iets koels, boven haar ogen. Waar is ze?

'Anne? Word eens wakker, toe, wat is er toch met je?'

Wakker worden. Grijs wordt wit, zonlicht in haar ogen. Ze knijpt ze dicht, haar hoofd voelt aan alsof iemand aan de binnenkant met een hamer aan het werk is. 'Oom Alex, ik heb...'

'Ssjt, zeg maar even niks. Rustig aan. Ik denk dat je een paar treden van de trap bent gevallen.'

Trap. Schilderijen. De kamer, het bed. Ze wil zich oprichten.

Haar vaders naaste collega en goede vriend houdt haar tegen. 'Even rustig aan doen, lieverd.'

Ze wrijft met haar hand over haar pijnlijke achterhoofd.

'Hier, drink wat water.'

Hij houdt een glas voor haar neus. Ze trekt haar voeten naar zich toe om te gaan zitten. Het veroorzaakt een vlammende pijn in haar enkel. Ze kreunt. Is ze gevallen?

'Die wordt dik,' zegt hij, wijzend naar de enkel. 'Ik zal zo even een koele pakking voor je zien te regelen.'

'Doe maar geen moeite, het valt wel mee, denk ik. Oom Alex, ik heb een dode man gezien.'

'Anne! Je bent gevallen. Je hebt te veel wijn gedronken. Een dode? Dat is onmogelijk, lieve schat.'

'Maar…'

'Ben je gestruikeld over een van de traptreden?'

'Huh?' Dan pas heeft ze in de gaten dat ze onder aan de trap zit. De trap? 'Ik was in… in die kamer,' fluistert ze. 'Boven. Ik weet niet hoe ik hier terecht ben gekomen, maar boven, daar, daar ligt een dode!'

'Dat is onmogelijk, Anne, geloof me. Je hebt het je verbeeld. Je bent gevallen.'

Niet gevallen, iets raakte haar op het hoofd. Onmiddellijk herinnert ze zich ook de stem. '*Non ficcare il tuo naso dappertutto,* zei iemand.'

'Je moet je neus er niet in steken? Waarin?'

'Ik weet het niet. De stem klonk zacht en dreigend, dat herinner ik me.' Ze ziet aan hem dat hij haar niet gelooft.

'Je bent even buiten westen geweest. Heb je iets gedroomd?'

Ze wil haar hoofd schudden, maar laat dat als bij de eerste beweging een felle steek door haar hoofd schiet.

'Wil je een pijnstiller?'

'Nee, hoeft niet.'

'Oké, laten we dan zorgen dat we je op de been krijgen, goed?'

'Ja.' Oom Alex helpt haar overeind. Het doet pijn, maar ze kan op haar voet staan.

'We willen je vaders feestje niet bederven, toch?'

'Nee. Pa's feestje niet bederven.' Hinkend loopt ze een paar stappen. 'Ik ga even naar het toilet, ik red me wel.'

'Weet je het zeker?'

'Ja.'

Lege ogen. Dode ogen. Ze weet het zeker. Ze weet het zeker.

Het liefst zou ze gaan vertellen wat ze heeft gezien. In plaats daarvan staart ze verstijfd naar haar eigen spiegelbeeld. Ze constateert dat de ontzetting bijna van haar gezicht af te schrapen is, en als ze haar kleding wil fatsoeneren merkt ze dat haar handen trillen. Het zal haar vaders dag verpesten. Een hysterische lach ontsnapt uit haar keel. Zonder erbij na te denken haalt ze de clip uit haar haren. Lange, donkere haren vallen langs haar schouders. In haar werk heeft ze dagelijks te maken met lege ogen. Ze weet hoe doden eruitzien, hoe hun huid voelt en hoe de kleur ervan na verloop van tijd verandert. En als ze langs struiken loopt waar een kadaver onder ligt, van een kat of konijn, dan ruikt ze het onmiddellijk. Die weeïge, penetrante geur die je, eenmaal geroken, altijd herkent. Het lukt haar nooit om de weerzinwekkende stank goed te omschrijven, omdat die onvergelijkbaar is met wat voor lucht dan ook. Maar als de geur zich eenmaal via je neus in je hoofd heeft genesteld, krijg je die er met geen mogelijkheid weer uit. Dat is niet erg. Dankzij goede koeling van de lichamen komt het meestal niet eens zover, en de lijken die pas na langere tijd worden gevonden krijgt ze niet te zien. De familie meestal ook niet. Ze verdwijnen rechtstreeks in een aan de binnenkant met lood beklede kist, en die gaat voorgoed dicht. De lege ogen kent ze. Maar ze passen niet bij het hier en nu.

Haar mond voelt droog. Kurkdroog. Ze constateert dat ze gedachteloos haar haren in twee vlechten heeft gestrengeld. Kinderlijke routine. Het verbaast haar; ze draagt haar haren nooit meer op die manier. Een dode is niet zo belangrijk als vijfenzestig worden, zorgeloos pasta eten is cruciaal. Geen smet op deze dag, haar vader niet teleurstellen. Waarom moest ze zo nodig gaan kijken? Ze heeft al haar moed bijeengeraapt om hier te komen, ze heeft haar weerzin opzijgeschoven om af te rekenen met haar demonen, met de boze geesten uit het verleden. Ze is zeker niet naar Toscane gekomen voor meer problemen of vragen.

Haar adem stokt. Een dode. Hoe is ze onder aan de trap terechtgekomen? Ze ging in die stinkende ziekenhuiskamer onderuit. Iemand moet haar hebben versleept. Waarom was oom Alex bij haar? *Non ficcare il tuo naso dappertutto*. Waar moet ze zich buiten houden, haar neus niet in steken? En anders? Een scheur in haar jurk vormt het tastbare bewijs van haar lugubere vondst en haar val. De jurk haakte achter iets scherps aan het bed, dat was het. Het bed waarop een dode man lag. Ze huivert.

Gedachten aan haar werk schieten door haar hoofd. Het is de vraag of ze straks weer aan de slag mag, na de ernstige fout die ze heeft gemaakt. Een blunder van megaformaat. Ze heeft een lijk verknoeid dat gebalsemd moest worden. Een Engelse vrouw, op vakantie, die dodelijk was verongelukt in het drukke Amsterdamse verkeer. Er is iets misgegaan, herstel, ze heeft een fout gemaakt, met de hoeveelheid formaline en het gezicht van de vrouw zwol zo op, dat ze onherkenbaar en afzichtelijk werd. Alsof ze een afschuwelijk mislukte facelift had ondergaan. De kist moest dicht, de familie ginds zou geen afscheid kunnen nemen en dat heeft zij op haar geweten. En vervolgens heeft de baas haar naar huis gestuurd. Hij was onvermurwbaar. Ze was een aantal keren te laat gekomen, en hij had een en ander gehoord in de wandelgangen, van collega's, van de kistjongens. Als ze zichzelf niet bijeenraapte zou hij zich genoodzaakt zien drastischer maatregelen te nemen, ze had nu eenmaal een verantwoordelijke baan. Dus ze moest maar eens uitrusten en nadenken of het werk niet te veel van haar vergde.

Het ligt niet aan haar werk, en daarom is ze hier. Ze moet zich focussen op haar missie. Ze schudt de vlechten uit haar haren en steekt ze zo netjes mogelijk vast achter op haar bonzende hoofd. Ze ademt diep in vanuit haar buik, waarbij ze haar armen omhoog tilt, en laat haar adem vervolgens zo langzaam mogelijk ontsnappen, terwijl ze haar armen weer laat zakken. Zoals ze ooit op yoga leerde. Ademhalen voor ontspanning. Ze recht haar rug en fatsoeneert haar haren door ze zo netjes mogelijk opnieuw op te steken. Een dode. O, god.

4

Zo beheerst mogelijk schuift ze aan tafel. Ze kijkt naar oom Alex. Hij knikt haar bemoedigend toe. Het dessert is inmiddels geserveerd; het bord voor haar neus oogt als een kunstwerk. Iets met vruchten, en chocoladecake. Haar handen beven als ze een lepel naar haar mond brengt, en ze krijgt geen hap door haar keel. Een dode, hier vlakbij, en niemand lijkt er ook maar iets van te weten. Ze hoopt dat ze zo zal ontwaken.

'Wat is er, Anne?' vraagt haar zus.

'Niks.' Ze ontwijkt Stefanies kritische blik. Ze kan het niet. Het lukt haar niet om te zeggen dat ze zojuist een lijk heeft gezien. Niet nu, niet hier. Pa's feestje niet bederven. Hij zou het haar kwalijk nemen.

'Maar je jurk...'

'Ik bleef ergens achter haken in het toilet.'

'In het toilet?' Stefanies stem is doordrenkt met ongeloof.

Ze zendt haar zus een dwingende blik. Hou je mond.

Haar moeder legt een hand op haar arm. 'Heb je het naar je zin?' Haar blik richt zich tot enkele van haar vaders collega's. 'Onze Anne is een kei in cryptogrammen.'

'Má!' Ze onderdrukt de neiging om zich los te rukken. De welwillende, ietwat wazige blik in haar moeders ogen houdt haar tegen.

'Ze verzint ze waar je bij staat, eerlijk waar. Geef me nog eens een raadsel, toe...'

Hoeveel pillen heeft haar moeder vanmorgen geslikt? 'Ik ken geen crypto's in het Italiaans,' fluistert ze.

'Een voor Frits en Alexander dan, in het Nederlands,' dringt ma aan.

'Leuk, kom maar op, Anne, wedden dat ik de oplossing niet weet?' Alexander knipoogt.

'Een recent gedicht,' verzucht ze. 'Vier letters.' In hemelsnaam. Laat het gauw afgelopen zijn. Ze wil naar huis, weg van deze poppenkast. Want als ze niet droomt, dan moet het dat zijn. Iedereen speelt hier een rol in een bizar toneelstuk.

'Daar moet ik over nadenken,' zegt oom Alex. Hij staat op en accepteert de viool, die de gastheer hem aanreikt.

'Speel wat, Alex,' zegt Tarantini, 'ik weet zeker dat Cees erop zit te wachten.'

Het is aardig van pa's baas dat hij hen heeft uitgenodigd. Hij is een Italiaan met bravoure, deze minister. Donkere ogen, innemende blik, en een stem die uitnodigt tot luisteren. Toen ze een pastagerecht met truffel kregen, deed hij breedvoerig uit de doeken wat voor bijzondere en kostbare bewaarmethode hij heeft voor de zwarte diamanten, zoals hij de truffels noemt. Was het zijn stem, daar op die kamer? Ze vraagt zich af of hij ook jaagt, in de bossen om zijn kasteel. Zou hij eigenhandig een wild zwijn de strot doorsnijden? Misschien zit ze op dit moment onder één dak met een maffioso. En een dode...

Oom Alex speelt speciaal voor de jarige een stuk van Vivaldi. Het lijkt niemand op te vallen dat ze zich niet meer mengt in de gesprekken. Iedereen is blijmoedig, er wordt volop geproost. Ze haat de overspannen vioolklanken van *De Vier Jaargetijden*. Aan de evolutie van het heelal zal ooit een einde komen, dus ook dit feest zal voorbijgaan, en dan kan ze de geheimen van dit kasteel achter zich laten. Ze heeft genoeg aan haar hoofd en wil niets weten over wat voor huiveringwekkend mysterie dan ook. De grappa komt op tafel, en Tarantini vraagt haar enigszins gereserveerd of ze een glaasje van het digestief wil. Ze weigert beleefd, en complimenteert hem met zijn prachtige kasteel, terwijl ze haar best doet een geloofwaardige lach op haar gezicht te toveren. 'Uw collectie schilderijen is werkelijk adembenemend. Ik interesseer me erg voor kunst.'

'Werkelijk? Ik dacht dat je meer van cryptogrammen en sterrenkunde hield.'

'Dat is waar. Maar oude meesters boeien me ook enorm. Wilt u me er iets meer over vertellen?'

De gastheer strekt zijn arm naar haar uit. 'Loop maar mee, waarom niet?'

Ze probeert geïnteresseerd te kijken als Tarantini vertelt over de herkomst van de schilderijen aan de muren. Zoals ze al had gedacht zijn het inderdaad allesbehalve replica's. Tarantini heeft hier voor een vermogen aan kunst hangen. Op een ander moment had ze uren met hem willen praten over de doeken. Maar nu... Haar enkel herinnert haar bij elke pijnlijke stap aan haar macabere vondst. 'U heeft ook Nederlandse doeken in uw collectie, zag ik. Is dat een Ferdinand Bol, daar boven aan de trap? Mag ik die van dichtbij bekijken?' Ze voelt zweetdruppels langs haar rug glijden. *Non ficcare il tuo naso dappertutto.* Kan het zijn stem zijn geweest?

'Vooruit, als ik je daarmee een plezier doe. Maar we moeten voortmaken, ik kan mijn overige gasten niet te lang alleen laten.'

Haar hartslag versnelt met elke tree die haar dichter bij de eerste verdieping brengt. Het klamme zweet staat in haar handen. 'Mijn vader is ook altijd vol lof over u,' zegt ze. 'Hoe heeft u elkaar eigenlijk ontmoet?'

'Ik ben degene die Cees zes jaar geleden heeft uitgenodigd naar Italië te komen om zijn onderzoek hier voort te zetten,' antwoordt hij. Zijn gezicht betrekt. 'De overheid, in de vorm van mijn ministerie, beslist hoe onderzoeksgeld wordt verdeeld over de diverse instituten en initiatieven. Multiple sclerose heeft mijn speciale interesse vanwege een persoonlijke reden: mijn tweelingzus heeft MS, in een vergevorderd stadium. Je hebt geloof ik gehoord dat ze hier momenteel logeert; je moeder heeft vanmiddag thee met haar gedronken, tijdens de rondleiding op het landgoed.'

Ze knikt. 'Ma heeft het me verteld.' Er is iets aan hem wat haar stoort; ze kan er niet de vinger op leggen.

Hij vertelt wat over Bols *Een jongen in een Pools kostuum* en dan schuifelt ze langzaam richting de deur waarachter zich de ziekenhuiskamer bevindt. Haar hand gaat voorzichtig naar de klink, maar dan heeft Tarantini blijkbaar door wat ze van plan is. Ze wil de deur snel openen, maar die blijkt nu op slot. 'Het spijt me, dit is de kamer van mijn zus, en ik moet je helaas de toegang weigeren. Ze was vanmiddag doodop, en ze slaapt. Er hangen trouwens ook geen schilderijen op haar kamer.'

Ze gaat dichter bij hem staan. Hij moet haar hart bijna kunnen horen, zo luid bonst het in haar lijf. 'Ik ben erbinnen geweest. Ik heb uw zus gezien, ze sliep, maar er lag nóg iemand in die kamer. Er lag een dode man in.'

Ze let scherp op zijn reactie, ze kan zelfs de lichtere pigmenten in zijn bruine irissen onderscheiden.

Tarantini reageert alsof hij door een wesp is gestoken. '*No, signora!* Dat is onmogelijk.' Hij draait zijn ogen niet weg. Hij liegt. Natuurlijk liegt hij.

'Ik heb het met mijn eigen ogen gezien.'

'Je hebt misschien een glas van mijn robijnrode chianti te veel gehad, *sì?*'

Ze wil iets zeggen, maar hij heft zijn hand op, en dat gebaar laat niets te raden over. Discussie gesloten. Hij loopt de trap af. Tarantini, de charmante minister? Een leugenaar.

5

Op een dag als vandaag geniet ik volop, omdat ik Cees om me heen heb, en niet continu word geconfronteerd met de ziekte die ons beider leven zo beheerst. Hij heeft het ook naar zijn zin, ik zie het aan zijn lach, vooral als hij enkele keren flink in het zonnetje wordt gezet.

Umberto heeft flink uitgepakt en zijn vrouw kan model staan als gastvrouw van het jaar. Iedereen heeft zin in dit feestje, dat proef je aan alles, met Cees als stralend middelpunt. Ik zie hoe de jaren hem hebben getekend, de lijnen in zijn gezicht zijn diep, zijn haar grijs, maar als hij lacht – iets wat niet vanzelfsprekend in zijn vermogen ligt – dan word ik warm vanbinnen.

Soms vrees ik voor zijn hart, dat aan kracht heeft ingeboet. Maar ik bewonder zijn vasthoudendheid. Hij had ook het schip met goud kunnen laten binnenvaren in een minder vermoeiende functie en enkele commissariaten als toetje kunnen accepteren. Zo steekt hij niet in elkaar. O, er komt veel ego bij kijken hoor, dat zal ik niet ontkennen. Ook dat is waarschijnlijk een bijwerking van zijn sterke persoonlijkheid.

Wacht. Hij tikt tegen zijn glas. Een zacht, bijna onhoorbaar tikje is voldoende om iedereen naar hem op te laten kijken. Speech, speech!

'Mijn waarde Umberto en Maria,' zegt hij, 'collega's, lieve fami-

lie. Mijn allerliefste Céline. Wat een eer dat ik hier vandaag bij jullie zo'n gedenkwaardige dag mag vieren. Het is hartverwarmend om te ervaren en deze dag zal ik nooit vergeten, al zetten jullie daar vast je vraagtekens bij op het moment dat ik weer wegduik in mijn onafscheidelijke laboratorium...' Gelach. 'Jullie kennen me te goed. Maar toch. Het doet me meer dan jullie misschien vermoeden. Ik ben er zó dichtbij,' hij houdt zijn rechterduim en wijsvinger vlak bij elkaar, zodat er amper een crostini tussen past, 'zó dicht bij de oplossing... Vergeef me mijn afwezigheid, houd het alsjeblieft nog even met me vol. Een paar dagen, dan zal ik, dan zullen we de wereld op zijn grondvesten doen schudden. Ik heb het al aangekondigd, het is geen fata morgana, nee, het gaat daadwerkelijk gebeuren!' Een applaus klinkt op, een applaus dat ingezet wordt door Umberto. Ook hij heeft daar veel belang bij. Hoewel, nee, voor zijn zus zal het te laat zijn. 'Al die jaren van kostbaar, tijdrovend onderzoek worden eindelijk, eindelijk beloond. Maar vandaag... vandaag moeten we feestvieren. Laten we proosten op genezing voor alle MS-patiënten. En dan wil ik nu graag mijn vrouw kussen.'

We applaudisseren voor hem. Ik ben ontroerd. Oprecht ontroerd. Dat hij kan speechen, dat wist ik, maar zo persoonlijk heeft hij het nooit gemaakt.

We omhelzen elkaar, we proosten, en het leven is heerlijk licht.

Ik zou ons als verjaarscadeau meer van dit soort dagen toe willen wensen. En dan... als het had gekund... wat zou ik graag vanavond met hem willen dineren, ergens aan de Piazza della Signoria, of, nog mooier, de Piazza della Repubblica. Dat eerst, en dan naar de opera... naar het Teatro Comunale. Die haalt het niet bij Milaan of Verona, maar eerlijk is eerlijk, het zou om ons tweeën gaan, en om de sfeer. Verdi's Don Carlos wordt er opgevoerd, heb ik gezien, en een paar keer heb ik op het punt gestaan Cees te vragen of we er samen naartoe konden gaan. En het niet gedurfd.

Hij gunt zichzelf geen tijd meer voor uitjes. Als we al eens op een feestje of een receptie komen, klampen ze hem vaak aan. Hij wordt herkend, en hoewel hem dat allerminst lijkt te storen, ontneemt het hem toch een deel van het plezier, geloof ik. Ik denk dat hij de tijd liever in het laboratorium doorbrengt, dat hij alle tijd die hij daar niet is, als verloren tijd beschouwt.

Cees wil na zoveel jaren bloed, zweet en tranen eindelijk resultaat zien, en ook nu, met de positieve resultaten van zijn onderzoek en de grote doorbraak waarvan hij al zoveel jaren droomt, is hij er nog lang niet, het werk wordt er waarschijnlijk alleen maar meer van, en dat kan ik begrijpen. Ik ben nu eenmaal van het begripvolle soort.

Maar toch. Ik mis de cultuur in mijn leven. Vroeger ging ik overal naar toe, van klassieke concerten tot vernissages van veelbelovende kunstenaars. Ik snoof alles op, als er maar enigszins de geur van fantasie en creatie aan hing. Maar dat is vroeger. Vroeger is voltooid verleden tijd.

6

Anne is vol adrenaline, gespannen. Ze is er klaar voor om helderheid in de duisternis te eisen als ze terug is in de eetkamer. Maar als ze in haar moeders ogen kijkt durft ze haar hart niet meer te luchten. Een plotseling dodelijk vermoeide en vooral smekende blik brengt haar aan het twijfelen. Weet ma hiervan? Haar vader staat op. Hij tikt tegen zijn glas en iedereen is stil. Een speech. Waarin hij aankondigt de wereld op zijn grondvesten te zullen doen schudden. Hij is er dichtbij, zegt hij, dicht bij de oplossing. Om MS te genezen, heeft ze dat goed begrepen?

Ook na zijn speech blijven alle ogen op haar vader gericht. Hij praat over zijn werk. Zijn lange lijf oogt mager, de lijnen in zijn gezicht lijken grilliger dan voorheen. Hij heeft nog steeds een volle haardos, maar de donkere kleur van vroeger heeft plaatsgemaakt voor een mengeling van grijstinten. Gedistingeerd, dat woord past bij hem. Een man tegen wie je opkijkt, niet alleen vanwege zijn lengte. Als hij praat luisteren mensen. Niet zoals bij die minister vanwege zijn warme, volle stem, maar vanwege het gezag, en de intelligentie die hij uitstraalt. Een geboren leider. Tegelijkertijd heeft hij ook de rust van een man met een missie, en die houding wordt onderstreept door de vastberaden manier waarop hij in zijn koffie roert.

Ze concentreert zich op zijn woorden. Ze probeert het, ze wil het begrijpen, maar het beeld van de dode man zit in de weg, ook al houdt ze zichzelf voor dat ze er niets mee te maken wil hebben, dat ze andere zorgen heeft. En dat ze moet aannemen dat iemand haar heeft gewaarschuwd. Ze moet zich er niet mee bemoeien.

'... een krachtig, de immuniteit onderdrukkend middel, dat werkt door de verspreiding van cellen te remmen, door B-cellen van het immuniteitssysteem en T-helpercellen te onderdrukken en andere immuniteitscellen en -stoffen te beïnvloeden,' zegt haar vader.

Oom Alex heeft een verwachtingsvolle, trotse blik in zijn ogen.

'Waar heeft hij het over?' fluistert ze in zijn oor. Als haar moeder genezen kan worden, waarom heeft noch haar vader, noch haar oom dat dan van de daken van Florence geschreeuwd?

'Novantrone vermindert onder meer de frequentie van terugval bij patiënten met zeer progressieve MS,' antwoordt hij zacht. 'Het is een van de medicijnen, net als bèta-interferon en glatirameeracetaat, die we inzetten bij patiënten. We zijn zover, we kunnen MS genezen.'

Het is echt waar? MS genezen? Maar dat is, dat is geweldig nieuws!

Hoe technischer het wordt, hoe meer haar vader lijkt te vergeten dat hij een publiek heeft. '... met de werkzame stof natalizumab, een eiwit dat lijkt op menselijke antilichamen...'

Dit is zijn leven, zijn passie. Ze bespeurt een schrijnende ontgoocheling in haar lijf, omdat haar kennis te beperkt is om zijn bezieling te begrijpen.

'... dat de combinatie van deze geneesmiddelen MS niet alleen kan remmen, maar de schade ook kan herstellen. Wat we realiseren is, eenvoudig vertaald, dat we het proces van de verwoesting van gezond weefsel door het immuunsysteem, de autoimmuunreactie, omkeren. De patiënt werkt overigens volop mee aan zijn genezingsproces. Hij heeft zich te houden aan strenge leef- en beweegregels, waarbij bijvoorbeeld hoge temperaturen, stress en zware inspanningen moeten worden vermeden, een uitgebalanceerd dieet met een eiwit-vetverhouding van één staat tot drie, geen suiker of zuivelproducten, enfin, een lijst van do's en don'ts waarbij u in slaap zou vallen, en dat is niet de bedoeling op een feest.'

In slaap vallen? Weinig kans.

'Wat mij, wat ons gelukt is, willen we natuurlijk wereldwijd gaan toepassen,' zegt hij. 'Italië kan een vooraanstaande rol gaan spelen op het gebied van medische vooruitgang; ik durf het zelfs sterker te stellen: deze ontdekking kan Italië de geschiedenisboeken in helpen, een onuitwisbaar bewijs voor de mensheid dat ons land op medisch gebied een van de grootste ter wereld is!'

Hij krijgt applaus van een oudere man, een van de laboratoriummedewerkers, die opstaat als pa het heeft over 'ons' land. 'Bravo,' zegt hij.

'Ik dank u wel,' zegt haar vader, terwijl ook hij even opstaat en een lichte buiging maakt.

Anne lacht naar hem, met plaatsvervangende trots, en als iedereen even later weer converseert met naaste tafelgenoten feliciteert ze haar vader met het fantastische resultaat. 'Dan mag je straks dus tóch met pensioen,' zegt ze. 'Je kunt samen met ma gaan genieten van Toscane; het eten, de mooie omgeving…'

Haar vader zwijgt.

'Je missie is geslaagd. Anderen maken die pillen toch wel voor je?'

'Zo simpel ligt het niet,' meent hij. 'Er is nog een lange weg te gaan, de komende jaren zullen in het teken staan van wereldwijde testen, lezingen en vooral kennisoverdracht. Een groot deel van het werk zal op mijn schouders rusten. Sommigen zullen de therapie proberen onderuit te halen...'

'Onderuithalen?'

'Als blijkt dat bepaalde medicijnen die nu worden ingezet tegen MS niet meer nodig zijn, dan rukt een heel leger farmaceutische bedrijven op aan het front.'

'Dat klinkt alsof je een oorlog verwacht,' zegt ze.

'Dat is ook zo.'

'En ma?'

'Nu niet, Anne-Claire.'

Ze kijkt haar moeder aan, maar ook zij zwijgt.

MS genezen. Dit is fantastisch nieuws. Geweldig. Het maakt ma's vraag in één denderende klap overbodig! Waarom heeft haar vader dit niet onmiddellijk verteld, toen ze vrijdag kwam? Waarom straalt haar moeder niet van oor tot oor? Het duizelt haar. Ze ziet hoe pa's baas met een uiterst tevreden uitdrukking op zijn gezicht een sigaar rookt. Ze voelt de scheur in haar jurk als ze gaat verzitten. Hoe kan Tarantini zo ontspannen zijn, als hij weet dat er een lijk in zijn huis ligt? Het is echter ook ondenkbaar dat deze minister, die alles onder controle lijkt te hebben, niet op de hoogte is van wat er onder zijn dak gebeurt. Ze zou moeten juichen, haar vader omhelzen. In plaats daarvan concentreert ze zich op het vlammetje van een bijna opgebrande kaars op tafel en probeert haar gedachten helder te krijgen.

Er wordt opgeruimd. De eerste gasten vertrekken. Ze schrikt als ze ineens een hand op haar schouder voelt. Ze draait zich abrupt om en kijkt in de ogen van Frits Ruiterbeek, haar vaders collega.

'Een slecht geweten?' vraagt hij lachend. Hij buigt zich naar haar toe en geeft haar een zoen ter afscheid. 'Ik denk de oplossing te weten,' fluistert hij. 'Er zit een servet in je jasje waarop ik het antwoord heb geschreven. Bel je me als ik de hoofdprijs heb gewonnen?'

Het cryptogram. Als ze ergens op dit moment niet in is geïnteresseerd, is het in stupide raadsels.

'Ik zou graag naar huis gaan,' zegt haar moeder, 'het was een prachtige dag, maar nu ben ik toe aan mijn bed.'

Samen met Stefanie helpt ze haar moeder en de rolstoel in haar vaders auto. Stefanie keurt haar slechts één blik waardig. Een blik die vooral is gericht op haar jurk.

'Stefanie, mijn vestje hangt nog binnen, wil je dat voor me halen?' vraagt haar moeder.

'Natuurlijk.'

'Je hebt haar gezien,' zegt haar moeder, zodra Stefanie uit hun blikveld verdwijnt.

Haar? Hoe weet haar moeder dat ze op die kamer is geweest? Ze staat op het punt om dat te vragen, maar ze bedenkt zich. Ze moet haar moeder daar nu niet mee lastigvallen. Ze leunt tegen het autoportier en wuift nonchalant met haar hand in de lucht. 'Je gaat beter worden. Ben je niet enorm...'

'Ssjt.' Ze legt een vinger op haar lippen. 'Zo eenvoudig is het niet.'

'Waarom niet?'

'Zijn behandeling vereist een sterk, weerbaar lichaam, en dat bezit ik niet. Maar jij moet je hoofd daar niet over breken. Die gescheurde jurk van je, ben je weer eens ergens achter blijven haken? Ik dacht al wel dat je rond zou willen neuzen in zo'n oud kasteel. Je hebt haar gezien, niet? Umberto's zus is ernstig ziek. Ze is in een veel verder stadium dan ik ben.'

'Wat?'

'Ik begrijp dat je geschrokken bent, dat geldt voor mij ook.' Haar moeders stem klinkt alsof die er elk moment mee kan ophouden. Ze graait in haar tas en haalt er een doosje uit. 'Toe, pak er twee voor me.'

Een moment is ze verbijsterd, en een fractie van een seconde denkt ze aan een macabere grap. Tarantini's zus! Ma lacht niet. Is ze in de war? Als ze boven is geweest, dan moet ze toch ook de man in het andere bed hebben gezien? 'Maar... waar heb jij Tarantini's zus dan gesproken?'

'In de theekamer, ze was een halfuurtje op, een van de bedienden bracht haar in een rolstoel in de kamer.'

Niet in de ziekenhuiskamer. 'Ik dacht al... Ma, ik ben me kapot geschrokken vanavond. Ik bedoel, hier, hierboven... Ik heb een man gezien. Een dode man.'

'O, ik heb al vaker gedacht, dat werk van jou...'

'Het is waar. Ik weet het zeker, zijn ogen waren wijd open, en leeg.'

'Doe toch niet zo raar. Had die persoon donker haar?'

'Ja.'

'Umberto's tweelingzus heeft kort zwart haar, en ze mag dan ziek zijn, ze is niet dood.'

'Er was nóg een...'

'Anne-Claire! Je denkt toch niet dat we in dat geval hier je vaders feestje zouden vieren? Wil je je vader nu halen, alsjeblieft? Ik ben doodop.'

Ze loopt naar het kasteel. Haar pumps knarsen op het grind als ze zich afvraagt of ze aan hallucinaties lijdt en dan schiet haar te binnen dat ze Ruiterbeeks servet in haar jasje heeft. Ze pakt het papier en leest *Vers*. Bravo. Maar er staat nog iets. In bijna onleesbaar, slordig, misschien snel geschreven handschrift. *Bel me*, met een telefoonnummer, waarin ze het 055-netnummer van Florence herkent, gevolgd door *Wacht niet te lang*. Hem bellen? Waarom? Ze heeft een fijn gesprek met hem gevoerd, vanmiddag, zoals je dat soms zomaar kunt hebben met iemand die je voor het eerst ontmoet. Hij was aardig, belangstellend, en wist veel te vertellen over de alom aanwezige kunst in Florence. Maar wat zou hij van haar willen?

'Zo, terug naar de warmte van de stad?'

Ze schrikt van Tarantini's stem en zijn hand op haar schouder. Vlug stopt ze het servet weg. 'Ja. Het was aardig van u om ons hier uit te nodigen,' zegt ze, een glimlach forcerend. 'Maar ja, aan alles komt een einde, ooit zal zelfs de kosmos stollen.'

7

Ik heb het gezien. Ik heb het gezien. De woorden dreunen in haar hoofd, op het ritme van oom Alex' auto op de snelweg. Ze rijdt met hem mee terug naar Florence, omdat hij aangaf haar gezelschap tijdens de autorit op prijs te stellen. Wie heeft haar de klap op haar hoofd gegeven, haar de trap af gedragen?

'Weet je nog dat we samen naar het planetarium in Franeker zijn geweest?' vraagt haar oom.

Anne begrijpt dat hij een goedbedoelde poging doet om haar aandacht af te leiden. 'Ja, natuurlijk, het is een van mijn eerste herinneringen aan je, en je droeg die dag een kostuum dat zo in de achttiende eeuw had gepast, met laarzen, een stoere cape en een hoed.'

Zijn bijzondere verschijning viel echter in het niet bij de wereld die voor haar openging in het Friese plaatsje. Haar mond viel open bij het zien van het nagemaakte zonnestelsel, dat meneer Eisinga ruim tweehonderd jaar geleden aan en boven het plafond van zijn woonkamer had geschroefd. Zeven jaar had hij erover gedaan, vertelde oom Alex, die de hele dag deed alsof hij Eisinga zelf was. Ze vroeg hem of de man geen vreselijke pijn in zijn nek had gekregen, want dat kreeg zij al na tien minuten omhoog staren. Ze kon haar ogen er niet vanaf houden, zo onder de indruk was ze van het uurwerk, dat door een raderwerk van houten hoepels, schijven en handgesmede spijkers bewoog. In Franeker ontstond haar passie voor alles wat met het universum te maken heeft. Oom Alex voedde haar honger naar informatie, en hij bouwde zelfs een kartonnen zonnestelsel aan het plafond van haar slaapkamer. Met aan visdraad opgehangen planeten die ronddraaiden als ze hard blies, en als het buiten waaide. De momenten dat hij op haar paste, zijn in haar herinnering de gelukkigste van haar jeugd.

Oom Alex' pogingen om haar af te leiden mislukken; het beeld van de dode man wil niet van haar netvlies verdwijnen. Nadat ze weg zijn gereden uit Rufina heeft ze het hem nog eens verteld, en haar oom heeft herhaald dat het absoluut onmogelijk is dat ze een dode heeft gezien en dat het veel meer voor de hand ligt dat ze het zich heeft verbeeld. En daarmee was het onderwerp afgesloten. Zegt hij dat expres, om Tarantini te beschermen? Wat mag zij niet weten?

Alle energie lijkt uit haar lichaam te zijn weggestroomd. De anticlimax van een feestelijke dag. Ze heeft genoten van haar lachende ouders, en het feit dat haar moeder bijna normaal oogde in plaats van als een patiënt luchtte haar op. Maar het contrast met de afloop is adembenemend schokkend. Een dode, die ze niet kan hebben gezien. Niemand die haar gelooft, zelfs haar oom niet.

Amper zichtbare strepen op het asfalt, kuilen in de weg. Onverantwoord hard scheurende tegenliggers die levensmoe moeten zijn. Toscane is allesbehalve idyllisch, eerder verraderlijk in de duisternis. Ze heeft het gezien. Ze heeft het gezien. En iemand wilde niet dat ze het zag. Geen illusie, maar wel haar klamme handen. Nooit maken ze ruzie, nooit. Vroeger niet, nu niet. De zeldzame momenten die ze de laatste jaren samen doorbrengen zijn stuk voor stuk om als cadeautje in de kerstboom te hangen. Tijdens haar schaarse bezoeken aan Florence hangen ze rond in het wetenschappelijk museum aan de Via Manzoni of filosoferen ze over andere sterrenstelsels die in ontwikkeling zijn. Ze noemt hem niet voor niets oom, ook al is hij dat niet in de officiële betekenis van het woord en is ze de enige die hem zo noemt. Voor haar voelt hij als familie. Dichterbij dan haar eigen vader, hoewel ze dat niet hardop zou zeggen. Ze blaast een haarlok uit haar gezicht.

Oom Alex is vrijgezel. Stefanie zei vroeger wel eens dat ze dat sneu voor hem vond, maar zij had geenszins de indruk dat hij zielig was, integendeel. Hij vertelde aan tafel altijd spannende verhalen over buitenaardse intelligentie, en dan hing ze aan zijn lippen. Nu denkt ze dat haar oom zijn dosis familie bij hen inhaleerde, en daar teerde hij dan een week of wat op, tot hij weer een portie nodig had. Ze zag het in zijn ogen, die net iets intenser straalden dan wanneer zij samen op pad waren. Hij was zorgzaam voor haar moeder, en was haar vaders perfecte sparringpartner in de race om MS te overwinnen. Als pa Holmes was, fungeerde hij als Watson. Een niet te onderschatten secondant.

'Wat ben je stil,' zegt hij. 'Moe van de drukke dag?'

'Gaat wel,' mompelt ze. In de war, geschokt, kwaad en verdrietig, had haar antwoord moeten zijn.

Oom Alex is sinds jaar en dag een collega van haar vader. Ze ontpopten zich als gedreven onderzoekers bij het Centraal Instituut voor Hersenonderzoek, de voorloper van het huidige Nederlands Instituut voor Neurowetenschappen. Tot haar moeder MS bleek te hebben.

Haar vaders stap naar MS-onderzoek was niet eens erg groot, aangezien MS ook met de hersens te maken heeft; de ziekte tast immers het centrale zenuwstelsel aan. Haar oom volgde. Hij vertelt nog wel eens hoe hun onderzoek, tot haar moeders ziekte vooral wetenschappelijk, toen ineens een ziel kreeg.

'Het is dit jaar het Internationale Jaar van de Sterrenkunde,' zegt hij.

'Fijn.' Alsof ze dat niet allang wist. Loszittende haarlokken kriebelen in haar gezicht, en met een geroutineerd gebaar steekt ze haar haren opnieuw vast op haar hoofd.

Haar vader verscheen op tv, als deskundige op zijn vakgebied, en oom Alex zat op zulke momenten net zo zenuwachtig te zijn als zij. Soms pakte hij dan na afloop zijn onafscheidelijke viool en speelde wat. Ze genoot daarvan, behalve als hij aan Vivaldi's *Jaargetijden* begon. Als ze de eerste zeurende tonen daarvan hoorde, liep ze weg. Toen ze was gezakt voor het vwo verklapte oom Alex haar dat hij bij het toelatingsexamen voor het conservatorium zo stijf stond van de zenuwen dat hij geen noot kon spelen.

'Op vierentwintig oktober ga je vast...'

'Ik twijfel niet aan wat ik heb gezien.'

'Lieve Anne, wat denk je nou, dat minister Tarantini iemand heeft vermoord? Dat we een patiënt in een kasteel verstoppen? Je denkt toch niet dat ik zou liegen? Vertrouw je me niet?'

'Natuurlijk wel. Maar het was geen verbeelding, je moet me geloven.'

'Anne, alsjeblieft. Laten we...'

'Waarom wil je het er niet over hebben? Als je mij als een klein kind gaat behandelen, dan loop ik liever.'

'Ach, doe niet...'

In een vlaag van plotseling opkomende woede trekt ze de hendel van de deur naar zich toe. Oom Alex strekt zijn arm voor haar langs om het portier dicht te houden en zet de auto ongecontroleerd slingerend stil. 'Ben jij nou helemaal! Wat denk je, ik stort mezelf uit een rijdende auto?'

'Ja, ik ben niet "helemaal". Dat is tenminste wat iedereen denkt. Dan kan ik me daar net zo goed naar gaan gedragen.' Ze stapt uit en smijt de deur achter zich dicht. Zonder de auto of haar oom ook nog maar één blik waardig te keuren loopt ze weg. Om struikelend over een paar keien bijna haar enkel te verzwikken, uitgerekend de linker, die vanavond al meer te lijden heeft gehad. Een blessure die ze zich niet herinnert. Pijn schiet vanuit haar voet naar boven, en ze laat zich moedeloos op een omgevallen boomstam zakken.

'Anne, je kunt toch geen tien, twaalf kilometer gaan lopen, midden in de nacht?' schreeuwt hij vanuit de auto.

'Kan me niet schelen.'

8

Ze ziet hoe oom Alex zijn auto verderop in de berm parkeert, nog steeds gevaarlijk dicht langs de weg, en de alarmlichten aanzet. Hij ijsbeert, zichtbaar twijfelend of hij naast haar zal gaan zitten. Zijn piekfijn gestreken, dure Armani-kostuum zal dat niet waarderen.

'Oké,' zegt hij. 'Je hebt je punt gemaakt. Ik luister.'

Zo gedetailleerd mogelijk vertelt ze hem wat ze heeft gezien.

'Ik denk dat je moeder gelijk heeft,' zegt hij, als ze is uitgepraat. 'Dat je Umberto's zus hebt gezien. Hoeveel glazen wijn had jij genuttigd, toen je die prachtige jurk van je stukmaakte? Hoe donker was het in die kamer?'

'Licht genoeg om te zien dat er nóg iemand lag. Een man, en hij was dood. Even later lag ik onder aan de trap met een zere enkel. Wat deed jij daar?'

'Ik wilde naar het toilet, en zag je liggen. Ik schrok, en je weet niet hoe opgelucht ik was dat je niets mankeerde, alleen je hoofd had gestoten.'

'Niet gestóten.'

'Weet je dat wel zeker? Anne, je moeder heeft al je liefde nu nodig, focus je liever op haar. Daar doe je je vader ook een groot plezier mee.'

'Ik kreeg een klap op mijn hoofd. Iemand heeft me geslagen, en daarna die trap af getild.'

Hij haalt alsnog een zakdoek uit zijn broekzak, legt die op de boomstam en gaat voorzichtig zitten. Mocht zijn appartement in de fik vliegen, dan zou hij eerst zijn haren kammen voordat hij op de vlucht sloeg voor de vlammen. 'Als dat werkelijk zo is, ik zeg áls, dan denk ik dat een verpleger zijn taak iets te serieus heeft opgevat. Dat hij bang was dat je misschien Umberto's zus wakker zou maken. Dat zou ook de woorden in het Italiaans verklaren. Maar waarschijnlijker lijkt me dat je je niet goed voelde, de trap af bent gelopen en bij een van de onderste treden bent gestruikeld. Je had per slot van rekening nogal wat drank op.'

'Verpleger?'

Hij knikt. 'Umberto's zus wil niet naar een ziekenhuis, en dus laat hij haar thuis verplegen.'

'Dus ze logeert niet zomaar even bij hem.'

Haar oom schudt zijn hoofd.

'En waarom zou een verpleger mij in vredesnaam een klap op mijn hoofd geven?'

'Hij wil niet dat mensen weten dat zijn zus bij hem thuis wordt verpleegd, daarom wilde hij jou ook doen geloven dat ze er slechts logeert. De apparatuur in die kamer kost een godsvermogen. Hij maakt natuurlijk gebruik van zijn luxepositie als minister. Wil je dit alsjeblieft voor je houden? Niemand weet ervan, zelfs je moeder niet.'

Ze zucht. Twijfelt. Hij lijkt oprecht en ze gelooft hem. Ze wil hem geloven. 'Is het waar dat jullie MS kunnen genezen?'

'Natuurlijk is het waar.'

'Waarom maakt ma dan geen lange wandelingen? Waarom praat ze niet over een vakantie tussen de wijngaarden en cipressen?'

'Anne, je moeder...' Zijn woorden vormen een langgerekte zucht. 'Omdat ze onze therapie weigert.'

'Wát?' Dat kan niet! Ze vliegt op, maakt een onhandige beweging en stoot haar knie tegen een paaltje. Ze vloekt.

Hij glimlacht. 'Hoe vaak ik vroeger niet "pas op" tegen je heb geroepen, waarna je alsnog uit de boom kletterde!'

'Waaróm?' dringt ze aan.

Ze meent een gepijnigde blik te bespeuren. 'De behandeling is loodzwaar.'

'Is ze anders niet... Is dit niet haar enige kans?'

'Dat durf ik niet te zeggen, garanties zijn er niet in het leven. En we kunnen niemand dwingen.'

'Maar ik begreep van pa dat hij juist voor haar vaart zet achter het onderzoek.'

'Je vader blijft hopen. Zijn hart barstte uiteen in duizend stukken toen je moeder de behandeling niet meer wilde, geloof me.'

Wil je me helpen. De woorden dringen zich telkens weer aan haar op. Ze zaaien onrust en slaan kraters in haar functioneren. Haar moeder denkt vast ook dat als ze geflipt genoeg is om met doden te zeulen, ze haar hand niet omdraait voor een lijk meer of minder. Haar eigen moeder! En wat als ze zou willen helpen? Wat moet ze dan? Pillen gaan verzamelen? Een kussen op ma's gezicht drukken, net zo lang tot haar hart ermee stopt? Ze heeft er nog geen moment echt serieus over na durven denken.

'Is er een kans dat ma vooruitgang kan boeken, ook al is het tijdelijk, zonder jullie therapie? En zo niet, waarom duw je haar niet met rolstoel en al het ziekenhuis in?'

Het laat haar oom zichtbaar niet onberoerd, hij heeft er vast ook tevergeefs bij haar op aangedrongen. Ze heeft vroeger soms gedacht dat hij verliefd was op haar moeder. Hij gaf daar niet direct aanleiding toe; hij raakte ma bijvoorbeeld nooit opvallend aan. Maar als hij bij hen was, leek hij gelukkig. Tenminste, dat dacht ze, en dat heeft ze vast te danken aan haar onbegrensde fantasiewereld. Hij hield en houdt van ma als een vriend, ongetwijfeld.

'Ooit, eind negentiende eeuw,' zegt hij, 'waren er sterrenkundigen die donkere lijntjes op het Marsoppervlak zagen. Er werd beweerd dat het irrigatiekanalen waren, waarmee de Marsbewoners de droge evenaargebieden van hun planeet bevloeiden. Tegenwoordig weten we beter. De waarnemingen berustten op gezichtsbedrog. Het heeft desondanks talloze sciencefictionschrijvers geïnspireerd, en tot ver in de vorige eeuw hielden we er rekening mee dat er intelligent leven kon zijn op Mars.'

'Hè, doe niet zo filosofisch... Wil je daarmee zeggen dat het mogelijk is, als ze erin gelooft?'

'Ik bedoel vooral dat wat jij ziet als een naderend einde, dat helemaal niet hoeft te zijn. MS is een grillige ziekte, die zich niet laat voorspellen.'

Wat een flauwekul. Hij heeft haar moeder vandaag ook gezien, en hij weet donders goed hoeveel pillen ze slikt.

Oom Alex staat op. 'Stap nu alsjeblieft in de auto en laten we gaan rijden. Straks parkeert iemand zijn auto achter in de mijne.'

'Niet voordat je zegt dat je me gelooft.'

'Dat ik wat geloof?'

'Die dode man, in het kasteel.'

'Ik ga er Umberto morgen persoonlijk naar vragen, dat beloof ik je.'

'Dat is niet hetzelfde.'

'Ik geloof dat je dénkt dat je een dode man hebt gezien, is dat goed genoeg?'

'Nee. Maar ik ga wel met je mee, want ik krijg pijn in mijn billen.'

'En val je moeder hier alsjeblieft niet mee lastig. Stress werkt vreselijk negatief op elk mens, maar zeker op een zieke.' Hij steekt zijn hand naar haar uit. 'Kom, we gaan naar huis.'

Hij is anders dan pa, heel anders. Innerlijk, maar ook uiterlijk. Pa zo lang en mager, met het donkere uiterlijk dat zij heeft geërfd, en haar oom een kop kleiner, met een ronder, gedrongen figuur en lichtere huid, waarop ze vroeger zelfs sproeten kon tellen. Ze bespeurt de bereidwillige blik in zijn ogen. Hij kan er ook niets aan doen. En dat ze tweehonderd procent zeker van haar zaak is, dat durft ze inmiddels ook niet meer te beweren, niet nu de invloed van de alcohol verdwijnt. Misschien heeft de drank haar bewustzijn beïnvloed, toen ze eenmaal in die zogenaamde ziekenhuiskamer was. Misschien is ze inderdaad onwel de trap af gestruikeld en heeft ze daarbij haar hoofd en enkel bezeerd, heeft ze daarna gedroomd dat iemand tegen haar sprak. Aan andere opties wil ze niet meer denken. Ze wil helemaal niet meer denken. Ze verlangt naar haar overzichtelijke Amsterdamse leven, met haar papegaai meneer Jansen, haar lijken en haar beperkte zicht op de sterrenhemel. Al kan ze acuut niet meer vrijuit ademhalen zodra ze aan het gemis van haar werk denkt.

Als oom Alex de auto de parkeergarage in rijdt, heeft ze de buitentemperatuur in oranjeverlichte cijfers op het dashboard langzaam zien oplopen naar vijfendertig graden. Zodra ze het portier opent overvalt de benauwende hitte haar en ze verlangt naar een verkoelende douche.

Ze wandelen de parkeergarage uit en slaan links af, naar het penthouse van haar ouders, dat vlak om de hoek ligt. Haar oom heeft een appartement in hetzelfde gebouw, op de eerste verdieping.

'Zo, weer veilig terug in Florence,' zegt hij, als ze de lift in stappen. 'Ga je lekker slapen? Je moet je niet te veel zorgen maken hoor.'

Ze haalt haar schouders op en zwijgt. Ze wil er niet weer over beginnen, maar ze heeft ook geen zin om te doen alsof ze zomaar klakkeloos accepteert wat hij heeft gezegd.

Hij legt een hand op haar arm. 'Anne, toe. Als je er zo heilig van overtuigd bent dat je een dode hebt gezien, en dat die iets met ons werk heeft te maken, vraag het dan aan Frits. Hij is verantwoordelijk voor de patiëntenbegeleiding.'

Haar oom stapt uit. Ze drukt op de knop voor de derde verdieping en voelt zich duizelig. Meneer Ruiterbeek. Dat is waar ook. Ze heeft zijn telefoonnummer in haar jasje. Als ze uit de lift stapt, kijkt ze schichtig om zich heen.

9

Stefanies vader doet al meer dan dertig jaar onderzoek naar deze ziekte van het centraal zenuwstelsel. MS is als een kat die een muis te pakken heeft, zo legt ze het haar kinderen uit. De kat deelt op onverwachte momenten pijnlijke, rake klappen uit, zodat zijn slachtoffer niet meer kan weglopen, steeds zwakker wordt en uiteindelijk voorgoed inslaapt. Maar tussendoor laat hij de muis in de waan dat hij best aardig is, want hij geeft die kleine alle tijd om bij te komen, misschien zelfs te herstellen. Tot de volgende klap, en die komt onherroepelijk. Net zo lang tot de muis zich realiseert dat het een ongelijke strijd is, die hij gaat verliezen, waarna hij zich erbij neerlegt en de kat zijn overwinning gunt. Helaas weet ze er alles van. Het mag een wonder heten dat haar moeder de drieënzestig inmiddels heeft gehaald. MS is grillig en onvoorspelbaar. Het begon met een redelijk milde vorm, waarin aanvallen en volledige remissie elkaar afwisselden. Tot ma een jaar of tien geleden werd geconfronteerd met secundair progressieve MS.

Ze kijkt achterom, naar haar moeder op de achterbank, die vrijwel direct nadat ze wegreden bij het kasteel in slaap viel.

'Ze slaapt, niet?' fluistert haar vader.

'Ja,' antwoordt ze op eenzelfde zachte toon.

Ze heeft grote twijfels over hoe het verder moet met haar

ouders. Als het zo doorgaat, ontstaat er een onhoudbare situatie. En dan wil ze ook nog een eigen leven?

Soms voelt ze zich geen moeder of echtgenote, maar eerder een acrobaat, en niet eens een heel goede. Een die moeizaam probeert tegelijkertijd tien porseleinen bordjes op dunne, lange stokken in de lucht te houden. Rennend van de een naar de ander, draaiend aan de stokken.

Het is goed dat ze er even uit is. Toen Lodewijk eergisteravond inging op haar verleiding in hun zwembad, had ze gebruik kunnen maken van de volkomen ontspannen stilte daarna. Ze aarzelde, liet de klok zijn minuten wegtikken, met het excuus dat het moment slecht gekozen zou zijn omdat ze per se geen ruzie wilde voordat ze een week wegging. Op het moment dat ze alsnog van gedachten veranderde en moed verzamelde, moesten er plotseling spoken onder haar dochters bed worden verjaagd. Ze aait het pluchen nijlpaard, dat als een te groot uitgevallen sleutelhanger aan haar tas bungelt. Een troostknuffel van Floor, voor als ze zich alleen zou voelen. Vijf jaar is ze alweer, haar jongste, de tijd glipt zonder mededogen door haar vingers. Als Floor zich net zo ontwikkelt als Anne, en daarvoor zijn alle symptomen aanwezig, dan staan haar enerverende jaren te wachten. En toch is ze soms jaloers op die twee. Als Floor zich in een spelletje verliest, kan ze een kanon afschieten zonder dat de kleine meid het merkt. Datzelfde zag ze vroeger bij haar zusje; Anne kon zo volledig opgaan in een boek, dat ze alles om zich heen vergat. Wegdromen in een andere wereld. Ze zou willen dat ze dat vermogen ook had, maar ze is er te nuchter voor. De werkelijkheid komt altijd bovendrijven. Zo steekt ze nu eenmaal in elkaar, en waarschijnlijk is dat maar goed ook voor de balans in haar gezin en familie. Hoewel, nu heeft ook zij een spook onder haar bed.

'Blij met je feestje?' vraagt ze.

'Zeker. Het was een mooie dag. Maar het is tevens een dag niet gewerkt en dat kan ik me feitelijk niet permitteren. Ik heb haast, Stefanie, de tijd dringt.'

Ze ziet hoe hij in zijn achteruitkijkspiegel naar haar moeder kijkt. 'Ik begrijp het. Maar even ontspannen en opladen tussendoor is misschien juist wel goed.'

Het was goed vandaag, met haar ouders. Alleen Anne weer... Wat heeft haar zusje uitgevreten, dat haar dure jurk totaal bedorven is? Op een gegeven moment was ze zomaar een tijd verdwenen. Ze begrijpt haar zusje niet. Goed, Anne – of Anne-Claire, wat haar officiële en mooie naam is, die ze eigenzinnig op haar zevende besloot te veranderen – heeft moeder niet gekend zoals zij haar kende: opgewekt, thuis wachtend met een kop thee na school. Vanaf Annes geboorte moest ma vaak weg voor onderzoeken. Sinds die tijd rustte ze veel en begroef pa zich in zijn werk, maar haar zusje heeft, net als zij, ook alle kansen gekregen. Waar zijzelf blind van verliefdheid haar specialisatie tot kinderarts heeft ingeruild voor een leven als 'vrouw van' en moeder, had juist zij, haar jonge zus, de toekomst voor zich openliggen, kon ze alle kanten op.

'Wat mankeerde Anne-Claire? Was ze niet lekker?'

'Hoe bedoel je?'

'Ze was een paar keer weg.'

'Ik weet het niet.'

Ze zet haar mobiele telefoon aan om te kijken of er berichten voor haar zijn, en even later verstoort een fel piepje de stilte in de auto. Het scherm toont een geel envelopje. 'Sorry,' fluistert ze, even ongerust richting achterbank loerend of haar moeder niets heeft gehoord. Een melding dat ze welkom is in Italië? Maar nee, die heeft ze gisteren al gewist. Een sms'je van Floor, die het helemaal te gek vindt in haar ponykamp. Gelukkig. U heeft één nieuw bericht, zegt de vrouwenstem.

'Lodewijk heeft gebeld,' zegt ze.

'Hmm,' reageert haar vader. 'Lodewijk. Kan hij nog geen genoeg krijgen van alle Hollandse regeltjes en procedures?'

'Valt geloof ik wel mee,' zegt ze.

Zou Floor het echt naar haar zin hebben, op kamp? Of stuurt ze alleen een sms'je om haar gerust te stellen? Ze mist haar kinderen. Ze hadden hun kampdagen best willen inruilen voor een weekje hier, want Florence staat op school veel stoerder als bestemming. Floor zei het vorige week nog. Lodewijk wilde echter niet mee, al ligt de hele bouwwereld en dus ook het makelaarsbestaan nu plat. 'Breng je moeder maar mee terug,' zei hij. 'Ginds heeft ze niets, behalve een man die er nooit is.'

Ze heeft niet geprotesteerd, niets gezegd. Zoals ze wel meer niet zegt. En daar zal ze nu verandering in brengen. Het moet. Per telefoon, desnoods. Face to face is het haar tot nu toe niet gelukt, en ach, misschien ziet ze het wel veel te somber in. Als ze haar best doet, het goed brengt, dan reageert hij misschien wel veel positiever dan ze heeft gedacht.

'Stefanie, wil je me zo snel mogelijk terugbellen?'

Geen 'lieverd', geen 'schat'. Hij is kwaad. Ze deinst bijna letterlijk achteruit in haar stoel. Met mij gaat het ook goed, en ik zal de felicitaties aan vader doorgeven, dank je wel. Ze verfoeide Anne dan wel vanavond, haar zusje neemt tenminste geen blad voor de mond. Dat stuit haar keer op keer tegen de borst, maar toch. Telkens als ze tegen Lodewijk wil zeggen wat haar zo bezighoudt, wat haar 's nachts in bed wakker houdt, klapt ze dicht. Anne zou haar keihard in haar gezicht uitlachen als ze ervan wist. Lodewijk klonk ontzet, zou hij iets weten? Ze wrijft over haar pijnlijke buik.

Ma slaapt bijna onmiddellijk in als Stefanie haar naar bed heeft geholpen. Zacht glijdt ze met haar vingers over de oude handen, waar de blauwe aders door de dunne huid schijnen. Haar moeder moet zich een gevangene voelen in dit misvormde omhulsel, dat haar zo meedogenloos in de steek laat. Tweeëndertig jaren MS hebben haar gesloopt. Misschien wil ze het niet zien, wil ze te graag geloven dat ze haar moeder nog lang bij zich kan houden. Wie kan haar dat kwalijk nemen? Ma kreunt in haar slaap, en dan pas merkt ze dat ze in haar moeders hand knijpt. Voorzichtig maakt ze zich los, staat op, en sluit de deur achter zich.

'Ik ga nog even naar het lab,' zegt haar vader.

'Nu nog?'

Weg is hij al, als een onrustig wild dier. Misschien stijgt of daalt de behoefte aan slaap omgekeerd evenredig met de mate waarin je een passie, een levenswerk vervult. Het is halfelf, en het verwondert haar dat Anne nog niet terug is. Ze trekt zich terug in haar slaapkamer en laat zich op bed zakken. Uit een zijvakje van haar tas pakt ze haar telefoon, en ze aait het bungelende pluchen nijlpaard. Vanaf het nachtkastje lachen ze naar haar: Floor voorover leunend op haar skippybal, Wouter keurig rechtop, en Lodewijk erachter, trots met een hand op zijn zoons schouder.

Ze heeft het laten gebeuren, al die jaren gezwegen, zodat hij ongestoord Van Doorne Makelaars en Vastgoed tot een naam kon uitbouwen die met respect wordt uitgesproken in Bloemendaal en wijde omgeving. Resoluut pakt ze haar telefoon, om vervolgens te haperen als ze de terugbelfunctie moet inschakelen. Ze drukt het knopje alsnog snel in.

'Lodewijk van Doorne.'

'Met mij.'

'Stefanie? Allemachtig, waar hing je uit? Ik dacht al dat er iets was gebeurd...'

'Pa is vandaag jarig, hij is vijfenzestig geworden, weet je nog?'

'Ja, natuurlijk, dat wist ik wel, daarvoor wilde ik je óók bellen. Maar je telefoon stond de hele dag uit!'

'We hadden een feestje.'

'Lieverd, die mobiele telefoon is dé uitvinding om continu bereikbaar te zijn.'

'Ik heb er niet aan gedacht.'

'Nee, zoals je vast ook niet hebt gedacht aan het Emma Kinderziekenhuis.'

'Wat?'

'De verbinding is hier uitstekend hoor, bij jou niet?' Hij herhaalt de naam, elke lettergreep benadrukkend.

Koortsachtig vliegen allerlei gedachten door haar hoofd. Hoe is hij erachter gekomen? Wat weet hij? Ze zal naar huis moeten.

'Heb je enig idee hoe geschrokken ik ben?'

'Waarvan?'

'Vanmorgen, nadat ik de kinderen naar kamp had gebracht, opende ik de post. Een brief van het Emma Kinderziekenhuis. Ik dacht dat ik een hartverzakking kreeg; dat Floor ziek was of zo. Toen ik je niet te pakken kreeg heb ik de brief opengemaakt. Sorry hoor, maar ik hield het niet meer. Gelukkig ging het niet over een van de kinderen. Allemachtig, Stefanie, wat moet jij daar? Een uitnodiging voor een sollicitatiegesprek?'

Ze haalt diep adem. 'Dat klopt, ja, ik heb gesolliciteerd.' Haar stem trilt.

Het is stil. Tussen hen in balanceert vijftienhonderd kilometer onbegrip. Ze ziet hem in gedachten ijsberen tussen de chesterfieldbank en de antieke buffetkast, waarbij hij waarschijnlijk stopt bij de bar om een Schotse maltwhisky voor zichzelf in te schenken. Eerder meende ze al de bijbehorende ijsblokjes te horen die in het glas vielen.

'Lodewijk?' Waarom zwijgt hij nu? 'Ik had het je willen zeggen voor ik wegging, maar het was zo hectisch… En geloof me, ik was net van plan om het je te vertellen.'

'Dit is toch neem ik aan niet iets wat nu pas uit de lucht komt vallen?'

'Ik wist niet hoe ik het moest vertellen.'

'Wil je weg? Hou je niet meer van me?'

'Daar gaat het niet om.'

'Ik heb te hard gewerkt, dat is het. Ik ben te weinig thuis geweest, heb je te weinig aandacht gegeven.'

'Ik wil iets doen.'

'Je voedt twee kinderen op, je runt een huishouden!'

'Iets betekenen voor andere mensen.'

'Je betekent iets voor mij. Voor Wouter, en Floor.'

'Voor zieke kinderen. Ik hoef niet als arts aan de slag, tenminste de eerste jaren nog niet. Dat is ook geen optie, het is lang geleden dat ik mijn bul haalde en dan zou ik me alsnog moeten specialiseren, maar ik mag wel studies volgen en stages lopen, dus wie weet wat de toekomst nog kan brengen. Het is een prachtkans, vooral in combinatie met de deeltijdbaan waar ik nu op solliciteer.'

Hij zwijgt.

'Lodewijk? Zeg eens iets.'

'Waarom, Stefanie? We hadden toch een afspraak?'

'Mensen veranderen. Ik wil me ontplooien, ik wil iets voor anderen betekenen. Een droom alsnog waarmaken.'

'Je hebt voor mij gekozen, of anders voor de kinderen, toch?'

'Kan ik niet en-en hebben?'

'Ik weet het niet, het valt me erg rauw op mijn dak. En dan zo, via de telefoon...'

'Telkens als ik het wilde vertellen, kwam er iets tussen... Een telefoontje, een van de kinderen...' Smoesjes. 'Lodewijk?'

Hij bromt iets onverstaanbaars.

'Ik hou van je.'

'Hmm.'

'Ga je morgen nog naar Floor?'

'Natuurlijk. Dat had ik toch beloofd?'

Ze proeft de ondertoon. Als ik iets beloof of afspreek hou ik me daaraan, dat is wat hij eigenlijk zegt. Ze zucht. 'Praten we erover als ik terug ben?'

'Dat lijkt me wel.'

10

Haar kleren liggen nog in de koffer. Anne overweegt de kast in te ruimen maar laat het uiteindelijk. Ze verwisselt haar jurk voor een shirt, verwijdert haar make-up en poetst haar tanden, waarna ze nauwkeurig flost. Ze sjouwt de matras onder het open raam en valt uitgeput neer. Het lijkt een eeuwigheid geleden dat haar baas haar naar huis stuurde. Ze herinnert zich dat ze Ruiterbeek moet bellen en constateert dat het daarvoor te laat is. Bovendien wil ze nergens meer aan denken. Geen lijk in een kasteel en geen onmogelijke vragen van haar moeder. Na een zoveelste onrustige nacht wil ze alleen maar slapen.

Stefanie heeft ma naar bed geholpen. Haar zus is veel beter voorbereid op de vorderingen die meneer Aftakeling maakt. Ze vertelde in het vliegtuig dat ze ma vaak helpt. Zij niet. Ze doet haar lijken zonder enige terughoudendheid, maar bij haar eigen moeder verkrampt ze. Haar moeder herinnert haar eraan dat ooit de allerlaatste generatie sterren voorgoed zal doven, dat alle materie zal desintegreren en zwarte gaten zullen verdampen. De eeuwige dood. Het enige verschil is tijd. Het heelal viert met veertien miljard jaar lente, kan zich nog verheugen op de zomer, en de herfst, en haar moeder zit met drieënzestig jaar al diep in de donkere winter.

De ziekte is onberekenbaar, zei oom Alex. Morgen, volgende

week, volgende maand, wie weet voelt haar moeder zich dan weer beter. Het kan, toch? Ma vorige maand en vandaag tijdens pa's feestje was immers ook een wereld van verschil! Waarom heeft ze dan vanaf het moment dat ze bij haar ouders kwam zo'n weeïg gevoel in haar lijf? Ze wilde zeggen dat ze hen heeft gemist, dat ze vaker had willen bellen, maar alles wat ze in gedachten heeft, lijkt altijd banaal tegenover hen.

Er blijft steeds minder van haar moeder over. Letterlijk en figuurlijk. Haar artistieke moeder die vroeger zo beeldend haar eigen gedichten kon voordragen, doet er nu vijf minuten over om één zin te lezen. Met een loep.

Ze draait zich om. Humeur om te kiezen, acht letters. Stemming. Deze rotziekte maakt haar opstandig. Het verval is weerzinwekkend en mensonterend. Als haar lijf zich zo gaat misdragen, zal ze het van de hoogste flat storten. Een onwijze hond, zeven letters. Een mafkees. Ze weet dat haar moeder ontelbare therapieën heeft gevolgd. Van aroma tot voetreflex, van de meest bizarre diëten tot muziektherapie. Een akelig vervuild meisje, acht letters. Een stofnest. En natuurlijk haar vaders behandelingen en medicatie. Ze begrijpt niet dat ma verdere behandeling weigert. Hoezo te zwaar? Als ze maar beter wordt... Ze had het oom Alex kunnen voorleggen, vandaag, maar ze deed het niet. Kleding van een bergbeklimmer, zeven letters. Coltrui. Nog even en ze heeft een compleet cryptogram voor de zaterdagbijlage klaar. Hij heeft haar teleurgesteld door haar niet onvoorwaardelijk te geloven, haar trots is gekrenkt. Niet voor de eerste keer vraagt ze zich af of hij iets voor haar verzwijgt. Ook niet voor de eerste keer schiet ze die gedachte naar Mars. Het moet Tarantini zijn, die ervan weet. Hij loog, wilde haar niet in die kamer naar binnen laten. 'Niet bemoeien met', die woorden heeft ze zich niet ingebeeld. Ze vormden een waarschuwing, fluisterend geuit en des te overtuigender. De stem had gelijk. Ze heeft genoeg om zich druk over te maken. Ze moet uitrusten, slapen, en zich juist niet druk maken. Ook niet over het werk. Geen werk. Ze stompt in haar kussen en draait zich op haar andere zij.

Afgelopen donderdag is ze officieel geschorst en dat heeft ze noch aan haar ouders, noch aan Stefanie verteld. Geen van drieën begrijpen ze dat ze van haar werk houdt, dat ze dat met hart en ziel doet, ook al zag ze er de laatste weken steeds meer tegen op ernaartoe te gaan. Ze kan onhandig en chaotisch zijn, als het om haar werk gaat is ze net zo geduldig en precies als wanneer ze haar telescoop hanteert. Anderen mogen haar werk vreemd vinden, zelf wist ze vanaf dag één dat dit haar de voldoening gaf die ze zocht. Ze houdt van de concentratie die het vereist, en de stilte. Met collega's heeft ze weinig te maken; alleen als het haar niet lukt iemand alleen aan te kleden roept ze hun hulp in. Soms overleggen ze of het nodig is om de haren te föhnen. En haar klanten hebben hun laatste woord gezegd. Oordelen over wat ze op haar tafel krijgt, doet ze nooit. Ze fantaseert hun voorbije leven en is nieuwsgierig of iets ervan waar is, maar weten zal ze het nooit en dat is juist prachtig.

Eerlijk is eerlijk. Het was niet alleen haar laatste klant, die Engelse toerist, die ze verprutste. De afgelopen weken heeft ze meer fouten gemaakt. Onopvallender, sommige kon ze net op tijd herstellen, maar ze hoeft zichzelf niets wijs te maken. Sinds haar vorige bezoek aan Florence kostte het haar steeds meer moeite haar lijken fatsoenlijk af te leveren. Dat begon direct al, de dag na haar terugkomst. Ze was doodop vanwege een slapeloze nacht.

Geen slapeloze nacht, je moet jezelf niet zo voor de gek houden. Het is de nachtmerrie die je opbreekt.

Ze herinnert zich dat ze zich afvroeg of ze de jongeman op haar tafel zo ver kon oplappen dat de familie zonder onpasselijk te worden naar hem kon kijken. Hij had een dag op een zolder gehangen voor hij werd gevonden. Gelukkig was hij slank.

Dikkere mensen gaan sneller tot ontbinding over. Met Phil Collins' 'In the Air Tonight' in haar oren waste ze hem van top tot teen. Nagels verzorgen, wenkbrauwen borstelen, scheren. Hij werd al lichtelijk groen rond zijn neus, en ze pakte flink uit met de poeder. Een aai over zijn wang. 'Het komt goed,' fluisterde ze. 'Ik zorg dat je er zelfverzekerd uit zult zien. Zodat je ouders zich niet van je afkeren als ze komen kijken.'

Maar een klein deel van de rechterkant van zijn gezicht, dat ook donker begon te kleuren, had ze over het hoofd gezien. Nog net op tijd, voor de kistjongens hem meenamen, herstelde ze haar fout. Ze maakte dat deel van zijn gezicht onzichtbaar met een doek van zwarte zijde.

Ze wil grip krijgen op haar leven en dus zal ze erover moeten praten. Daarbij denkt ze niet eens zozeer aan de vraag waar haar moeder haar mee heeft opgezadeld, maar veel meer aan dat wat ze zo lang zo diep heeft weggestopt. De vraag of haar moeders ziekte haar schuld is.

Ze vormt de woorden zomaar tot een zin. Woorden die de oorzaak zijn van een pijn die ze verdringt, en die – ze zal het eindelijk eens moeten toegeven – de oorzaak moet zijn van het dreigende ontslag, haar overwegend negatief banksaldo, haar flatje op driehoog in een twijfelachtige buurt, en van de relaties die telkens stuklopen. Sinds die zondagmiddag begin juli komen de herinneringen boven. Ze heeft er niet om gevraagd, maar ze ziet geen mogelijkheid om het proces stop te zetten. Vroeger was ze goed in verstoppertje spelen – alleen is dit geen spelletje. Ma heeft al tweeëndertig jaar MS en zo oud is zij ook. De rekensom is eenvoudig: de ziekte begon tijdens ma's zwangerschap. Ze moet het vragen, erover praten, maar ze is bang dat ze het zal zien in haar moeders ogen, als ze zwijgt, of als ze liegt en zegt dat ze zich vergist.

Als ze zich voor de zoveelste keer heeft omgedraaid en op

haar rug ligt, staakt ze de krampachtige pogingen in te slapen. De maan heeft vandaag Antares bedekt, de helderste ster van het sterrenbeeld Schorpioen, maar dat was vandaag, eigenlijk gisteren, en bij daglicht niet te zien.

Vroeger maakte ze de meest fantastische ruimtereizen. Zouden haar ouders er iets van hebben gemerkt dat ze 's nachts uit bed sloop, de vier krakende traptreden naar de zolder vermeed en uit het dakraam ging kijken, door een oude telescoop speurend in dat onmetelijke, fascinerende heelal waar ze maar een nietig onderdeeltje van is? Ze deed niets liever dan wegdromen in de kosmos. Over vakanties naar verre landen, en over haar toekomst. Kinderarts wilde ze worden. Niet eens alleen om toch ergens ver weg in de voetsporen van haar beroemde vader te treden – ze zag hoe trots hij was toen haar zus haar bul kreeg – maar ze zag het ook daadwerkelijk als het meest voldoening gevende beroep dat er kon bestaan.

Uiteindelijk heeft ze nooit haar bul gehaald. Ze viel flauw bij belangrijke tentamens en is blijven steken op verpleegkundigenniveau. Waarna ze haar draai niet kon vinden in het ziekenhuis. Ze werd te vaak ongeduldig als een patiënt klaagde over te veel dekens, te weinig dekens, te veel of te weinig eten. Juist degenen die weinig mankeerden lieten haar om de haverklap rennen. Van alle zorgbaantjes die ze heeft gehad vond ze CliniClown de leukste, tot ze een collega kreeg wiens rode dopneus niet dezelfde kant op stond als de hare.

Tweeëndertig jaar, en wat heeft ze nu eigenlijk? Helaas ziet ze met het blote oog niet veel aan de sterrenhemel, terwijl Jupiter juist vanuit Florence in deze periode prachtig te zien moet zijn. Het komt aan op haar verbeelding, en dat is niet erg. Astronomische waarnemingen met een telescoop maken de kosmos vele malen boeiender, maar tegelijk vele malen ingewikkelder...

Is daar iemand? Pluto? Nee... het is pappie. Wat is er? Waarom ben je boos? Ik wilde alleen maar... Wacht, ze weet... Honderden verkoolde rattenogen staren haar plotseling aan. Het zijn geniepige ogen, en ze komen op haar af.

Verward, haar gedachten nog half verstrikt in de nachtmerrie, vliegt Anne overeind in bed. Hijgend.

Ze luistert. Het is stil in haar ouders' penthouse. Rustig in- en uitademen. Niets aan de hand, ze heeft niet hardop geschreeuwd.

Op haar tenen sluipt ze de slaapkamer uit om een glas melk warm te maken. Nachtmerries hebben een functie, ze heeft er informatie over opgezocht. Ze heeft gelezen dat Mary Wollstonecraft Shelley over een monsterlijke creatie droomde, die via een elektrische vonk uit een krachtige machine tot leven kwam, en daarna het wereldberoemde verhaal *Frankenstein* bedacht. Gandhi droomde over een nationale hongerstaking van één dag, een vredelievende vorm van protest tegen een nieuwe wet. Heel India gaf gehoor aan zijn oproep en hij werd leider van het geweldloze verzet tegen de Britse overheersing. Dromen bestaan niet voor niets, de kunst is om ze te interpreteren, en om er iets mee te doen. Ratten wijzen op schuld, en de dood... Ze wijzen op meer onheil, maar dit zijn de woorden waar ze van schrok, en die ze niet meer kan vergeten. Schuld. Dood.

Ze huivert ondanks de warmte. Net als ze de kamer in wil lopen hoort ze de voordeur open- en dichtgaan. Haar vader werkt dus echt bijna letterlijk dag en nacht. Lichtelijk beschaamd doet ze een stap achteruit en blijft in de gang staan. Hij vindt haar broeken al niet charmant, in haar T-shirt zal hij haar helemaal niet willen zien.

Ze hoort een bescheiden telefoongerinkel, en even daarna zijn stem. Ze duwt de deur naar de kamer een stukje open en loert door een kier. Pa heeft een mobiele telefoon aan zijn oor; hij wordt nog modern op zijn oude dag. Ze verstaat er weinig van, hij praat in rap Italiaans, maar het klinkt alsof hij zich ergert, ongeduldig is. Het zou haar ook irriteren als ze om halftwee 's nachts nog werd gebeld. Wat heet, overhoop schelden zou ze de onverlaat. Ze observeert zijn lange lichaam, de krachtige schouders, en realiseert zich dat ze geen idee heeft hoeveel uren slaap hij nodig heeft. Of hij een pyjama draagt, of hij snurkt, of hij zelfs wel slaapt, of 's nachts gewoon doorwerkt.

Het enige wat ze opvangt is een naam, die meermaals wordt genoemd. *Signor Di Gennaro*. De man moet een patiënt zijn, want ze hoort haar vader een paar keer *'paziente'* zeggen. Pa's stem verheft zich even, waarna hij lijkt te beseffen dat er mensen vlakbij slapen. Maar hij is kwaad, hij houdt zijn stem overduidelijk met moeite onder controle, en dan hoort ze het woord *'morte'*. Dood. Een patiënt overleden? Kippenvel kruipt over haar huid. Ze hoopt dat ze een foute, in ieder geval voorbarige conclusie trekt, maar een deel van haar brein twijfelt niet aan de juistheid ervan. Haar vader is woedend, hij houdt zich met moeite in. Ze kent zijn uitbarstingen van vroeger. Er is iets aan de hand. Morte. Di Gennaro? De man die ze in het kasteel heeft gezien? Een dode, en haar vader weet ervan. Hij weet ervan. Wat betekent dat? Ze wil niet voor luistervink spelen, maar ze verzet geen stap. Ze zal wachten tot hij klaar is en het hem vragen. Nee, dat zal ze niet durven. Vroeger rende ze ook weg, de enkele keer dat hij ontzaglijk uit zijn slof schoot. Ze zal doen of haar neus bloedt en melk pakken. Ze aarzelt. Zonder een *'ciao'* of een andere groet beëindigt haar vader abrupt het gesprek, en voor ze actie heeft ondernomen is hij verdwenen. Zijn slaapkamer in.

Haar melk. Nee. Naar bed. Een angstaanjagend vermoeden dringt zich steeds sterker aan haar op.

11

Uiteindelijk moet ze in slaap zijn gevallen, want het is acht uur als ze wakker wordt. Droomloze uren, waarna ze zich enigszins uitgerust voelt. Ze staat op, constateert dat haar enkel tot normale proporties is geslonken en dat haar hoofd alleen nog pijn doet als ze er aan de achterkant tegenaan drukt. Ze neemt een douche en kleedt zich aan. Als een zielige getuige en onomstotelijk bewijs van een desastreus geëindigde dag ligt het jurkje op de grond, waar het lijkt te smeken om uit zijn lijden te worden verlost.

Ze wenst haar ouders en Stefanie goedemorgen en even later ook de verpleegster, die uit de keuken komt met pap voor haar moeder. Het eten, het kauwen om precies te zijn, kost haar soms zoveel moeite, dat ze vloeibaar voedsel tot zich moet nemen. De sprekende ogen staan vermoeid in haar moeders gezicht, dat breekbaar lijkt. Haar van nature bleke huid is nog steeds glad, maar bijna doorschijnend.

Ze pakt een kop koffie en schuift aan bij de ontbijttafel.

'Ik hoop dat je lekker hebt geslapen.' Haar moeder knijpt even in haar hand.

De woorden die in haar opkomen willen geen zin vormen en struikelen over elkaar.

Het is koel in de woonkamer – of suite, zoals haar vader altijd zegt – die van een uitbundige barokstijl langzaamaan is veranderd in een ziekenhuisboeg, inclusief een bed voor het raam. Een monsterlijk ziekenhuisbed.

'Wat zijn de plannen voor vandaag?' vraagt haar vader.

'Gezellig met jullie de stad in?' stelt Stefanie voor.

'Jij wilt natuurlijk Florence leegkopen,' zegt ze. 'Alvast je wintercollectie aanschaffen.'

'Het najaar komt eerst nog,' antwoordt haar zus.

'Voor jullie moeder is het veel te warm buiten,' antwoordt haar vader, 'en mijn plicht roept.'

'Werken?' vraagt ze. 'Op zondag?'

'We zijn in een stadium dat ik me absoluut geen enkele time-out kan veroorloven.' Hij gebaart in de richting van haar moeder. 'Ik hoef jullie de reden daarvoor niet uit te leggen.'

'Anne, je hebt al vier scheppen suiker in je koffie gedaan,' zegt Stefanie. 'En je knoeit de helft ernaast.'

'Wat? Eh, nou en? Ik heb zin in zoete koffie.'

Estella, in smetteloos wit, houdt een beker met een rietje erin vast, zodat haar moeder af en toe een slok kan nemen. Ze wil vragen afvuren op haar vader: wie is Di Gennaro? en: is hij de dode man in het kasteel? Ze verzamelt moed, maar ze zwijgt. Niet waar haar moeder bij is. Een rotsmoes. Ze durft niet.

'Ik ga.' Haar vader staat op. 'Als jullie nog iets willen…' Tot haar verbazing drukt hij drie briefjes van honderd euro in haar hand, en daarna doet hij hetzelfde bij Stefanie. 'Het spijt me dat ik niet met jullie meekan, ik had het ook liever anders gezien, maar ik zou zeggen, vermaak je, koop iets moois. Jullie moeder is graag trots op haar dochters.' Daarbij kijkt hij naar haar broek, als ze zich niet vergist.

Ze onderdrukt de teleurstelling. 'Zakgeld? Als je zo doorgaat kom ik weer thuis wonen.'

'Dat de plicht roept betekent overigens in dit geval dat ik vanmiddag een lezing moet geven voor een club ambtenaren.'

'Je klinkt niet enthousiast,' zegt Stefanie.

'Een rapport, dat een van mijn collega's in vijf minuten had kunnen produceren, was minder tijdrovend geweest.'

'Waarom doe je het dan?' vraagt ze. 'En nog wel op zondag?'

'Het moest op korte termijn gepland worden in verband met de persconferentie aanstaande vrijdag,' antwoordt hij. 'Dit was de enige dag waarop deze mensen konden komen. De overheid wil nu eenmaal een bevestiging dat de belastingcenten goed worden besteed.' Na een korte groet verdwijnt hij.

'Een manicure, huidverzorging, en dan ga ik nog een uur of wat slapen,' zegt haar moeder, 'dus jullie kunnen gerust je gang gaan. Estella blijft bij me. Willen jullie de stad in?'

'Ik wel,' zegt ze, 'ik wil eruit.' Niet in de laatste plaats omdat ze de geur van ziekte uit haar neus wil verjagen. Zelfs in de koelkast heeft de frisse geur van verse basilicum plaatsgemaakt voor plastic zakjes met papsmurrie. 'Ga je mee?' vraagt ze aan haar zus, verwachtend dat ze zal weigeren.

'Gezellig, winkelen.'

Het zal haar aandacht afleiden. Hoopt ze.

Zondag in Florence betekent allesbehalve rustdag. Integendeel. Op deze weekenddag lijkt het nog drukker te zijn dan op andere dagen. Alle winkels zijn open, de heerlijkste geuren hangen in de straten en de toeristen staan in drommen te wachten voor de vijfhonderd trappen van de Duomo. Nu moet ze nog winkelen ook. Als ze toch alleen met Stefanie is... Zal ze haar zus in vertrouwen nemen? Terwijl ze daar bij elke stap over dubt, observeert ze de mensen die langs haar heen lopen. Ja, nee, ja, nee, tikken Stefanies hakken op het steen.

Salvatore Ferragomo. Gucci. Chanel. Ze sjokt achter haar zus aan. Stefanie vertelt, pumps passend, over Wouter van zes-bijnazeven, die nummerborden van Porsches in een schriftje noteert, en terwijl er een jurkje van vierhonderd euro over haar schouders glijdt over Floor van vijf, die barbiepoppen van vriendinnetjes onmogelijke spagaten laat maken.

'Als ik niet beter wist zou ik denken dat jij al gereïncarneerd bent,' zegt haar zus. 'Je moet echt weer eens een middagje komen. Floor vraagt continu naar haar favoriete tante.'

Ja. Zo'n middagje is voor Stefanie natuurlijk dé kans om haar erop te wijzen hoe geweldig het getrouwde leven met twee dotten van kinderen is. Waarom geen avond en dan blijven slapen? Haar zus heeft nooit met zoveel woorden gezegd dat ze haar niet wil laten oppassen, maar ze bespeurde de twijfel in haar ogen toen ze het ooit voorstelde, en zie je wel: nu houdt ze het opnieuw uitermate veilig op een middag. Ze zucht. Winkelen. Is er een activiteit te bedenken die nog geestdodender is? Het is er ook te warm voor. Vorige week, op de Albert Cuyp, rook ze een en al zweet om zich heen en daar deed ze zelf volop aan mee, terwijl ze het hier in Florence tot nu toe redelijk droog kan houden, maar toch. Zesendertig graden is heet. Vocht of geen vocht. Terwijl haar zus het zelfs in deze warmte presteert om eruit te zien alsof ze zo naar een societyfeestje kan. En ze ruikt nog lekker ook.

'Coco Mademoiselle,' zegt Stefanie, als ze ernaar vraagt. 'Van Lodewijk gekregen voor mijn verjaardag.'

'O ja. Jammer dat je het niet vierde, anders had ik vast een taart voor je gebakken met véértig kaarsjes erop! Dat moest dan wel een grote…'

'Ja, Anne, ik weet het wel. Veertig. Ik spreek jou nog wel als het zover is.'

Als ze koffiedrinken op een terras informeert Stefanie naar haar werk.

'Ik heb net een bijscholing balsemen gedaan.'

'Ja. Gezellig. Kun je niet gewoon iets vertellen over mensen?'

'Balsemen gaat over mensen.' Ze legt uit dat er een vloeistof op basis van formaline in het lichaam wordt gespoten. Ze vertelt dat het de conserverende werking van de vloeistof is die de conditie van het lichaam op peil houdt en dat er geen organen worden verwijderd zoals in het oude Egypte.

Stefanie schudt haar hoofd. 'Hou op. Ik weet heus wel wat balsemen is. Ik weet ook dat je in je werk ontzettend secuur bent en dat je ervan houdt, maar je kunt toch ook wel iets leukers vertellen? Iets over lévende mensen? Ik begrijp niet dat je...'

'Je hebt vocht in de gaten. Zes letters,' onderbreekt ze haar zus.

'Eentje van jezelf? Of uit de krant?'

'De krant van woensdag. Donderdag en vrijdag zijn ze me vergeten of zo.'

Ze zet zich schrap voor een van Stefanies gevatte opmerkingen over haar aftandse flatje in een Osdorpse straat, die meer coffeeshops telt dan groentezaken. Volgens haar geboren en getogen Bloemendaalse zus de meest ongeschikte plek om te wonen, laat staan om er ooit met iemand samen te gaan wonen en een toekomst op te bouwen.

Een opmerking blijft echter uit.

'Ik heb hem de hele week niet gezien,' zegt Stefanie. 'De krant, bedoel ik. Geen tijd. De kinderen, het vr... eh, alles vreet tijd.'

'Het vr... wie?'

'Hè? Ach, nee, niets. Het vr... ons vreselijk drukke hondenbeest, bedoelde ik. Sasha. Vier maanden en hij heeft al een complete rieten mand opgevreten. Dat belooft nog wat.'

'Wees blij dat hij zijn eigen meubilair opeet, en niet jouw Des Bouvrie-driezitter.'

'Ik geef het op,' verzucht Stefanie.

'Nu al?'

'Zeg het nou maar.'

'Snotje.'

'Weet je nog dat je me wakker belde als je een oplossing te binnen was geschoten?' vraagt Stefanie.

'Waarna jij scheldend de hoorn erop gooide omdat je net in slaap was gevallen. En vervolgens kon je het toch niet laten de crypto erbij te pakken.'

'Ja, en dan wist ik dankzij een paar van jouw letters een volgende omschrijving op te lossen en belde jou weer op.'

Een cryptogrammenmanie die duurde tot haar zus ging trouwen. Er loopt een man langs hun tafeltje, die haar aanstaart. Het maakt haar nerveus. Ze volgt hem met haar ogen, onopvallend van achter haar zonnebril. Hij gaat aan een tafeltje zitten, vlak bij de ingang.

'Anne? Wat is er?'

'Niets. Er loert een man naar me.'

'Schat, ze loeren allemaal naar je, zeker hier. Wen er maar aan.'

'Zullen we gaan? Ik heb het warm.'

'Prima.'

Ze rekenen af en verlaten het terras. Ze kijkt of de man nog aan het tafeltje zit en constateert dat hij weg is. Ze kijkt om zich heen, maar ziet hem niet meer en haalt opgelucht adem. Arm in arm slenteren ze een winkelstraat door, af en toe stilstaand om een kledingstuk op waarde te schatten. Te duur, is het oordeel dat ze over alle spullen velt. 'Zeg, zus, hoe is het eigenlijk met Lodewijk?'

'Goed. We zijn alweer vijftien jaar getrouwd, volgende maand.'

Ze meent een lichte trilling te zien in Stefanies mondhoeken. 'Kun je nagaan.'

'Hoe is het met jouw liefdesleven?'

'Mocht ik ooit gaan trouwen, dan ben je de eerste die het hoort, geloof me.' Ze pijnigt haar hersens om van onderwerp te veranderen. 'Ik heb er zelf vorige week ook weer een gemaakt. De arrogante werknemer ziet het voor zich.'

'Van hoeveel letters?'

'Achttien.'

'Arrogantie, eh... hoogmoed, of iets met verbeelding? Zeg het maar, daar kom ik voorlopig toch niet op.'

'Probeer het, als je je geest jong wilt houden, moet je veel crypto's maken.'

'Zo bejaard ben ik ook weer niet, zusje. Verkoop je ze al?'

'Ik heb er nog nooit eentje ingestuurd.'

'Dat moet je wel doen.'

'Geef het antwoord nou maar, je probeert me af te leiden.'

'Ik weet het niet.'

'Je was op de goede weg. Verbeeldingskracht.'

Stefanie pakt een doosje paracetamol uit haar tas, en slikt een tabletje weg met een laatste slok koffie.

'Hoofdpijn?'

'Nee, buikpijn,' antwoordt Stefanie.

'Toch geen maagzweer die je van alle drukte thuis hebt gekregen?'

'Ha, ha,' zegt haar zus, zonder een lach in haar stem. 'Ik ben al bij de gynaecoloog geweest, die dacht aan een vleesboom, maar alles was in orde.'

'Nou zeg, jij, een vegetariër met een vleesboom?'

'Doe niet zo grappig, alsjeblieft.'

Grappig. Nee, ze zal niet grappig doen. Ze vindt zichzelf allesbehalve grappig. Zou Tarantini haar opmerking over de dode man als grap naast zich neer hebben gelegd? Of laat hij haar volgen? Is hij bang dat ze de politie gaat vertellen dat hij een illegaal ziekenhuis in zijn kasteel exploiteert? Wordt ze paranoïde? Een verstandige droom is gek, tien letters. Waanzinnig.

12

Vanuit mijn raam kijk ik uit over de oude straten van Florence; ik staar graag naar buiten, net als de Italianen zelf. Voor hen is het een vorm van sociale controle, voor mij is het een manier om de tijd te doden. Zes jaar alweer. Zes jaar dit uitzicht op de koepel van de Santa Maria del Fiore, oftewel de Duomo, zoals iedereen hier het dominante symbool van de stad noemt. Ik kijk er graag naar, omdat ik me dan realiseer hoe onbeduidend de mens is, en dat stelt me enigszins gerust.

In het hete, felle middaglicht oogt de stad afgemat van de duizenden toeristen die deze zomer, ondanks de hitte, de Arno via de Ponte Vecchio oversteken. De hoog opgetrokken panden lijken uitgeput tegen elkaar aan te leunen. In de oude straat onder me slenteren enkele in bonte kleding gestoken toeristen. Ik zie ze lopen, met hun roodverbrande schouders, flesjes water en glimmende camera's. Op weg naar hun hotel, om bij te komen van een vermoeiende ochtend in het museum en de vijfhonderd trappen van de Duomo.

Het verbaast me dat niemand zijn blik ooit naar boven richt, zelfs niet in deze afgelegen straat, waar geen etalages lonken. De afstand tussen mij en de toeristen is te groot om gezichtsuitdrukkingen te onderscheiden, en toch geven ze altijd de indruk ver-

dwaald te zijn. Een sporadische bezoeker van de Giardino dei Semplici daar gelaten; de orta botanica, de botanische tuin, waarvan de entree zich hiertegenover bevindt. Het is dan ook geen toeval dat uitgerekend deze straat, de Via Pier Antonio Micheli, vernoemd is naar een achttiende-eeuwse botanicus, die zijn leven wijdde aan Nova plantarum genera, een boek met negentienhonderd plantensoorten, waarvan hij er veertienhonderd voor het eerst beschreef.

Ik gun Cees ook een straat die zijn naam draagt. Zijn passie verdient een beloning, en niet zomaar een oorkonde met een zegel, nee, het moet iets zijn wat hem onsterfelijk maakt. Hij is de drijvende kracht achter alle onderzoeken naar MS, daar is geen twijfel over mogelijk. Het is niet ondenkbaar dat er in de toekomst een Via Cees den Hartogh op de stadsplattegrond van Florence zal prijken. Nee, het is helemaal niet ondenkbaar. Hij verdient het om, net als Micheli, de geschiedenisboeken in te gaan, en dat zal hij realiseren door de uitvinding van het medicijn dat MS geneest.

Ik had graag alle uren van mijn leven in zijn nabijheid doorgebracht. Meer van hem genoten. Cees vijfenzestig, en we hebben volop genoten van een fantastisch feest… Hij zou met pensioen kunnen. In plaats daarvan werkt hij harder dan ooit. Het woord 'vrijetijdsbesteding' ontbreekt in zijn vocabulaire. Sterven in het harnas is meer zijn stiel.

Hij is mijn enige grote liefde, ik hou van hem en ik zie als een berg op tegen het afscheid, dat er onherroepelijk aan komt. Ik voel een traan over mijn wang rollen.

13

Na een zoveelste winkel heeft Anne er genoeg van en ze stelt voor ergens iets te eten.

'Bij Il Bargello hebben ze heerlijke pasta,' zegt Stefanie.

'Waar?'

'Il Bargello.'

'Dat is toch...'

'Op de Piazza della Signoria. We pakken een taxi.'

Ze ziet dat haar zus opnieuw over haar buik wrijft. 'Je hebt toch geen heimwee naar Lodewijk?'

'Nee hoor, die redt zich best, dankzij onze restaurantjes en de afhaalchinees.'

Hoort ze nu een vreemde ondertoon in Stefanies stem? Ze zal het zich wel verbeelden. Als er één is die voor haar man en kinderen door het vuur gaat, dan is het Stefanie. En dat hoort ook zo. Hoewel ze zich verkneutert bij de gedachte aan een deukje in het gladde, perfecte leven van haar zus, realiseert ze zich dat ze in hun familie dringend behoefte hebben aan één stabiele factor. Zeker nu.

Binnen een paar minuten hebben ze een taxi gecharterd; de chauffeur doet met drukke gebaren en in slecht Engels zijn best om alle bezienswaardigheden aan te bevelen. Haar zus probeert hem duidelijk te maken dat hij alleen maar hoeft te chaufferen, maar haar woorden dringen niet tot hem door. Hij rijdt langs de Duomo en stuurt zijn auto zelfs tot aan de Ponte Vecchio, waar hij zich klemrijdt en moet omkeren. Stefanie wijst de chauffeur erop dat hij verkeerd rijdt, en dat ze er niet van gecharmeerd is dat hij dat overduidelijk opzettelijk doet.

'De rol van de vrouw is hier nog steeds zwaar onderschikt, Stefanie, geniet maar gewoon van je Armani- en Versace-winkeltjes.'

'Die zijn nogal boeiend, als je er net bent geweest.'

'Over de rol van de vrouw hier gesproken... Als je de krant niet hebt gelezen, weet je zeker ook niet dat die oude Berlusconi lekker bezig schijnt te zijn geweest. Feestjes in zijn landhuizen, compleet met escortdames, en hij wordt verdacht van cocaïnehandel.'

'Dat weet ik wel,' zegt Stefanie. 'Maar je kunt dit land ook van een positieve kant bekijken. Hoe de historische gebouwen hier worden geconserveerd, bijvoorbeeld. Daar moet je in Nederland eens om komen. En hoor jij vanuit Italië wel eens verhalen over moslimterroristen?'

'Die gladgestreken opa heeft de media in zijn macht,' protesteert ze. 'Heb je nooit van de Siciliaanse maffia gehoord? Of de *omertà*? Stefanie, kom op!'

'Nou ja, in de beste families is wel eens iets.'

Dan pas heeft ze in de gaten dat Stefanie haar voor de gek houdt. 'Daar heb je wel een punt,' zegt ze. 'Zeg, heb jij je nooit afgevraagd waar al dat geld vandaan komt, voor pa's onderzoeken? Er wordt ook beweerd dat Berlusconi gunsten heeft ontvangen die betaald werden door de Tarantini-broers, zakenlui met een bedrijf dat medische apparatuur verkoopt en medicijnen op de markt brengt. De baas van pa, die minister bij wie we gisteren te gast waren, die heet toch ook Tarantini?'

'Anne, hou op met die rare grapjes.'

'Ik ben bloedserieus. Heb jij nooit je twijfels over pa, die Tarantini of die onderzoeken in dat lab?'

'Je ziet ze vliegen! Als er iemand is aan wie we een voorbeeld mogen nemen, dan is het pa. Hij is niet voor niets doctor; hij doet belangrijk werk en publiceert nota bene in vooraanstaande medische tijdschriften. Dat hij hier in Italië onderzoek doet, liever dan in ons bureaucratische polderlandje, zegt niets over zijn integriteit. Allemachtig, hij is vijfenzestig, wees blij dat we nu zo...' Stefanie aarzelt. 'We hebben een week samen. Met ma. Jij moet alleen vanavond op tijd naar bed; ik kan de vermoeidheid bijna van je gezicht af lepelen. Kom, doe niet zo raar. Ik ben net zo blij dat we elkaar weer eens zien.'

Stefanie omhelst haar. Juist de woorden die haar zus zojuist inslikte zorgen ervoor dat ze een ogenblik van slag is. Dan wurmt ze zich los. 'Het was maar een geintje. Ik zie hem al voor me, met zo'n zwarte hoed.'

'Jij hebt altijd van die rare grapjes.'

'Je hapt ook zo lekker.'

Eindelijk. Ze zijn er.

Anne drukt de Italiaan dertig euro in de hand, de helft van wat er op de meter staat. 'Dat is meer dan genoeg.'

'Dat kunnen we toch niet...'

'Hij is een ordinaire maffioso, en daar willen wij niets mee te maken hebben.'

De chauffeur vloekt, maar Anne keurt hem geen blik waardig en loopt weg. Als ze omkijkt ziet ze dat haar zus de man alsnog een briefje van twintig geeft, vergezeld van een verontschuldigende glimlach.

Het is druk bij Il Bargello, maar gelukkig vinden ze een plekje op het terras, waar obers af en aan sjouwen met dienbladen vol borden en glazen. Binnen een paar minuten staat er een fles gekoelde witte wijn op tafel.

'De service is hier altijd perfect,' zegt Stefanie. 'Hoewel, die ober doet niets anders dan naar jou kijken. Dat kan ook de reden zijn dat we zo snel worden bediend.'

Ze draait zich geschrokken om. Al weer iemand die haar in de gaten houdt?

'Niet zo kijken!'

'Ik wil hem ook keuren.' Een markante Italiaanse kop en een goed postuur, keurig in rood jacquet gestoken. Woorden die uit gekte voortvloeien. Eenentwintig letters. Achtervolgingswaanzin. 'Wat nou?' zegt ze, als haar zus afkeurend haar hoofd schudt.

'Dat hoort niet.' Stefanie legt haar bestek en servetje recht.

'Jij bent een veel te nauwkeurige parkiet. Twee woorden, dertien letters.'

'Een pietje precies. Flauw! Je niveau gaat hard achteruit, zusje.'

'Dat doe ik expres, om jouw oplossingspercentage op te krikken.'

'Erg grappig. Zeg liever wat je wilt eten.'

Ze steekt een sigaret op.

'Anne! Ik dacht dat je er vrijdag alleen eentje nam vanwege je vliegangst. Je was toch gestopt?'

'Was, ja.'

'Je bent nerveus, de hele dag al. Heeft dat iets te maken met die scheur in je jurk?'

'Geloof je me als ik zeg dat ik gisteren een dode man heb gezien, in het kasteel?'

'Wat?'

'Dat bedoel ik. Oom Alex geloofde me ook niet, pa's baas dacht dat ik te veel had gedronken en ma dacht dat ik Tarantini's zus heb gezien. Wat ook waar is, maar...'

'En ze hadden vast alle drie gelijk. Anne, nu maak je het echt te bont, je moet ma toch niet met dat soort idioterie lastigvallen? Is dit jouw invulling van helpen?'

'Ik zeg al niets meer.' Met een klap slaat ze haar menukaart dicht. 'Bruschetta met tomaat, en daarna een pasta met pesto.'

'Ja, die pasta. En dan neem ik de slakken vooraf.'

'Slakken? Stefanie, we zijn ve-ge-tariër. Slakken zijn schelp-díéren, die hebben ook recht op onze steun.'

'Nou ja, slakken zeg, kom op. Die beslissen niet eens of ze man of vrouw worden.'

'Geen sterk argument. Er zijn zelfs dieren die kunnen wisse-len van geslacht, dat maakt ze niets minder waard.'

'Goed, wat jij wilt. Dan maken we het de kok makkelijk en neem ik ook bruschetta.' Stefanie heft haar glas. 'Proost.'

Ze leunt achterover en wuift met de menukaart in een poging de zinderende hitte die tussen de eeuwenoude muren hangt te verjagen. Van achter de donkere glazen van haar zonnebril houdt ze haar omgeving in de gaten.

'Je zult toch een zoon hebben die een standbeeld voor je laat maken…' verzucht Stefanie. Haar zus stort zich gretig op het voorgerecht. 'Zoals dat daar met die ruiter.' Stefanie zwaait in de richting van het bronzen beeld van groothertog Cosimo de' Medici, dat op de piazza prijkt.

'Toen was pa Cosimo al dood. Ik vermoed dat zoonlief het meer deed om zelf in een hoger aanzien te komen.'

'Hè, Anne. Jij ook altijd. Laat me nou de illusie van de ro-mantiek. Die familie, in een rijke culturele bloeiperiode, dat spreekt toch tot de verbeelding?'

'Ach, romantiek.'

'Ik dacht gisteren nog, het moet geweldig zijn om deel uit te maken van zo'n familie, in die tijd…'

'Dan was jij misschien wel de gifmengster van het stel ge-weest,' zegt ze. 'Je kunt maar zo pech hebben, hakken ze je hoofd eraf. Onder de guillotine ermee, sssssj, één klap en weg. Nog een paar stuiptrekkingen van…'

'Anne!'

'Ik wil je sprookje niet verpesten, maar een paar straten verder, waar nu het museum Bargello zit, hebben tot in de achttiende eeuw talloze terechtstellingen plaatsgevonden.'

'Bargello? Zo heet deze tent,' zegt Stefanie. 'Je vergist je.'

'Niet waar. Ik vond het al raar dat je in een museum wilde eten. *Bargello* betekent gerechtsdienaar, en het pand waar nu dat museum in zit, was vroeger een gevangenis. Als je me niet gelooft, zal ik het je morgen laten zien.'

'Voor deze keer geloof ik je.'

'Alleen omdat je geen museum wilt bezoeken.'

14

Terwijl ze spaghetti op haar lepel draait, begint haar zus opnieuw over de hulp die hun moeder nodig heeft, en dan kan ze zich niet langer inhouden. 'Ma wil niet meer. Heeft ze het met jou ook over euthanasie gehad?'

Stefanies ogen flitsen van links naar rechts. 'Hoe durf je dat woord hier zo hardop te zeggen,' sist ze. 'Wat is dit nu weer voor raar soort humor? Of moet je weer zo nodig aandacht trekken? Je bent niet goed bij je verstand, echt.'

'Humor? Jezus, Stefanie, denk je dat ik dit voor de lol doe? Sinds ma me die vraag heeft gesteld komt er van alles weer boven van vroeger.'

'Ach, jij... jij haalt je altijd van alles in je hoofd, dát moet je zeggen.'

'Maar ik kan er niets aan doen! Ik slaap slecht, ik heb nachtmerries. Ik droom er zelfs nog van dat pa toen zo kwaad op me werd, weet je nog?'

'Toen we op vakantie in Schotland waren, en jij een hele middag zoek was, tot pa je vond bij een totaal onbekende man, met wie je was meegegaan omdat hij puppy's had? Pa had gelijk dat hij kwaad was; die man had je ik weet niet wat aan kunnen doen.'

'Nee, ik bedoel toen ik die warme zomeravond slaapwandelend in de auto was beland en in het lab terechtkwam, verstoppertje spelend met een knuffel. Ik was verdorie amper zeven jaar.' Nijdig gooit ze het bestek op haar bord. Nu is het moment om het te vragen. Toe dan, vertel over de ratten, de schuld, vraag haar of ze het weet. Ze zet haar wapen op spanning, richt de loop... en dan weigert ze de trekker over te halen. Ze zucht, ze hapert, ze durft het niet. 'Ik zit hier écht niet op te wachten, ik krijg verdomme geen hap door mijn strot, alleen al als ik denk aan... als ik denk aan het idee dat ma...'

'Ik geloof je niet. Ze zou jou niet vragen, niet die ene keer dat jij bij haar bent geweest dit jaar. Waarom zou ze?' Stefanie schudt haar hoofd. 'Je hebt het verkeerd begrepen. Ma is soms verward, vergeet dingen, haalt feiten en fictie door elkaar. Nee, het kan niet, waarom zou ze jou vragen?'

'Omdat ik gewend ben aan lijken?'

Stefanie verslikt zich in een slok wijn. 'Allemachtig Anne, je bent echt niet lekker. Alsof jij... Hoe vaak ben je in al die jaren dat ze hier wonen op bezoek geweest? Je weet er niets van. Ik wel, en weet je wat? Ma heeft hoop, ze wordt beter. Pa heeft het gezegd, de doorbraak is er, hij zal haar genezen.'

En zij is de tovenaar van Oz.

Stefanie legt in die laatste woorden – dat haar moeder hoop heeft en pa haar zal genezen – een overtuiging die haar doet stilvallen. Wat bezielt haar, om de stabiele poten onder Stefanies stoel vandaan te schoppen? Als zij die zo graag wil... Nee. Ze wil dit niet, en al helemaal niet alleen.

'Waarom zeg je nou niks? Wil je niet geloven in genezing? Ma heeft hóóp, Anne, ik heb het gezien, bij mijn vorige bezoek nog.'

'Larie. Ik geloof niet dat ze beter wordt. Ga me niet vertellen dat jij niet ook bent geschrokken van haar achteruitgang. Ze kan verdorie soms niet eens meer normaal eten! Als pa haar gaat genezen, waarom teert ze dan weg in dat stomme bed op wielen?'

Haar zus steekt ongeduldig haar arm op om de aandacht te trekken van een van de obers. 'Ma heeft een mindere dag. Nou en? Toen ik een paar weken terug hier was, verheugde ze zich zó op deze week. Dat wij zouden komen, en we als familie weer eens samen zouden zijn.'

'Omdat ze wist dat het de laatste keer zou zijn, als het aan haar ligt. Ze is op, dat weet jij net zo goed als ik.'

'Ober, ik wil betalen,' roept Stefanie. 'Verdorie, die slome Italianen ook altijd.' Ze rommelt in haar buitenproportionele tas.

Ze kijkt haar zus aan. Zwijgend.

'Ik wil het er niet over hebben, Anne. Alleen de gedachte eraan al is zo… zo walgelijk! Verdorie, waar heb ik mijn portemonnee… Het is hier trouwens verboden, je kunt de gevangenis in draaien, en pa erbij. Wil je hem dat… Het is gewoon te gek voor woorden! Je hebt haar niet goed verstaan, niet begrepen, dat is het. Ze heeft je om hulp gevraagd omdat ze zich niet lekker voelde, en ze bedoelde dat ze je bij zich wil hebben. Je fantasie is zoals gewoonlijk weer eens met je op de loop gegaan. Vroeger zat jij ook altijd met je hoofd in een ander melkwegstelsel. Geen wonder dat de enige die het met jou uithoudt een gestoorde papegaai is!'

Van schrik stoot ze bijna haar wijnglas om. Ze kan het nog net pakken, maar niet voorkomen dat er een plens wijn op de portemonnee terechtkomt, die Stefanie net met een ongeduldig gebaar op tafel heeft gelegd.

'O, Anne! En je bent ook nog zó onhandig, het is niet te filmen.'

'Jezus, Stefanie, stel je niet zo aan… Zo'n, zo'n portemonnee! Hangt daar je geluk van af? Alsof geld en status je automatisch een beter mens maken. Flikker toch op met je rode loper. En bovendien teer jij op de zak van je mooie Lodewijk, je draagt er zelf geen cent aan bij, of het moet zijn door flink met je billen te draaien of je decolleté te showen in de richting van de juiste mensen!' Als ze het heeft gezegd heeft ze er spijt van. O, Stefanie heeft het verdiend, maar dit is niet wat ze wilde. Dit moet niet over hen tweeën gaan.

'Ik had het kunnen weten. Altijd als jij, als jij...' Haar zus beëindigt haar amper ingezette donderpreek ineens als de ober naast haar staat en produceert zelfs een vriendelijk lachje. Hij legt de rekening op tafel en vraagt vriendelijk of ze een grappa wensen. Ze wil ja knikken, maar Stefanie is haar voor. 'Nee, dank u, het wordt de hoogste tijd dat we vertrekken.' Stefanie kijkt naar het bedrag op de bon, legt een paar bankbiljetten op tafel en staat abrupt op.

Ze twijfelt of ze alsnog de grappa wil, maar besluit toch met Stefanie mee te gaan. Stefanie is overduidelijk in een soort ontkenningsfase. Haar zorgzame zus, die ze met liefde de nek om zou draaien. Ze was vroeger ook altijd al net een tubetje lijm, erop gefixeerd alles bij elkaar te houden. En ze heeft haar zus nu nodig, al bijt ze liever haar tong af dan dat toe te geven. Dit is iets wat ze niet alleen kan. Zou ze het überhaupt durven, zelfs als Stefanie wil helpen?

Ze lopen in de richting van een rij geparkeerde taxi's, terwijl de vraag in haar hoofd blijft malen. Heeft ze er al eens goed over nagedacht of ze dit aankan? Haar moeders vraag heeft haar zo overdonderd, dat ze over haar eigen rol in dit macabere toneelstuk nog amper heeft nagedacht.

'Ik ga naar pa's lezing,' zegt ze zacht, alsof ze in de toon haar verontschuldiging kan leggen. 'Ik wil weten of hij ma kan genezen.' Het is minstens een jaar geleden dat ze zijn werkplek heeft bezocht, om iets af te geven of op te halen, en ze staat allesbehalve te springen om haar middag in een ziekenhuis door te brengen, maar ze wil weten of het waar is wat Stefanie beweert, dat pa haar kan genezen. Het móét. Want nu ze erover nadenkt... Stel dat ze ja zou zeggen op haar moeders vraag, stel dat ze zegt dat ze wil helpen, dat betekent nog niet dat ze daartoe in staat is. En haar vader zal er ook niet mee instemmen. Ze hebben het er nooit over gehad, maar ze kan zich niet voorstellen dat pa een voorstander is van euthanasie. En zij... ze kan toch niet... haar eigen moeder... Ze schrikt als Stefanie aan haar arm trekt.

'Pas op!' schreeuwt haar zus.

Een auto toetert schel, rijdt op een haar na langs haar heen en ze deinst achteruit.

'Anne! In hemelsnaam!'

Ze kijkt in de grote ogen van haar zus. Geschrokken, net als zij.

'Sorry,' mompelt ze.

'Wat mankeert jou?'

Haar knieën lijken van elastiek. Ze houdt zich vast aan Stefanie. 'Raar gevoel... even zitten...' Ze voelt zich duizelig, en het zweet staat op haar rug. Als twee verdwaalde kinderen zitten ze op het trottoir, Stefanies arm om haar schouders.

'Gaat het?' vraagt haar zus.

'Reed die auto expres als een idioot langs mij heen?'

'Wat? Anne, wat haal je je in je hoofd? Je liep als een kip zonder kop zo de straat op! Waar was je met je gedachten?'

Ze haalt haar schouders op. 'Kunnen we hier weg?'

Het opstaan lukt, en met knikkende knieën laat ze zich aan Stefanies arm naar de taxistandplaats leiden.

De ruzie weergalmt in haar hoofd. Stefanie meent dat haar moeder verward was. Is dat zo? Ma sprak traag, maar geen woord Russisch toen ze om hulp vroeg. Ze was allesbehalve verward, toch? Nee. Ze heeft haar moeder niet verkeerd begrepen. Haar lichamelijke gesteldheid mag dan achteruithollen, het geheugen mag haar soms zelfs in de steek laten, wat deze vraag aan haar betreft was ze helder als de sterren-hemel van afgelopen nacht. Haar moeder wil eruit stappen, en dat begrijpt ze, ook al is de consequentie ervan iets wat haar bijna letterlijk omver blaast. Ze vindt dat haar moeder recht heeft op een menswaardig einde, en als de pijn steeds ondraag-lijker wordt kan ze zich voorstellen dat haar moeder daar niet te lang meer mee wil wachten. Maar o god, wat dan? Wat dan? Daar kan ze toch niet daadwerkelijk over nadenken? Het is te absurd.

Waarom heeft pa haar niet kunnen overtuigen dat hij haar kan genezen? Ze moet weten hoe zijn onderzoek ervoor staat, ook al wil elke vezel in haar lijf verdwijnen uit deze benau-wende stad.

In de taxi zegt haar zus geen woord, en deze chauffeur heeft kennelijk meer zin om naar huis te gaan dan om hun toeristisch Florence te tonen, want hij rijdt rechtstreeks naar de Via Pier Antonio Micheli.

Haar vader is er, gehaast kauwend op een laatste hap van zijn lunch, en zelfs haar moeder is wakker. Ze blijft bij nader inzien vandaag in bed om bij te komen. Estella is net bezig om haar bed naar de slaapkamer te rollen, en Stefanie helpt haar. Even later komt ze terug. 'Een goede siësta zal haar goeddoen,' zegt haar zus.

Het verdwenen bed veroorzaakt ineens een onaangename leegte in de woonkamer. Estella wenst ze een fijne middag en vertrekt.

'Heeft die vrouw geen eigen leven?' vraagt ze, terwijl ze twee aspirines met water doorslikt.

'Ze heeft nu een leven, met de verzorging van je moeder. Daarvoor was ze de godganselijke dag eenzaam en alleen,' zegt haar vader, terwijl hij opstaat. 'Ze heeft zelfs al aangeboden om 's nachts te blijven.'

'Het zal je verbazen hoeveel voldoening sommige mensen halen uit het werken met levenden,' zegt Stefanie.

'Sprak de arbeidsexpert,' kaatst ze terug.

'Fijne middag,' zegt haar vader. 'Ik hoop er met het avondeten weer te zijn.'

Ze wil hem zeggen dat ze met hem meegaat naar het ziekenhuis. Ze zwijgt, omdat ze vermoedt dat hij vindt dat ze bij ma hoort te blijven.

'Ik ben ook weg.' Ze verwacht een reactie van haar zus, maar die blijft uit. Stefanie is gepikeerd.

Eenmaal buiten haalt ze diep adem. Wat mankeerde haar daarnet in vredesnaam? Voor hetzelfde geld was ze in een ambulance afgevoerd, volledig in de kreukels. Ma waarschuwde vroeger niet voor niets dat ze moest 'opletten, anders zou je je gat ook nog vergeten', maar zo afwezig bijna onder een auto lopen...

15

De stem van haar vader klinkt helder en zelfverzekerd. 'We hebben het over een auto-immuunziekte van de hersens en het ruggenmerg, samen het centraal zenuwstelsel genoemd. Jaren hebben we in het duister getast naar de precieze oorzaak van MS. Dat omgevingsfactoren, genetische en immunologische factoren een rol speelden, wisten we al vrij snel, maar welke, hoe, en in welke mate? Ik ga u vertellen, geachte aanwezigen... We hebben nog niet het complete raadsel dat menselijk lichaam heet voor u kunnen oplossen, maar wat we wel kunnen... dat is MS genezen!'

Aanzwellend geroezemoes in de gehorige zaal, waar de zon volop brandt door lichtstralen in het platte dak. Er hangt een bedorven, benauwende sfeer. De ruimte doet Anne denken aan een Amerikaanse collegezaal, met krakende houten stoelen waarbij aan een kant een schrijftableau is bevestigd. Er heeft een veertigtal oudere mannen samen met haar en oom Alex in de zaal plaatsgenomen. Ze hoort een Italiaan naast haar aan zijn buurman vragen of hij het goed heeft verstaan. Genezen?

Ruiterbeek is er niet. Het schoot haar net, toen ze het ziekenhuis binnenkwam, te binnen dat ze hem nog moet bellen. Ze denkt aan de dode man in het kasteel. Stefanie wil er niets van weten, maar ze is niet gek. Ze weet zeker wat ze heeft gezien, al heeft ze een moment getwijfeld aan haar eigen geheugen. Nu heeft ze continu het idee dat er kwaadwillende ogen op haar gericht zijn. En toen ze bijna onder die auto liep zag ze haar moeders wegterende lichaam in dat ziekenhuisbed. Wat moet ze in godsnaam doen om al die doembeelden uit haar hoofd te verbannen? *Wil je me helpen.*

Hier voor haar staat de man die de vier woorden die haar dwarszitten onbelangrijk kan maken. Haar vader torent imponerend boven zijn schamele publiek uit, met achter hem ingewikkeld ogende grafieken en dwarsdoorsneden van het menselijk lichaam. Tot haar opluchting houdt hij zijn speech in het Engels, en niet in het Italiaans. Haar vader was stomverbaasd om haar te zien; even dacht ze dat hij haar weg wilde sturen, maar daarna werd hij in beslag genomen door de gasten.

'Genezen. Jazeker. Waarbij ik een kanttekening moet maken.' Haar vader tovert een plaatje tevoorschijn van een driedimensionale figuur, die haar doet denken aan een taart, die in vier ongelijke stukken is verdeeld.

'De symptomen van MS zijn zeer divers. Slecht zien, spierzwakte, slechte coördinatie en verstoord evenwichtsgevoel, moeilijk lopen, pijn en extreme vermoeidheid zijn vaak gehoorde klachten. MS is als een vulkaan, die lava uitspuwt, zich vervolgens lang rustig kan houden, om dan in alle hevigheid weer uit te barsten.' Hij tikt met iets wat lijkt op een uitschuifbare antenne op een kleine taartpunt. 'Goedaardige MS,' zegt hij. 'De mildste vorm, waaraan tien tot twintig procent van de patiënten lijdt. Velen van hen hebben geen enkele handicap, en meestal zijn er weinig symptomen.' Hij wijst naar een ander, eveneens klein stukje taart. 'Primair progressieve MS. Ongeveer tien procent van de patiënten wordt steeds verder invalide gedurende een periode van verscheidene jaren, zonder remissies te hebben.' Hij pauzeert even, en laat zijn blik over het publiek gaan. 'Ons onderzoek richt zich niet op die twee categorieën, maar op de overige patiënten, en die zijn veruit in de meerderheid. Meer dan de helft van de mensen met MS begint met de relapsing-remitting MS.' De antenne verplaatst zich naar een van de twee grote stukken, met daarin de letters RRMS. 'Deze patiënten hebben een of enkele keren per jaar relapsen, afgewisseld met een gedeeltelijke of volledige remissie. Na verloop van jaren worden de symptomen meestal erger als gevolg van het geleidelijk afsterven van de zenuwcellen zelf en de beschadiging van de myelinescheden eromheen. In dit stadium...' Haar vader wijst naar het enige, eveneens grote, stuk taart dat hij nog niet had gehad, 'gaat RRMS over in SPMS. De meeste mensen met RRMS krijgen dat uiteindelijk: secundair progressieve MS. Na een paar jaar neemt de frequentie van relapsen en remissies meestal af, maar de mate van invaliditeit neemt toe doordat zenuwcellen verloren gaan. Een patiënt heeft SPMS wanneer er geen relapsen en remissies meer zijn, maar in plaats daarvan de symptomen steeds erger worden.'

Ze heeft geen idee welke vorm haar moeder heeft en ze zou haar vader van het podium af willen trekken om het hem te vragen. Dat haar moeders toestand verslechtert, betekent dat dat ze een vorm heeft die buiten zijn onderzoeksgroep valt? Als dat zo is, waarom heeft haar vader zich dan niet op de taartpunt gericht waar ma in thuishoort? Is het een smoes, dat ze zegt dat zijn therapie te zwaar voor haar is?

'Wij weten op dit moment niet of de door ons ontwikkelde therapie een vergelijkbaar effect heeft op de primair progressieve vorm. Daar wacht ons overduidelijk een nieuwe taak. Wat we wel weten, is dat we dankzij jarenlang intensief onderzoek en de steun van de overheid een forse stap voorwaarts hebben kunnen zetten, en binnenkort, geachte aanwezigen, zal wat ik u vertel wereldnieuws zijn...' Ze ziet hoe hij zijn publiek observeert, als een goochelaar die op het punt staat zijn publiek te verbazen met een nooit eerder vertoonde truc. Een voldane glimlach breekt door op zijn gezicht. 'Het is ons gelukt om een relatief onschuldig virus als transporteur, met medicatie in een op de patiënt afgestemde concentratie, op de plekken te brengen waar de medicatie nodig is: in het afweersysteem en in het zenuwstelsel. Het klinkt simpel, als ik het u zo vertel, maar gelooft u mij als ik zeg dat dit mij tweeëndertig jaar bloed, zweet en tranen heeft gekost.' Haar vader vertelt over de medicijnen, en hoe die via het virus geleid worden.

Opgewonden stemmen en een enkele ingehouden kreet van ongeloof vullen de zaal. Ze doet haar best, maar ze begreep er gisteren ook al weinig van, toen hij ongeveer hetzelfde uitlegde aan de gasten in het kasteel. Als hij uitgepraat is maakt hij een lichte buiging voor zijn aandachtige publiek. 'Heeft iemand vragen?'

Een ogenblik is het stil in de zaal. Het is geen serene stilte, o nee, eerder een ingehouden stilte, als die voor een heftige storm, en ze ziet enkele monden verbaasd openvallen. Dan begint het geroezemoes, dat aanzwelt tot opgewonden door elkaar heen praten. Een van de aanwezigen staat op. 'Wanneer wordt dit wereldkundig gemaakt?' wil de man weten.

'Vrijdag aanstaande, de zevende, staat er een persconferentie gepland,' antwoordt haar vader. 'Ik heb afgelopen vrijdag mijn publicatie ingeleverd bij *The Medical Journal*, dus binnenkort zal de storm ongetwijfeld losbarsten. AP, Reuters, en natuurlijk het Agenzia Nazionale Stampa Associata zullen niet bij ons laboratorium weg te slaan zijn, hoewel er natuurlijk eerst tal van sceptici zullen opstaan en bewijzen zullen eisen.'

'Is het tot dan geheim?'

'In hoeverre is tegenwoordig nog iets geheim te houden?' is haar vaders wedervraag.

'Over sceptici gesproken, hoe zeker is uw ontdekking? Hoeveel patiënten hebt u intussen genezen, en in welke tijdsperiode?'

Haar vader glimlacht minzaam. 'Ik heb bij wijze van hoge uitzondering dit nieuws heet van de naald met u gedeeld. Ook in mijn belang, want zonder financiële injecties kunnen wij ons onderzoek niet doen. Maar nu tart u mijn welwillendheid. Leest u eerst mijn publicatie, alstublieft. Dat zal ik ook nieuwsgierige journalisten voorlopig meedelen.'

Een andere man steekt zijn arm in de lucht. 'Het is een eer met u kennis te maken, signor Den Hartogh,' zegt hij. 'Een van mijn zoons is neuroloog, en ik ben een beetje thuis in de materie. Kunt u ons vertellen hoe u het voor elkaar heeft gekregen een virus te vinden dat geschikt is als transporteur?'

'Het spijt me, signor... eh?'

'Brunelli.'

'Signor Brunelli. Het zou te ver gaan om daar nu op in te gaan.'

'Maar is het niet zo dat de ene mens gevoeliger is voor zo'n virus dan de andere?'

'Het enige wat ik u kan zeggen is dat onze resultaten het gevolg zijn van ruim dertig jaar intensief onderzoek.'

'Ik zou graag...' dringt de man aan.

Pa onderbreekt hem, ineens ongeduldig. Scheer je weg, naar je miezerige kantoorbaantje, lees ik in zijn ogen, waarboven de wenkbrauwen zich fronsen. 'Deze doorbraak is revolutionair, en binnenkort zult u er alles over lezen. Intussen zou het u passen als u zich eerst verdiept in de materie, en dan pas uw commentaar levert.' Hij kijkt de man kwaad aan. 'Als de wereld vol zou zijn van sceptici zoals u, zouden we in geen honderd, wat zeg ik, in geen duizend jaar vooruitkomen! Ik heb medelijden met de mensen die altijd aan de zijlijn staan en klakkeloos roepen wat ze als eerste te binnen schiet, zonder na te denken. En iedereen volgt, als een kudde makke, hersenloze schapen. O, het is zo eenvoudig loze opmerkingen de wereld in te schreeuwen, nietwaar? Onrust te zaaien, een sneeuwbaleffect te creëren, zonder zelf ook maar iets positiefs bij te dragen aan de geneeskunst van de toekomst.' Pa schuift ongeduldig zijn bril achter op zijn neus. 'Nee, wat doet uw soort ambtenaren? Leer mij…'

Oom Alex springt plotseling op uit zijn stoel en applaudisseert. De andere aanwezigen vallen hem eerst aarzelend, daarna overtuigend bij. Pa lijkt even beduusd door de plotselinge onderbreking. Haar oom loopt naar hem toe en legt glimlachend een hand op zijn arm, terwijl hij hem iets in het oor fluistert. Hij trekt de microfoon naar zich toe. 'Deze discussies zullen we graag op een later moment voeren. Voorlopig hebben we iets te vieren.' Hij spreidt zijn handen vervolgens uitnodigend richting kantine. 'We hebben grappa,' roept hij. 'Laten we proosten op dit succes!'

16

Stefanies moeder slaapt, haar vader heeft zijn lezing, en ook Anne is verdwenen. Ze zou ook naar de lezing gaan, meent ze. Zelfs Estella had buitenshuis iets te doen, en dus zit zij hier alleen. Ze kan niet weg, want stel dat ma wakker wordt, dat ze hulp nodig heeft.

Ze draait haar lange haren in een staart. Weg met die warmte in haar nek. Lodewijk vindt los haar mooier, maar haar man zit vijftienhonderd kilometer noordwaarts. Een hele week zonder haar gezin. Zo lang is ze nooit alleen weg geweest, doet ze hier wel goed aan? De kinderen op kamp, Lodewijk wilde wat achterstallig werk inhalen, het was aan alle kanten handiger dat ze alleen zou gaan. Ze zucht. Alles gaat heus wel goed thuis. Deze week zal ze benutten om haar moeder te verzorgen. Zonder zich te ergeren aan haar zusje. Met haar fratsen. Haar idiote gedrag. Nu ook weer.

Die rare grappen over de maffia… Zij kan dat wel plaatsen, maar zulke vreemde opmerkingen maakt haar zusje soms ook tegen vreemden, alleen om te provoceren. Typisch Anne om iemand zo op de hak te nemen, en dan als een blinde de weg over te steken. Haar zusje is echt de weg kwijt.

Nachtmerries. Ja, dat wil ze wel geloven. Anne verspilt haar tijd met een idiote papegaai die iedereen met een verkeerde naam begroet en met een baan waar je wel depressief van moet worden. En dan die bespottelijke gedachte dat haar moeder er zelf uit zou willen stappen... Het is te gek om zelfs maar over na te denken. Ze wil zich richten op leven, niet op dood. Dat druist in tegen alles waar ze in wil geloven. Ze kan haar moeder toch niet helpen dood te gaan? Als het er echt op aankomt, dan zal ze voor haar zorgen. Elke dag, elk uur, elke minuut zal ze naast het bed waken, zorgen, er voor haar zijn. Maar ze kan een leven niet moedwillig beëindigen. Zeker niet dat van haar eigen moeder. Nooit, nooit! Ze is ooit afgestudeerd als arts, en ook al heeft ze haar studie nooit in praktijk gebracht, ze kan niet anders dan geloven in leven, in redden, anders gooien ze alles door elkaar en dat kan niet, dat mag niet. Het is een onmenselijke vraag, een onmenselijke daad. Dat Anne het zelfs maar overweegt.

Ze schenkt een kop koffie voor zichzelf in. Michele Massimo Tarantini, een regisseur. Die naam schiet haar te binnen. Is er ook geen voetballer die zo heet? Of was dat een Argentijn... Soit. Als ze moeite doet kan ze misschien wel meer Tarantini's opnoemen. Er zijn vast honderden, zo niet duizenden Tarantini's in Italië. De meerderheid ervan is zonder twijfel respectabel. Wat zal ze gaan doen? Lezen? Tv? Ja, daarvoor is ze hier natuurlijk vooral gekomen. Geweldig. Een fijne zondagmiddag.

De kat heeft de muis losgelaten, dat mag ze intussen concluderen. Ze heeft sinds vrijdagavond, nadat ze hier in Florence bij haar ouders arriveerde, met volle teugen van haar moeders opleving genoten, al is die misschien tijdelijk. De kat zal de muis weer pakken op een onverwacht moment. Het bewijst daarentegen dat haar moeder zomaar nog veel meer van dat soort goede dagen kan omarmen, met de juiste verzorging en medicatie. Kon ze haar ouders maar overhalen om terug te keren naar Nederland. Dan zou ma naar Wildhoef kunnen, een verzorgingshuis aan de rand van Bloemendaal, midden in de natuur, in plaats van het ongezonde stadsleven in Florence. Wat heeft ze per slot van rekening hier? Alleen een Italiaanse verpleegster die ze net een jaar kent; met haar kan ze toch geen verhalen over vroeger delen? En wat als ze straks hier naar een verpleeghuis moet? Daar moet de familie zelf zorgen voor voeding en zorg. Hoe moet dat dan? Haar vader is voorlopig niet van plan minder te gaan werken en meer thuis te zijn. Dat zij hier langer blijft is onmogelijk; deze week kostte haar al eindeloos regelen en organiseren. Ze zou het bovendien niet willen, ze heeft een gezin.

Lodewijk... Ze houdt van hem, meer dan hij misschien weet. Hij vroeg haar ten huwelijk, geheel in stijl, met champagne. Ze ging in zijn bedrijf werken omdat hem dat helemaal te gek leek, en ze hadden het goed samen. Liefde, vrijheid, geld. Tot haar hormonen onstuitbaar op hol sloegen. Het werd hun terugkerend onderwerp van strijd. Zij wilde kinderen, hij niet. Hij kwam uit een gezin van tien, altijd elk dubbeltje omdraaien, geen studie.

Ze verweet hem dat hij haar had afgehouden van haar vervolgstudie, een specialisatie tot kinderarts. Wilde hij haar nu opnieuw een droom ontnemen? Hij zwichtte, mits zij ervoor zou zorgen. Hij zou van het kind houden, een vader zijn, maar hij wilde zich ook voor honderd procent blijven inzetten voor zijn bedrijf, waar hij zijn ziel en zaligheid in had gestopt.

Hij heeft een hekel aan veranderingen, dat is het. Duidelijke grenzen, daar houdt hij van, van elk jaar naar hetzelfde hotel in hetzelfde land. Ze wist het, vanaf het begin. Hij had het gezegd, zelfs. Hij wilde graag met haar dat bedrijf, en hij haalde zijn voldoening liever uit zijn werk dan uit nakomelingen. Maar sinds Floor naar school ging zat ze thuis, verveelde zich, en vond dat ze haar leven meer inhoud moest geven.

En nu? Wat een kans! Alsof ze die speciaal voor haar zo hebben gecreëerd, zo mooi, en binnen handbereik. Maar Lodewijk...

Ze pakt de telefoon en drukt met licht trillende vingers zijn mobiele nummer in. Open kaart spelen. Voor honderd procent, niets achterwege laten. Dat is de opdracht die ze zichzelf oplegt. En vervolgens een oplossing zoeken om haar gezin bijeen te houden. De porseleinen borden op de stokken wiebelen vervaarlijk, maar ze zal zich nog sterker concentreren en harder lopen om ze allemaal in de lucht te houden. Een schepje erbovenop doen en focussen, zo simpel moet het kunnen zijn.

'Lodewijk van Doorne,' zegt hij. Zijn stem klinkt alsof hij in de kamer hiernaast zit.

'Met mij.' Even houdt ze haar mond, om af te wachten of hij iets zal zeggen – of de verbinding zal verbreken – maar het blijft stil in Bloemendaal. 'Heb je iets van de kinderen gehoord? Hebben ze het naar hun zin?'

'Ze vermaken zich prima, geen probleem. Ik ga zo naar Floor.'

'Is er iets, dan?'

'Niet echt, denk ik. Kinderpraat. Ze miste ons.'

Nu even ginds zijn. Met hem meegaan, die kleine oogappel in haar armen sluiten. 'Lodewijk?'

'Hmm.'

'Het spijt me. Het laatste wat ik wil is jou kwijtraken.'

'Ik voel me nogal verward, Stefanie, ik heb ervan wakker gelegen. Ik bedoel, toen jij per se kinderen wilde, ben ik overstag gegaan en daar heb ik bij nader inzien geen moment spijt van gehad. Geloof me, ik wil ze voor geen goud meer missen. Maar jij zou er voor ze zijn, dat heb je beloofd. Floor huilde vanmorgen toen ik haar belde, tussen die rotpony's. Ze heeft heimwee.'

'Ze wilde op kamp.'

'Met het idee van pappie en mammie op een veilige afstand, ja. Je kent haar toch?'

Niet de vlam van het schuldgevoel aanwakkeren, alsjeblieft.

Snapt hij dan niet dat ze tussen twee vuren zit, hier? 'Mijn moeder is ernstig ziek.'

'Laat haar hier komen.'

'Dat wil ze niet.'

'Omdat je vader niet meewil.'

Ze zwijgt.

'Zorg dan voor goede verpleging daar.'

'Die heeft ze.'

'Nou dan?'

'Van een vreemde.'

'Tsja, Stefanie, dan ziet het ernaar uit dat je keuzes moet gaan maken.'

Het gesprek loopt niet zoals ze had gehoopt. En dan heeft ze nog niet eens verteld... 'De kinderen kunnen best een aantal dagdelen zonder mij, dat doen ze al een klein jaar.' Daar. Het is eruit.

'Hoe bedoel je dat?'

'Als Wouter en Floor op school zijn werk ik als vrijwilliger op de verpleegafdeling voor kinderen van één tot tien jaar. Vandaar de uitnodiging voor het sollicitatiegesprek.'

'Dus terwijl ik dacht dat jij naar yoga ging, of sherry dronk met Veronie of Jacqueline... Bestaan die vrouwen überhaupt?'

'Sommigen.'

Hij bromt iets wat niet voor herhaling vatbaar is. En ze begrijpt, ze had het anders moeten aanpakken. Dit stiekeme had ze niet moeten doen, niet moeten willen, zelfs. Een paar porseleinen borden dreigen te vallen.

'Heb je nog meer lijken in de kast, Stefanie?'

'Nee, eerlijk niet. Mag ik het uitleggen, straks als ik weer thuis ben?'

'Kom je dan terug voor mij, de kinderen, of voor die kinderen in het ziekenhuis?'

'Voor jullie drieën, natuurlijk.'

Met een lauw 'Ik bel je weer' heeft Stefanie de verbinding ver-
broken, nadat Lodewijk zich excuseerde. Hij moest vertrekken.
Hij had al op weg willen zijn naar Floors ponykamp. Of hij
echt zo'n haast had? Ze kreeg geen liefs of luchtzoenen door de
lijn gestuurd. Pijn in haar buik; dat is het schamele resultaat
van het bellen met Lodewijk.

17

Amper een halfuur later zijn er twee flessen grappa soldaat gemaakt. De eerste gasten vertrekken in een dermate uitgelaten
stemming, dat Anne twijfelt of ze allemaal de uitgang van het
ziekenhuis halen.

'Drinken we er samen een op het succes?' vraagt oom Alex.
'En omdat ik blij ben je weer eens te zien?'

'Dat is goed,' zegt ze.

'Wacht even, dan pak ik de fles.'

Ze heeft al twee glaasjes op, maar ze heeft een goede reden.
Ze moet het hem vragen en daar is moed voor nodig. Ongeveer
veertig procent.

Oom Alex raakt met haar vader en een laatste gast in gesprek,
meneer Brunelli als ze het goed heeft onthouden. Pa kijkt afkeurend en verveeld, maar haar oom knikt af en toe, alsof hij het
eens is met wat de man zegt, of er tenminste begrip voor heeft.
Zou het laboratorium hier vlakbij zijn? Misschien is Ruiterbeek
daar. Ze loopt de kantine uit, de gang op, waar ze moet constateren dat ze zo op een schijnbaar achteloos achtergelaten bed zou
kunnen omvallen. De grappa doet haar hoofd tollen, en lijkt nu
af te zakken naar haar benen, die aanvoelen alsof er dertig kilo
aan hangt.

Ze loopt enkele gangen in, draait zich om als ze meent te verdwalen. Tot haar blik blijft steken bij een afbeelding van Filippo Brunelleschi, de man die ooit de koepel van de Duomo heeft ontworpen en de mensheid de mogelijkheid om in perspectief te tekenen heeft nagelaten. Dit beeld herkent ze. Deze donkerblauwe deur moet van het laboratorium zijn. Niemand die haar ziet... Ze probeert de deur te openen, half verwachtend dat die op slot zal zijn, maar dat blijkt niet het geval. Het is een loodzware deur, ze moet er met haar volle gewicht tegenaan duwen om hem open te krijgen. Als ze eenmaal binnen is, overvalt haar een merkwaardig, unheimisch gevoel. Ze deinst terug voor de weeïge lucht die in het lab hangt en ondanks de kilte breekt het klamme zweet haar uit. Ligt dat aan de op volle toeren draaiende airco? Ja, natuurlijk, wat moet het anders zijn? Er liep iemand over haar graf. 'Alsjeblieft,' spreekt ze zichzelf hardop toe, 'doe niet zo belachelijk.'

Met tegenzin neemt ze de steriele ruimte in zich op. Er lijkt weinig veranderd sinds ze hier voor het laatst was. Het laboratorium oogt uiterst modern en het ruikt er naar chemische troep en schoonmaakmiddelen. Tafels met apparatuur, flessen en maatbekers, rekken met reageerbuisjes. Niets bijzonders. Waarom bekruipt haar dan het gevoel alsof ze elk moment door dikke ratten met spitse snuiten en uitpuilende ogen kan worden aangevallen? Omdat ze daar 's nachts over droomt. Dan bevindt ze zich ook in zo'n klinische ruimte, en ook daarin duiken die enge beesten op, waarna ze uren wakker ligt, peinzend over vroeger, en over de vraag waar ze een antwoord op moet vinden.

Geen Ruiterbeek. Ze pakt een glas, schenkt het vol met water, en gaat op een van de tafels zitten. Dus hier is het gebeurd; de wonderbaarlijke uitvinding van het medicijn. Er hangt een vreemd soort stilte, absoluut niet vredig, nee, meer zoals haar eigen werkruimte kan aanvoelen als er net een klant is afgevoerd. Alsof de ruimte moet bijkomen van de drukte, en de rust elk moment verstoord kan worden.

Dan pas valt haar oog op de deur achter in het lab. Die blijkt open, en brengt haar in een ruimte die haar bij een vorig bezoek niet is opgevallen. Het moet haar vaders kantoor zijn, denkt ze, en haar vermoeden wordt bevestigd door een witte jas, aan een haakje, waarop zijn naam is geborduurd. *Dr. C. den Hartogh.* Schoorvoetend zet ze een paar stappen naar voren. Kasten vol keurig geordende ordners en rijen boeken. Medische boeken, vanzelfsprekend. *Medical Pharmacology and Therapeutics*, *Inflammatory Myopathies*, *The Multiple Sclerose Diet Book*. Ze herinnert zich een incident van vroeger. Ze was een jaar of tien, op een woensdagmiddag in haar vaders kantoor, thuis in Bloemendaal. Haar vader was op zijn werk – dacht ze – en zijn boekenkast had een onweerstaanbare aantrekkingskracht op haar. Vooral de medische encyclopedie, die uit minstens tien delen bestond. Ze had er al een paar keer stiekem in gekeken; er stonden de meest enge plaatjes in. Grote kleurenfoto's van benen met open wonden, handen en voeten met de raarste afwijkingen, en rode hoofden vol dikke, etterende puisten. Plaatjes om van te gruwelen. Verschrikt kijkt ze naar de deur. Een geluid? Even houdt ze zich muisstil. Niets. Haar aandacht wordt getrokken door een stalen kast met drie laden die zo hoog zijn dat ze vermoedt dat er hangmappen in zitten. A-H, I-P en Q-Z. Haar vader betrapte haar, die middag. Hij had kennelijk iets nodig uit zijn kantoor en hij was woedend geworden toen hij zag dat ze in zijn boeken zat te neuzen. Ze kromp ineen, betoonde spijt, ze had toch alleen maar wat plaatjes willen kijken? Even had ze gedacht dat ze een klap zou krijgen, maar zover kwam het niet. Ze moest voor straf tien ziektebeschrijvingen uit haar hoofd leren. En daarom weet ze nu nog steeds dat *Penphigus vulgaris* een huidaandoening is met blaarvorming die onder alle bevolkingsgroepen voorkomt, maar in verhouding vaker onder Asjkenazische Joden en mensen van wie de voorouders uit India komen. Het alfabet in drieën gedeeld. Patiëntendossiers? Zou die ene erbij in zitten? Wat was zijn naam ook weer, De Ginnero of zoiets. Ze negeert het waarschuwende stemmetje in haar hoofd dat wijst op talrijke eerdere momenten van onbezonnenheid, op de herinnering aan haar vader die haar destijds betrapte. De kast zit op slot.

'Kan ik je ergens mee helpen?'

Ze draait zich geschrokken om. Ze haalt opgelucht adem als het oom Alex blijkt te zijn. 'Ik wachtte op je,' zegt ze, met overslaande stem. Ze schraapt haar keel.

Hij leunt tegen het deurkozijn en kijkt haar aan, zijn linkermondhoek goedmoedig iets omhoog gekruld.

'Mijn moeder,' zegt ze. 'Wat heeft zij voor vorm van MS?'

'Je vader houdt er niet van als we in zijn kantoor zijn zonder zijn aanwezigheid.' Met een theatraal gebaar nodigt hij haar uit hem te volgen. 'Je wordt trouwens helemaal niet geacht dit laboratorium binnen te komen; iemand is kennelijk vergeten af te sluiten.'

'Is je collega er niet? Ruiterbeek?'

'Het is zondag.'

'Jij werkt toch ook? En pa?'

'Dat is anders.'

Gedwee loopt ze met hem mee. De kleur van zijn beige schoenen komt terug in de shawl om zijn nek. Keurig gepoetste schoenen. Schoenen verraden met wat voor type man je te maken hebt. Verzorgd of slordig, enigszins oubollig of juist modern, stoer of klassiek. Maar vooral of ze zuinig zijn op zichzelf. 'Ik heb nergens aan gezeten,' verontschuldigt ze zich, 'maar ik ben zo benieuwd of het waar is. Raar genoeg dacht ik daar iets van te zullen bespeuren in het lab.'

'Of wat waar is?'

'Dat van die genezing.'

'Natuurlijk is het waar.'

'Wat heeft mijn moeder dan voor een vorm?'

'Secundaire progressieve MS.'

Dus toch die laatste. Waarin de symptomen steeds erger worden.

'Kom,' zegt hij. 'Je vader is al vertrokken, hier eindigt de voorstelling, het is mooi geweest voor vandaag. De borrel houd je van me te goed.'

Als hij de zware labdeur heeft dichtgedaan richt hij er met een rechthoekig apparaatje op, dat amper het formaat van een aansteker heeft. Een bescheiden klikgeluid. 'Hypermoderne vergrendeling,' zegt hij. 'Daar komt niemand meer in.'

'Wil je gaan lopen?' vraagt hij, zodra ze buiten staan.

'Best. Maar is het voor jou niet te ver?'

'Nee hoor. Ik loop meestal, en voor we een taxi te pakken krijgen, zijn we ook thuis. Maar ik waarschuw je, ik ben geen dertig meer.'

'Ik help je wel, oudje,' grinnikt ze, terwijl ze haar arm door de zijne steekt.

In de Via Bufalini, op steenworp afstand van de Duomo, is het lawaaiig door het vele verkeer en de stroom toeristen die de trottoirs bezetten, maar als ze na een minuut of tien de Via Gino Capponi in lopen, wordt het steeds rustiger om hen heen. Haar oom lijkt in gedachten verzonken en ze leggen hun wandeling zwijgend af, tot ze het appartementencomplex binnengaan. 'Oom Alex, vannacht had pa iemand aan de telefoon, het ging over een signor Di Ginnero, of Gennaro, zoiets,' zegt ze, als ze in de hal wachten op de lift. 'Een patiënt?'

'Hoe kom je daarbij?'

Verbeeldt ze het zich, of bespeurt ze een schrikreactie bij hem? 'Ik dacht het gewoon. Patiënten kunnen 's nachts dringend hulp nodig hebben, toch? Ik ving een paar woorden op.

"Morte", en "paziente". Vandaar dat ik dacht dat er iemand uit het ziekenhuis belde. Is dat zo?'

Ze stappen de lift in.

'Waarom vermoei jij je mooie hoofd op een warme dag…'

'Alsjeblieft! Was het die man in het kasteel?'

Hij schudt zijn hoofd. 'Anne.'

Uit de vermoeide toon waarop hij haar naam uitspreekt begrijpt ze dat hij wenst dat ze ophoudt met vragen; op dezelfde manier kon hij vroeger haar naam uitspreken als ze maar bleef doorvragen over het ontstaan van sterexplosies of supernova's. 'Is het zo?'

'Signor Di Gennaro was inderdaad een patiënt van ons,' verzucht hij. 'Ook een patiënt met secundaire progressieve MS, net als je moeder, maar in een kritiek, vergevorderd stadium. De behandeling sloeg aan, maar de laatste tijd voelde hij zich niet goed. Hij is vannacht overleden, in het ziekenhuis. Ik was erbij, en een van de verpleegsters heeft je vader ingelicht.' Hij drukt op een knop, en de liftdeuren sluiten. Onmiddellijk zet de lift zich in beweging.

'Pa was boos.'

'Ik denk eerder teleurgesteld en verdrietig. Hij uit zich dan soms in machteloze woede. Op het moment dat je moeder de behandeling niet meer wilde, schreeuwde hij ook zo hartverscheurend. Hij leek furieus, maar daaronder zit pure onmacht. Hoewel zij hem natuurlijk meer aan het hart gaat, heeft hij het bij elke patiënt die hij moet loslaten vreselijk moeilijk.'

'En die man, gisteren?'

Alexander aait haar glimlachend over een wang. *'Chère enfant,'* onderbreekt hij.

In een impuls veegt ze zijn hand weg. 'Ik ben geen kind meer.'

De lift houdt stil en de deuren zoeven vrijwel geruisloos open. 'Dat weet ik, maar je doet me zo denken aan je moeder. Het spijt me, de dode die je zegt te hebben gezien? Ik heb het

Tarantini gevraagd, maar zoals hij je ook al zei, moet je je het hebben verbeeld. En je vader… Als er één is die voor zijn patiënten zorgt en voor hen door het vuur gaat als hen dat zou genezen, dan is hij het.'

Hij heeft gelijk, wat pa betreft. Maar die dode man? 'Ik weet…'

'Anne, ik heb het gevraagd, en dit is het antwoord. Meer kan ik er niet van maken.'

Ze kijkt hem polsend aan. Hij lijkt oprecht, en ook een beetje vermoeid. En ma dan? 'Als die Di Gennaro MS in een veel verder gevorderd stadium had dan ma, en bij hem sloeg de behandeling aan, moet je haar dan niet ook het ziekenhuis in sleuren?'

'Daar ga ik niet over, Anne, het spijt me, dat zul je je moeder moeten vragen.' Hij zet de lift op 'hold'. 'Wacht even,' zegt hij, 'ik heb iets voor je.'

Even later komt hij terug met een kleine aluminium koffer, die hij haar overhandigt. 'Een Takahashi Sky 90. Je mag hem houden, hij is al een jaar niet gebruikt, ik kom er niet meer aan toe.'

Wow! Een miniatuurtelescoop, en wat voor een. Ze kent het model. 'Maar dat… dat is toch veel te…' stottert ze.

'Een fijne avond,' zegt hij, en hij drukt een kus op haar voorhoofd. 'Ga nu maar, je houdt de lift bezet. We zien elkaar morgen.'

Als de deuren voor haar neus dicht zoeven ziet ze nog net zijn geruststellende blik door een kier en ze heeft spijt van alle vragen, waarmee ze misschien zijn jubelstemming heeft verpest. Ze beseft dat hij zich zorgen maakt om haar moeder, net als haar vader. Natuurlijk ziet hij haar achteruitgang, en als arts en echtgenoot moet hem dat onbeschrijflijk veel pijn doen. Haar moeder. Hoe vanzelfsprekend is het dat zij een therapie weigert die MS geneest?

18

'Weinig verlichting,' zegt ze. 'Acht letters.'

'Jij en je puzzeltjes,' zegt haar vader. 'Laten we proosten op de afgelopen middag, die bevredigend is verlopen.'

Ze krijgt de neiging grappen te maken over deze bevreemdende familiereünie, om haar nervositeit de baas te worden. Ze laat het. Haar vader lijkt allergisch voor humor, en ook het zicht op het uitgeteerde lichaam van haar moeder weerhoudt haar ervan. Ma's rechterhand ligt in een onnatuurlijke naar binnen gedraaide stand ten opzichte van haar onderarm op haar schoot. Het vreemde eraan weerhoudt haar ervan om de hand aan te raken, ook al heeft ze die vroeger ontelbare keren gegrepen. Als ze dreigde te vallen, ergens niet naar binnen durfde of zomaar, omdat het veilig voelde. Ma ziet er verder redelijk uit. Ze vermoedt dat Stefanie met make-up en rouge in de weer is geweest. Maar toen ze vrijdag aankwam had ze de neiging haar moeders hartslag te controleren. Ze heeft lijken op haar tafel gehad die er levendiger uitzagen. Ze zucht, en verzuimt haar kaarten open op tafel te leggen en de anderen te vragen hetzelfde te doen. Het is een raar idee dat ze zich hier een bezoeker waant. Ze wil deel uitmaken van deze familie, en niet degene zijn die alles bederft.

Ze krijgt geen hap door haar keel als ze denkt aan haar vaders uitleg, vanmiddag. Het grootste deel van de MS-patiënten kan hij genezen.

'Schijntje,' zegt ma dan, ineens.

'Wat?'

'De oplossing van je crypto.'

'Heel goed,' zegt ze, met een steelse blik naar haar vader, afwachtend of hij een cynische grap zal maken. Ze denkt aan haar moeders woorden, die zo traag over haar lippen kwamen. Ze kijkt naar haar. Denkt zij er ook aan? Als ze oogcontact hebben denkt ze van wel. Het maakt haar onrustig, maar ook kwaad. Ma zadelt uitgerekend haar op met iets wat ze amper kan bevatten. Waarom?

'Anne!'

'Wat?'

'Dromer. Ik vroeg of je wat wilt,' zegt Stefanie, terwijl ze haar een bordje voorhoudt met bruine minicakejes.

De geur van rum dringt haar neus binnen. 'Babà Sorrento,' antwoordt ze. 'Heerlijk.'

'Onze Einstein trekt zoals gewoonlijk alles in twijfel en heeft Alexander de oren van zijn hoofd gevraagd over mijn onderzoek,' zegt haar vader, terwijl hij ma haar servet aanreikt. 'Nadat ze me vereerde met een bezoek aan mijn lezing.'

'Aan wat?' vraagt ma.

'Ik heb toch vanmiddag een lezing gegeven.'

'O ja.' Haar moeder kijkt alsof ze geen idee heeft waar het over gaat.

'Het was fascinerend, ma,' zegt ze. 'MS is werkelijk te genezen, ook in jouw stadium, dus je móét je laten behandelen.'

Stefanie begint onbedaarlijk te hoesten en loopt rood aan.

Haar vader staat plotseling op. Ze ziet de afkeuring in zijn ogen, en die snijdt dwars door haar ziel. Met een bruusk gebaar legt hij zijn servet op tafel en loopt weg.

'Wil je me naar bed helpen?' vraagt haar moeder.

Ma ondergaat lijdzaam haar gestuntel met kleding. Normaal is ze zo bedreven in deze handelingen en ma werkt zelfs mee, een voordeel dat ze in haar werk nooit meemaakt. Als haar moeder eindelijk in bed ligt, blijft ze twijfelend naast het bed staan. De tranen prikken achter haar ogen.

'Je ziet er moe uit, Anne, wat is er?'

Sinds je me vorige maand die ene vraag hebt gesteld heb ik nachtmerries en word ik overvallen door herinneringen die ik diep had verborgen in de krochten van mijn ziel, zou ze willen bekennen. Als ik zo doorga, sta ik volgende maand op straat. Ik weet zeker dat ik een dode heb gezien in het kasteel, ook dat zou ze hardop willen zeggen, en niemand gelooft me. 'Beetje moe van het werk.' Struisvogelpolitiek. 'Ma, ik kan niet geloven dat je pa's behandeling afwijst.'

'Het is niet alleen dat die te zwaar is, zoals ik je zaterdag zei,' zegt ma. 'Die vereist ook continue inzet. Ik wil de rest van mijn leven niet alleen maar bezig zijn met mijn ziekte, met ziek zijn. Ik wil, zoals nu, van jullie genieten. Je vader wil dit niet horen, en jij waarschijnlijk ook niet.'

'Je hebt eerder toch ook zijn behandelingen gevolgd, zijn medicatie gebruikt?'

'Eerder, ja. Dankzij je vader ben ik drieënzestig geworden en daar ben ik hem eeuwig dankbaar voor. Als ik het kon opbrengen zou ik het doen, Anne, geloof me, maar dat lukt me niet, het spijt me.' Ze reikt naar een potje pillen op het nachtkastje en haalt er drie uit. 'Overdag kijk ik uit over de rode pannendaken van de stad, badend in het stralendste zonlicht. Met als middelpunt de Santa Maria del Fiore met haar dominante koepel; als een leeuwin die over haar welpen waakt. Wat wil een mens nog meer?'

'Terug naar Nederland?'

'Nee. Je vader is hier. En ik hou van dit land, de smaak van de streek, van de pure, eerlijke ingrediënten van eigen bodem.' Ze trekt een vies gezicht. 'Al vind ik de pap minder boeiend.'

'Ma, waarom liep pa zo abrupt weg? Had ik niets mogen zeggen over zijn therapie? Hij keek zo afwijzend, maar vanmiddag en gisteren leek hij zo trots.'

'Zijn afkeuring is voor mij, Anne. Hij vindt dat ik sterker moet zijn en zijn therapie moet omarmen. Maar het geeft niet, het is een verlangen uit liefde.'

Moet ze nu vragen hoe ze haar moeder kan helpen? Wat moet ze doen als ma haar vraag concreet gaat maken?

'Hij denkt nog steeds dat ik binnenkort zal smeken om een behandeling.' Ma's woorden lijken van ver te komen.

'Ga maar slapen.'

'Deze dagen, dat jullie hier zijn, heb ik extra medicijnen,' zegt haar moeder, met een moeizame glimlach. 'Ik wil er zoveel mogelijk van genieten.'

'Volgens Stefanie heb je hoop.'

'Stefanie hoopt op een wonder en neemt geen genoegen met mijn kortere levensverwachting, haar artsenhart draait op volle toeren. Bijna moederlijk, en dat stuit me tegen de borst. Kinderen horen ouders niet in bad te helpen of ze voor te lezen. Dat maakt de levenscirkel niet rond, nee, dat verstoort de cyclus. Liever zou ik met haar *Così fan tutte* op tv kijken en na afloop samen bomen over vergevingsgezindheid en onvoorwaardelijke liefde.'

'Nou, dat kan toch. Anders kijk ik de film met je.' Zie je wel. Haar moeder wil niet meer. Kinderen horen hun ouders niet te helpen. Maar zij wel?

'Dat lijkt me fijn.'

'Heb je nou wel of niet?'

'Wat?'

'Hóóp.'

'Hoop en vertrouwen in rust, een hogere macht zo je wilt.'

'God? Je gelooft wat en alles heeft ineens een bedoeling en wordt minder erg.' Ze merkt hoe scherp haar woorden klinken. Ze heeft genoeg doden gezien om te weten dat zij, mensen, niets voorstellen; een korte glinstering, een vluchtige materie tussen de big bang en de laatste zucht, die ooit komt. Wat nou een of andere hogere macht, haar moeder moet zich laten helpen! 'God bestaat niet. God dient alleen als pijnbestrijding. En hoe, hoe kun je dat rijmen met… Je kan het toch niet zomaar opgeven?'

Ma pakt haar hand. 'Het spijt me,' zegt ze, 'dat ik je met die onmogelijke kwestie heb opgezadeld. Dat had ik nooit mogen doen. Het spijt me oprecht. Vergeet het.'

Ze kijkt verrast op. Wat? Het hoeft niet meer? Krijg nou… Ma heeft zich bedacht, ze wil niet dood? Ze wil kwaad worden om het gemak waarmee haar moeder ineens zomaar honderdtachtig graden ombuigt. Heeft ze verdorie hier die nachtmerries voor gehad waardoor ze gedwongen wordt haar leven overhoop te halen? Nu ineens hoeft het niet meer? Was ze dan toch verward, die zondag in juli? 'Waarom ineens niet meer? Is het… is het je geloof?'

Haar moeder glimlacht. 'Ik geloof vooral in het goede van de mens en in Gods goedheid, niet in Bijbelcitaten.'

'Waarom vroeg je het dan? Waarom aan mij?'

'Ik was wanhopig, benauwd, bang om te stikken. En een beetje in de war.'

'En nu niet meer?'

Haar moeder schudt haar hoofd, maar haar ogen bevestigen de ontkenning niet en draaien weg. Ma liegt; ze wil het wel, alleen ze realiseert zich dat ze zoiets niet kan vragen. Ze zou iets willen zeggen, iets groots, iets verstandigs, iets memorabels. In plaats daarvan staart ze beduusd voor zich uit. Er is ook die andere vraag. Zal ze… Ze móét, als ze ooit nog weer rustig wil slapen. En haar toekomst hangt ervan af. Nee. Ze houdt zich voor dat haar moeder te zwak en te moe is, dat ze haar hier niet mee moet lastigvallen, maar de waarheid is dat ze bang is voor het antwoord. Zwijgend staart ze naar het ingevallen gezicht.

'Zal ik muziek voor je opzoeken op de radio?'

'Nee, ik slaap zo in. Laten we de komende dagen genieten. Anne?'

Het klinkt als een afscheid en ze vlucht met een gemompeld 'Welterusten' de kamer uit. Ze is een lafaard.

Aangeslagen komt Anne terug in de kamer.

'Pa is twee etages afgedaald naar Alexander,' zegt haar zus. 'Ze drinken vast samen een afzakkertje en keuvelen tot diep in de nacht over hun onderzoeken; misschien laat Alexander Vivaldi nog wel herleven op zijn viool.'

Ze loopt naar de keuken, schenkt een glas wijn voor zichzelf in.

'Al weer een glas?' vraagt Stefanie.

'Bemoei je er niet mee.'

'Wat mankeert jou? Nog steeds over je toeren vanwege ma? En terecht! Ik heb er nog eens goed over nagedacht. Ik ben ervan overtuigd dat mam ons niet wil lastigvallen met haar zorgvraag,' zegt Stefanie. 'Maar ik ga het toch regelen. Ik wil haar hier niet alleen laten, ook al kos…' Ze maakt haar zin niet af.

'Ook al wat?'

'Nee, niets.' Stefanie zwaait met haar hand, alsof ze van het onderwerp af wil.

'Ma wil al dat gepruts niet aan haar bed.'

'Wat weet jij daar nou van? Natuurlijk wil ze dat,' zegt Stefanie, 'alleen ze wil het niet vragen, ze wil niet lastig zijn en beseft dat wij ons eigen leven hebben. Maar ik twijfel er geen moment aan dat ze het liefst door een van ons verzorgd wil worden, en we mogen ons egoïsme nu niet laten overheersen.'

'Ik vind het nogal respectloos dat je ma's wens zo van tafel schuift.' Ze merkt dat ze geïrriteerd raakt. 'Ma heeft het aan me gevraagd. "Wil je me helpen." Precies zo. Wat is daar nou niet duidelijk aan?'

'Dat zeg jij!' Haar zus snuift, happend naar adem, blijkbaar zoekend naar de woorden om haar te overtroeven.

Kom maar op. En toch, ma heeft zojuist zelf het twijfelzaadje geplant, ook al is ze zwaar onder invloed van medicijnen. Hoe groot is de kans dat ze dat ook op die zondag was, begin juli? En vanavond?

'Wat als je gelijk hebt?' vraagt Stefanie. 'Wat ga je dan doen? Haar in een rolstoel zetten en voor de trein gooien? Met medicijnen is dat nog niet zo makkelijk hoor, daar zitten braakmiddelen in. Wie ga je vragen hoe het moet? Pa?'

Ze wil niet toegeven dat ze geen antwoord heeft. Ze heeft er nog niet echt serieus over durven nadenken, is het laffe en enige oprechte antwoord dat ze niet geeft.

'Nou? Zusje? Is het niet zo dat jij gewoon geen zin hebt om hier te zijn? Voor ma te zorgen? Je hebt wel een grote mond, maar als het op daden aankomt hoor ik jou niet meer, dan haak jij af en ren je keihard weg, of niet soms?'

Voor ze het goed en wel beseft heeft ze Stefanie een klap in haar gezicht gegeven. Stefanie deinst achteruit. Verwijtende blikken vliegen over en weer, tot haar zus zich omdraait.

Ze volgt Stefanie naar de keuken. 'Sorry,' zegt ze. 'Maar dat was tegen het zere been. Dat wegrennen, het is flauw om me daarmee te pesten.'

'Dat is waar,' zegt Stefanie. 'Het spijt me.'

'Eerlijk gezegd weet ik helemaal niet wat ik moet doen als ze het echt meent.'

Stefanie zucht. 'Goed,' zegt ze dan. 'We gaan het haar vragen. Maar niet nu, we wachten tot ze is uitgerust. Morgen, als ze tenminste helder is en zich goed voelt. Welterusten.'

Ze mompelt een groet. Morgen, prima. Laat ma het dan ook maar aan Stefanie duidelijk maken; ze wil de verantwoording niet, niet voor zoiets groots. Had Stefanie gehuild? Haar ogen waren lichtelijk opgezet, wat mankeert haar perfecte zus?

Ze kan niet slapen. Uit alle macht probeert ze niet aan haar moeders ziekte te denken en wel aan het feit dat er een last van haar af mag vallen, en ze ligt uren naar de sterrenhemel te turen. Ze heeft Wega, Deneb en Aquila – de zuidelijkste van de zomerdriehoek – in het vizier van haar wonderbaarlijke nieuwe bezit. Dit kleine, maar o zo fabelachtige speeltje. Te bedenken dat Deneb op maar liefst vijfenzeventighonderd lichtjaren weg staat. Het heelal geeft haar de heerlijke illusie van vrijheid. Tegelijk voelt ze, turend door de telescoop, altijd hoe klein en nietig ze is. Ze denkt aan meneer Jansen, die zijn nootjes krijgt van de buurvrouw, aan haar werk, als ze dat straks tenminste nog heeft... Nu ontspannen. Een nacht slapen en nergens aan denken. Morgen zal ze haar vader of oom Alex nogmaals uithoren over haar moeders kansen en de onderzoeken; ze wil alles weten. Als haar moeder geholpen kan worden, dan zal ze haar eigenhandig het ziekenhuis in sleuren. En ze zal haar oom nogmaals vragen naar die dode man in het kasteel. Ze mag dan een grote fantasie hebben, aan haar ogen mankeert niets en ze maken haar niet wijs dat die kamerdeur toevallig ineens op slot zat toen ze er een tweede keer naar binnen wilde.

19

Ik probeer de leugens en halve waarheden te vergeten, naar een verre uithoek van mijn gedachten te verbannen. Wat heeft het voor zin te piekeren, als ik er nu toch niets aan kan en wil veranderen? Ik had eerlijk tegen haar moeten zijn. Anne verdient dit niet. Zo vaak komt ze niet, en ik kan het haar niet eens kwalijk nemen. Los van een toeristische trip naar de oude historie en de cultuur van deze stad heeft Florence haar niets anders te bieden dan enkele bejaarden, die ofwel werken, of ziek zijn...

In het begin heb ik mezelf de vraag ook gesteld wat ik hier te zoeken heb. Ik had moeite met de Italianen en de sceptische kantjes van hun karakter, die grenzen aan het cynisme. Ik verafschuwde de manier waarop ze hun spaghetti aten, met hun hoofden boven het bord de slierten naar binnen slurpend; het ordinaire, vele roken in de straten, en de mannen die op gelegen en ongelegen momenten horloges, papieren zakdoekjes en zonnebrillen onder je neus duwen. Om over bedelende Roma nog maar te zwijgen.

Waarbij ik onmiddellijk ook iets absoluut in hun voordeel moet noemen, namelijk het feit dat ze werkelijk de meest formidabele films hebben gemaakt. In geen enkel land vind je ze van zo'n fabelachtige kwaliteit. Ah, Fellini, natuurlijk! Bij hem is elke rolprent een feestje om naar te kijken, hoe vaak je ze ook hebt ge-

zien. Maar eerlijk is eerlijk, ondanks Fellini en de complete dvd-collectie van Sophia Loren en Marcello Mastroianni in mijn koffer kwam ik hier met knikkende knieën wonen.

Intussen ben ik gewend. Ingeburgerd, voor zover dat in zes jaren mogelijk is. Ik ben gaan houden van hun drukke gebaren, hun eten, de cappuccino die de echte Italiaan alleen voor tien uur 's morgens drinkt, hun bijgeloof, hun passie voor alles wat het predicaat 'mooi' verdient. Ja, ik ben zelfs gaan houden van hun ongedisciplineerdheid. Maar nog steeds zou ik graag teruggaan naar Nederland. De jaren beginnen zwaar te tellen, vrees ik. De gedachten aan vroeger worden frequenter, en dat wat ik bij mijn moeder ooit afkeurde – haar vele terugblikken op het leven – doe ik nu zelf om de haverklap. Het hoort erbij, vermoed ik.

Waarom moet ik hier nu eigenlijk aan denken? O ja, ik dacht aan Anne, en het doet me pijn dat ik tegen haar heb gelogen. Er is iets met Anne. Benijden doe ik haar niet, al heeft ze het voordeel van de jeugd. Elke keer als ik haar zie moet ik aan Cees denken. Ze heeft zijn donkere ogen en die getinte huid, alsof ze ergens ver weg zuidelijke voorouders hebben gehad. Ze heeft ook, net als hij, dat raadselachtige, dat intrigerende om zich heen hangen als een aura of tweede huid, waardoor mannen met begeerte en vrouwen met afgunst opkijken als ze ergens binnenkomt. Ik zag het afgelopen zaterdag ook weer, op dat feest in het kasteel. Ik begrijp er niets van waarom ze nog steeds geen vaste partner heeft, aan belangstelling kan het niet ontbreken. Ik bespeur onzekerheid in haar doen en laten, alsof ze iets te verbergen heeft; zou het met haar werk te maken hebben? Het zou me niet verbazen. De hele dag dode mensen om je heen, dat kan toch geen goede basis zijn voor geluk? Ik hoor haar trouwens ook niet meer over Leon, een vriend met wie ze, meende ik, nogal serieus was. Ik realiseer me dat ik in feite weinig van haar leven weet en ik moet toegeven dat ik soms onrustig van haar word. Ik hoop dat ze gauw de man van haar leven ontmoet. Dat gun ik haar oprecht.

20

Het lukt niet. Een halfuur later ligt Anne nog naar de sterrenhemel te turen. Ze pakt een sigaret en sluipt naar het dakterras.
Er lopen mensen in de straat, door de afstand gereduceerd tot
luciferhoutjes, die geen last lijken te hebben van de warmte; ze
lachen en bewegen volop. Ze komen dichterbij. Twee stelletjes,
ze schat begin twintig, innig gearmd. Ze lopen langs, zonder
dat ze een blik naar boven werpen, ondanks haar pogingen tot
telepathie. Ze richt haar blik naar boven, waar ze zo lang naar
reuzenplaneet Jupiter kijkt, de heldere stip in het sterrenbeeld
Steenbok, dat de sterrenhemel verandert in een wazige brij van
vage lichtjes. De mens is slechts een schoonheidsfoutje van de
natuur... Ze laat zich in een van de neprieten stoelen vallen,
staart naar de zomerdriehoek en inhaleert diep. Tevergeefs op
zoek naar verlichting. Niet voor niets heeft ze ertegen opgezien,
tegen deze week. Om haar moeder weer te zien, om een confrontatie met een nabije dood aan te gaan. Ze ademt langzaam uit,
blaast kringetjes met de rook. Rust. Oud zeer schuurt tegen haar
maag. Ze moet het benoemen, hardop zeggen, er niet doelloos
mee blijven rondlopen. Haar schuld. Haar moeders ziekte is haar
schuld. Ze meende die gedachte naar de kelders van haar geheugen te hebben verbannen, maar kennelijk heeft ze de deur niet
op slot gedaan. Ze heeft afstand genomen van haar ouders, hoop-

te dat de oplossing lag in vergeten, en nu kan ze er niet meer omheen; wegschuiven lukt niet meer. Wat als ze te lang wacht?

Ze werd kwaad op Stefanie omdat haar zus gelijk heeft. Ze rent weg voor mogelijke problemen of pijnlijke confrontaties, en als ze eerlijk is moet ze zelfs toegeven dat ze moeite heeft om zich te binden. Haar schuld. Ze was ongewenst, en alleen ma's geloof voorkwam een abortus. De enkele keer dat ze probeerde om er met haar moeder over te praten, was ma dagen van slag en haar symptomen verergerden, hoewel dat een vertekend beeld kan zijn in haar herinnering. Ma barstte in huilen uit, zei dat ze zielsveel van haar hield, en vroeg haar hoe ze zoiets kon denken. Haar moeders verdriet deed haar zelfs fysiek pijn en daarom begon ze er niet weer over. Maar ze heeft vroeger wel degelijk gedacht dat pa zich daarom niet met haar wil bemoeien. Dat hij weet dat ma MS heeft door die zwangerschap en dat hij het haar kwalijk nam, ook al kon ze er niets aan doen. Zeker weten doet ze het niet, en als ze haar moeder soms ziet denkt ze dat ze zich vergist, maar de angst dat het waar is dringt zich net zo vaak aan haar op en werkt vreselijk verlammend. Tranen prikken achter haar ogen en ze inhaleert diep om het lege gevoel kwijt te raken.

Later hield ze zichzelf voor dat het kwam omdat ze niet aan zijn verwachtingen voldeed. Ooit heeft ze het er met Stefanie over gehad, tijdens een feestje met genoeg alcohol om de tongen los te maken. Stefanie vond het idiote gedachtespinsels en typisch iets voor haar, zulke absurde gedachten. Ook zij is geen arts geworden en ze heeft nooit iets gemerkt aan hun vader. Als haar zus gelijk heeft en het niets met verwachtingen te maken heeft, dan moet het dat andere zijn. Want ze weet het zeker, pa gaat met haar anders om dan met haar zus. Afstandelijker. Hij duldt haar, meer niet, en misschien kost hem dat nog wel moeite ook. Ze heeft hem nooit horen vragen of ze op bezoek wilde komen, of ze iets samen zouden doen. Ze voelt zich altijd opgelaten in zijn nabijheid, al zegt ma dat het niets met haar te maken heeft, dat het zijn werk is, dat hem volledig in beslag neemt... Ze begint alsnog te huilen. Hè, bah, en dat vanwege die oude koeien. Laat die beesten rotten in de sloot! Misschien moet ze hier haar matras neerleggen. Onder de blote hemel. Geen stemmen, de telefoon ver weg.

Verdorie, nu heeft ze nog steeds Ruiterbeek niet gesproken. Als een meteoriet schiet de gedachte door haar heen. Kan het nog? Elf uur? Eigenlijk niet. Het moet maar. Ze dooft de sigaret in een plantenbak, veegt de tranen van haar wangen en haast zich zo onhoorbaar mogelijk naar binnen. Waar heeft ze zijn nummer gelaten? Ze kijkt om zich heen, peinzend, graait tevergeefs in haar jasje en ziet het papiertje op een nachtkastje liggen. Ze drukt het nummer in en merkt dat haar hartslag versnelt. Zou oom Alex gemerkt hebben dat Ruiterbeek haar dat papiertje gaf? De telefoon gaat over en ze houdt haar adem in.

'*Pronto,*' hoort ze aan de andere kant van de lijn.

'Meneer Ruiterbeek?'

'Anne-Claire,' zegt hij, met zijn ietwat geaffecteerde, maar aangename stem. 'Ja, je spreekt met Frits.'

Ze zwijgt. Omdat ze geen idee heeft wat ze moet zeggen. Of vragen.

'Ik heb zaterdag al geconstateerd dat je lef hebt en slim bent,' zegt hij. 'Maar dat verbaast me niet, je vader kennende.' Ze hoort zijn nerveuze ademhaling.

'Heeft u hulp nodig?' vraagt ze.

'Je hebt hem gezien,' zegt hij. 'Di Gennaro. Hij is dood.'

Di Gennaro! 'Is hij de man die ik heb gezien, daar in dat kasteel?'

'Ja.'

Ze weet niet wat dit voor verstrekkende gevolgen heeft, maar één ding realiseert ze zich onmiddellijk. Zie je wel. Ze heeft het zich niet verbeeld! Zie je wel. Tarantini heeft gelogen, en ook oom Alex heeft haar om de tuin willen leiden. Hij zei dat de Italiaanse man 's nachts was overleden, in het ziekenhuis. Hij maakte haar wijs dat hij Tarantini had gevraagd naar de dode man, en beweerde dat ze het mis had. En hoe zit het dan met haar vader? Die heeft ook niets gezegd, en haar oom, als collega en zelfs goede vriend, móét het er met hem over hebben gehad. Wat willen ze voor haar verzwijgen?

'Anne-Claire, ik wil je iets laten zien.'

'Ik kom er zo aan. Kan het nog, of zal ik morgen komen?'

'Nee, kom maar. Ik...' Ze hoort zijn stem haperen. 'Kom nu maar.'

Ze hijst zich in een broek en shirt, en even later trekt ze de voordeur zacht achter zich dicht. Terwijl de lift geruisloos naar beneden zoeft, peinst ze over Ruiterbeek. Wat zou hij haar willen laten zien? Tot haar verbazing stopt de lift op de eerste verdieping. Wie wil er 's avonds zo laat nog weg? 'Oom Alex!'

'Anne, wat is er aan de hand?'

'Eh, ik wilde even een luchtje scheppen.'

'O, ik dacht dat je misschien je vader zocht. Jij op dit late uur alleen de straat op? Heb je niets gelezen over die bendes in de stad? Ze zijn zeer actief op het moment; het zijn zakkenrollers, ze plegen overvallen en er zijn zelfs enkele dodelijke slachtoffers gemeld. Ze moorden voor een paar euro's en zelfs ik ga 's avonds laat niet alleen op pad. Kom even binnen. Wil je iets drinken?'

'Ik moet... Is pa nog bij jou dan?'

'Nee, hij wilde nog even naar het lab. We drinken een glas, kom, zo lang hebben we nog niet met elkaar kunnen bijpraten.'

'Even dan.'

Oom Alex pakt zijn viool van tafel. 'Je vader en ik waren aan het praten, over... ach, iets medisch, je kent het wel; ik speel wat, zodat je vader kan denken. Dit,' hij toont een kapotte snaar, 'betekende een nogal abrupt einde. Maar tegelijkertijd schoot je vader iets te binnen, dus wie weet heeft mijn kapotte snaar hem wel op een idee gebracht.'

'Jammer van de viool.'

'Die kan ik repareren. Anne, je wilde toch niet naar het lab? Kijken of je vader daar is? Het zal een teleurstelling voor je zijn dat hij juist nu zo druk is, nu je hier bent. Ik spendeer tegenwoordig ook meer tijd in het ziekenhuis dan hier. Maar het loont de moeite. Is het niet fantastisch wat we bereikt hebben?'

'Absoluut. Het is ongelooflijk. Ik was vanmiddag opnieuw trots, toen pa het vertelde tijdens die lezing.'

'En terecht. Ach, nu vergeet ik helemaal om een goede gastheer te zijn. Ik heb gisteren een paar flesjes chianti meegenomen uit Rufina, en ze zijn perfect op temperatuur. Drink je er een met me?'

Ze knikt.

Hij staat op en loopt naar de open keuken. 'Ik moet de fles even ontkurken, een moment.'

Heeft hij tegen haar gelogen? Ze kan het zich niet voorstellen.

'Fijn dat je er bent,' zegt hij. 'Net als vroeger, toen je ook 's avonds wel eens bij me was als je ouders weg moesten, alleen dronk je toen nog geen wijn.' Hij grinnikt.

'Nee, toen verslikte ik me in zuurtjes.'

Plop. De kurk is er blijkbaar uit. Ze hoort het klokkende geluid van wijn die in glazen wordt geschonken.

'O hemel, bewaar me. Dat ding schoot in je verkeerde keelgat. Ik heb je op je rug geslagen en op de kop gezet, geen wonder dat je je dat nog herinnert…'

Ze lacht. 'Een bar slechte oppas was je.'

'Maar je zat ook geen seconde stil. En dat gladde snoepje had ik je nooit gegeven, dame, dat had je zelf uit mijn tas gevist.'

'Terwijl jij niet zat op te letten omdat je druk was met je fantastische imitatie van Bassie en Adriaan.'

Ze proosten, en ze neemt een slok wijn. 'Hij is heerlijk.' Ze proeft niets.

'Wat wilde je gaan doen, Anne, een ommetje maken is niet echt jouw ding, wel?'

Ze haalt haar schouders op. 'Ik kon niet slapen.'

Hij stopt een pijp. Een ouderwetse, zo een waarbij het uiteinde onder de kin hangt bij het inhaleren. Met grote precisie stopt hij de tabak erin. Hij rookt zelden, weet ze. Slechts een enkele keer zondigt hij, en dan geniet hij er des te meer van. Zo was het vroeger. En nu dus nog steeds. Vroeger.

Ze was een druk kind met veel fantasie, maar misschien ziet ze dat te eenzijdig, afgespiegeld tegenover haar zus, die in haar ogen erg rustig en zorgzaam was. Maar Stefanie hoorde in haar belevingswereld dan ook meer tot de kliek volwassenen, dan dat ze zich in haar melkwegstelsel bewoog. Met een serieuze frons tussen haar wenkbrauwen maakte haar zus zwijgend haar huiswerk terwijl zij luidkeels Theo en Thea nadeed – 'Theo, Theo, wat raar. Jij haalt de letters, de letters door elkaar!' – om haar zus op de kast te jagen. Ze vluchtte de duinen in zodra Stefanie echt boos werd.

De tijden dat haar moeder normaal leek – nu weet ze dat ze dan in remissie was – koestert ze. Middagen waarop dichtende vrienden de deur platliepen. Luidruchtige vrienden die haar op hun schouders namen, of juist rustige vrienden, die zomaar een kleine knuffel of een vierkleurenpen voor haar uit hun mouw toverden... En toch. In haar herinnering, waarschijnlijk alleen in de hare, overheerste in haar jeugd een stemming van... Ze weet niet eens hoe ze die in één woord kan vatten. Onechtheid? Gekunsteldheid? Het was alsof ze allemaal een rol speelden. Alsof ze hun uiterste best deden vooral niet af te wijken van een normaal functionerend gezin. Speelde de oom die haar oom niet is ook een rol?

21

Ze ziet hoe oom Alex de brand steekt in zijn pijp. Onmiddellijk verspreidt zich een aangename, zoete vanillegeur in de kamer, een geur die herinneringen oproept. 'Ik was lastig, vroeger, ik weet het wel. Aandacht trekken, raar doen.' ... om de geladen stemming van ziekte in huis te compenseren, denkt ze erachteraan.

'Lastig?'

'Zakken voor tentamens, examens, gaten in mijn broek vallen...'

'Nou ja, groot worden gaat met horten en stoten.' Hij legt even zijn hand op haar schouder. 'Zelfs het heelal rommelt nog na van zijn geboorte en is op zoek naar balans. Maar ik zag ook hoe zuinig je was op de eerste telescoop die ik je ooit gaf, weet je nog?'

'Ik heb 'm nog steeds.'

'Dat verbaast me niets. Zo precies en voorzichtig als je dat apparaat hanteerde... En kind, geloof me, als je moeder over jou praat, dan stralen haar ogen. Dat deden ze vroeger, en dat doen ze nu. Ik weet hoe erg ze het vond dat ze zo weinig een echte, ouderwetse moeder voor je kon zijn. Had ik al gezegd dat je er gisteren fantastisch uitzag?'

'Ja, dat had je gezegd, dank je.' Zelfs haar vader keek gisteren apetrots, en dat bezorgde haar een rare brok in haar keel. Het was alsof ze een rol speelden, vroeger, thuis. Maar bij hem mocht ze altijd zichzelf zijn. Druk, raar, chaotisch, ze mocht zelfs bij hem uithuilen. 'Oom Alex?'

'Ja?'

'Weet u of...'

'Wat?'

'Nee, laat maar.' Ze neemt een slok wijn. 'Ik wilde inderdaad geen luchtje scheppen. Ik was op weg naar Frits Ruiterbeek.'

'Wat zeg je? Wilde je naar Frits?'

'Hij wilde me iets laten zien,' zegt ze. 'Hij gaf me gisteren zijn telefoonnummer op een servet, waar ook op stond "Wacht niet te lang". Heb je enig idee wat hij me wil vertellen?'

'Hij gaf jou zijn nummer?'

Ze knikt.

Hij krabt zich achter zijn oren, peinzend, en dan schiet hem blijkbaar iets te binnen. 'Volgens mij meende Frits dat jij journaliste was. Heb je niet eens een blauwe maandag voor een krant gewerkt?'

'Ja, maar...'

'Frits heeft ooit voor het medisch tuchtcollege moeten verschijnen. Hij werd beschuldigd van dood door schuld wegens nalatigheid. Het precieze verhaal ken ik niet, maar het zit hem nog steeds dwars. Misschien hoopt hij dat jij zijn verhaal wilt opschrijven?'

Beduusd kijkt ze toe hoe hij zijn glas bijvult. Wat had ze dan verwacht? Een Italiaans schandaal dat de voorpagina van de *Corriere della Sera* haalt? Dat meneer Tarantini een berucht lid van een maffiafamilie is? Maar haar oom heeft gelogen. Doet hij dat nu weer? Waarom vertelt Ruiterbeek haar eerst dat ze Di Gennaro heeft gezien, als hij daarna iets over een heel ander onderwerp zou willen vertellen? Het is niet logisch, en ze voelt zich verward. Hier zit ze bij een man die ze altijd volledig heeft vertrouwd. Maar ze weet zeker wat ze heeft gezien. 'Die dode man in het kasteel was geen illusie, veroorzaakt door drank. Ruiterbeek heeft het me gezegd aan de telefoon. Waarom heb je tegen me gelogen?'

Hij zwijgt.

'Was het een patiënt?' dringt ze aan.

'Ja, Di Gennaro was een patiënt, dat is waar.' Hij wrijft met zijn handen door zijn haren. 'Het is tegen alle regels dat we hem in Tarantini's kasteel behandelden. We zouden er grote problemen mee krijgen, zeker als bekend zou worden dat hij daar is gestorven. Daarom heb ik het voor me gehouden en je gezegd dat hij in het ziekenhuis was overleden.'

'Waarom was hij dan in het kasteel?'

'Di Gennaro wilde niet naar het ziekenhuis, omdat daar een maand eerder zijn vrouw was overleden na een auto-ongeluk. En je weet hoe ze er kampen met personeelstekort. Wij hadden alle middelen in Rufina om hem te helpen, Anne, we hebben ons uiterste best gedaan, hij was in het ziekenhuis eveneens overleden.'

'Dus ik heb me die lege ogen niet verbeeld...'

'Nee. Di Gennaro is bezweken aan een hartaanval, Anne. Ik was even daarvoor nog bij hem wezen kijken, en toen sliep hij ogenschijnlijk rustig. Zijn dood die avond was vreselijk, absurd, een grimmige speling van het lot.'

Het duizelt haar. Begrip en verontwaardiging vechten om voorrang in haar hoofd. 'Waarover had mijn vader het dan, aan de telefoon?'

'Een verpleegster belde hem 's nachts vanuit het ziekenhuis, ik zal je niet vermoeien met details, maar er misten formulieren en ze was achterdochtig. Het had weinig gescheeld of ze had ontdekt wat we hebben gedaan. Houd dit alsjeblieft voor je, anders is al ons werk voor niets geweest.'

Ze knikt. Afwezig. Ze wilde de waarheid weten en nu weet

ze die. Ze kan opgelucht ademhalen. Een patiënt dood, maar wat dan nog? Patiënten overlijden soms, hier net zo goed als in Nederland.

'Wie heeft me dan die klap gegeven?'

'Een van de verplegers, zoals ik al opperde, gisteren. We hadden hem opgedragen niemand, maar dan ook niemand binnen te laten. Die taak heeft hij zeer serieus genomen. Nadat hij je een klap had gegeven wilde hij je naar beneden helpen en mij waarschuwen, maar ik kwam net de hal in. Hij schrok en liet je vallen, gelukkig was hij toen al bijna onder aan de trap. Het spijt me, vooral dat ik het je niet onmiddellijk heb verteld. Ik wilde je er niet mee belasten.'

Hij heeft dus daadwerkelijk gelogen. Een siddering trekt door haar lijf. 'Ik ga,' zegt ze. 'Het is al bijna twaalf uur.'

'Hebben we een afspraak, Anne?'

'Ja, ik zal mijn mond houden. Nu heb ik alleen Frits nog niet gesproken.'

'Hij is morgen in het lab,' zegt hij. 'Kom je daar toch even langs?'

'Jullie zijn druk.'

'Voor jou maken we altijd tijd. Ook al vallen de sterren bij bosjes.'

'Dan zit ik met mijn neus richting hemel,' lacht ze.

Hij omhelst haar. 'Slaap lekker.'

Ze wil de deur uit gaan, als haar iets te binnen schiet. Ze draait zich om. 'Oom Alex?'

'Ja?'

'Ik heb een paar keer het idee gehad dat ik werd gevolgd. Dat is zeker mijn verbeelding, en niet daadwerkelijk Tarantini's werk?'

Hij glimlacht. 'Ja, dat is je fantasie geweest. Tarantini heeft me verteld dat je hem confronteerde met het feit dat je op die ziekenkamer was geweest, en ik heb hem verzekerd dat je die informatie voor je zou houden.'

Ze wil opluchting voelen, maar zijn ogen draaien ongemakkelijk van haar weg en een kort moment weet ze zeker dat hij liegt.

'Je bent een kei,' zegt hij. 'Het spijt me dat ik je de waarheid niet kon vertellen, je moet erg zijn geschrokken.'

Was het dat, wat ze in zijn ogen zag? Spijt? Ze wil het geloven.

Als ze de lift in stapt, realiseert ze zich dat ze geen sleutel heeft.

'Wacht even,' zegt oom Alex, als ze hem vertelt dat ze niet terug kan. 'Ik ben zo terug.'

Ze bewondert een schilderij in de hal. Een blote dame in de branding. Er hangt een kaartje onder het doek. *The Wave* heet het, van ene Seignac. Nooit van gehoord. Wel van een andere *The Wave*…

Ze herinnert zich dat ze de film voor school moest kijken. Ze wilde liever de tuin in, waar ze samen met haar buurjongen een boomhut aan het bouwen was, maar haar vader moedigde haar aan ernaar te kijken. Hij kende de film, en ze kon er iets van leren, zei hij. Ze keken een heel stuk ervan samen, naast elkaar op de bank. The Wave. Strength through discipline, strength through community, strength through action. *Een uit de hand gelopen experiment, nadat een van de leerlingen had gevraagd hoe het mogelijk was dat Hitler zoveel volgelingen kreeg. Ondanks de nogal brave sfeer boeide het verhaal; een geloofwaardig verbeeld pleidooi voor de kracht van het individu. De boodschap van het verhaal staat haar ook nu nog steeds duidelijk voor ogen.*

'Wat stom, pa, dat die kinderen allemaal zomaar doen wat de leraar zegt. Daar hoeven de leraren bij ons op school niet op te rekenen. Wat een watjes, zeg!'

Haar vader was het niet met haar eens. 'Als je de juiste leraar hebt, dan zul je zien dat ook bij jou op school een experiment als dit precies zo zou verlopen. Mensen willen bij elkaar horen.'

'Maar toch niet zo? Er raken mensen gewond.'

'Ja. A few people get hurt along the way... So what? *Daar gaat het nu juist om, Anne-Claire. Hoe ver gaan mensen om erbij te horen?'*

Halverwege de film voelde ze zijn arm om zich heen, en ze vlijde zich tegen hem aan. Veilig in zijn armen. Toen ze zich omdraaide, na de aftiteling van de film, zag ze dat hij in slaap was gevallen en ze bleef roerloos zitten. Het duurde nog een kwartier voor hij, verdwaasd om zich heen kijkend, wakker werd. Helaas heeft ze weinig van die herinneringen. Zelfs tijdens de spaarzame gezamenlijke eetmomenten was hij meestal in gedachten verzonken, schreef hij een of andere wiskundige formule op een servet of verdween hij voortijdig omdat de telefoon rinkelde.

'Zo!'

Ze schrikt van de plotselinge stem achter zich, en lacht als ze haar oom ziet staan. Even zo doorgaan en ze kunnen haar horizontaal afvoeren.

Hij heeft geen sleutel. 'Ik dacht dat ik er een had liggen. Maar ik heb wel een oplossing voor je: er ligt een reservesleutel, boven de deur, vastgeplakt aan het kozijn. Niet verder vertellen, het is ons teamgeheim; zo kunnen we in noodgevallen bij elkaar naar binnen. Morgen wel meteen terugleggen en stevig vastplakken, akkoord?'

Ze knikt en stapt in de lift, die ze twee verdiepingen hoger tot stilstand laat komen. Ze rekt zich uit en kan met een hand net boven het deurkozijn reiken. Bingo. Een bobbel. De sleutel is er. Zou voor haar in Amsterdam ook handig zijn. Hoe vaak ze niet bij de buurvrouw moet aankloppen. Op haar tenen loopt ze naar haar slaapkamer en sluit de deur achter zich. Opgelucht constateert ze dat haar sterrenhemel onveranderd mooi is als altijd. Die patiënt, Di Gennaro, zal nooit meer een sterrenhemel zien. Of misschien ziet hij die nu juist altijd. Tegen de huisregels in steekt ze een sigaret op in haar kamer. Ze heeft behoefte aan de rustgevende nicotine, maar geen zin om naar het dakterras te sluipen. Ze kijkt naar buiten. Jupiter heeft haar niet in de steek gelaten.

Als ze op haar matras onder het raam ligt, pakt ze haar wonder-oog. Nog een paar nachten, dan zal de maan helemaal in volle glorie te zien zijn. Geen schijngestalten, zoals het eerste en laatste kwartier, nee, dan zal de zon hem compleet laten zien zoals hij is. Was het niet hier in Florence dat Galileo Galilei met zijn ingenieus ontworpen telescoop de kraters en bergen op de maan spotte? Op een paar maanden na precies vierhonderd jaar geleden. Nu zou ze eigenlijk uit het dakraam moeten kunnen kijken van zo'n idyllisch Toscaans huis, boven op een eenzame heuvel, omgeven door cipressen. Waar het 's nachts echt, maar dan ook echt aardedonker is. Het hoeft niet meer, zei haar moeder. Vergeet het. Net zo makkelijk als ze vroeger zei 'ga maar buiten spelen' als ze eigenlijk aan de beurt was voor de afwas. Ma heeft gezegd dat het haar spijt. Terecht! Ze was zichzelf niet, toen ze het vroeg. Natuurlijk, ze is ziek. Af en toe laat haar moeders geheugen haar in de steek, en is ze in de war. Ma zei het toch zelf? Het hoeft niet meer. Ze loog, bij vlagen weet ze dat zeker, maar soms ook niet. Hoe goed kent ze haar moeder eigenlijk? Moet ze wat Stefanie zegt niet als waarheid aannemen; haar zus kent ma toch veel beter? Een onmogelijke kwestie, zo noemde haar moeder het.

Ze moet ma nú gewoon geloven en dus ook haar zus; dit hele hysterische gedoe heeft haar wekenlang uit de slaap gehouden en nu kan ze het van zich afschudden. Een last die van haar schouders valt. Bovendien hoeft ze Stefanie niet meer over te halen om haar te helpen.

En ze weet nu hoe het zit met die dode in het kasteel. Haar moeder heeft daar natuurlijk niets van geweten. Haar vragen beantwoord, ma's vraag ongeldig verklaard. Ze zou zich opge-lucht moeten voelen, de klok rond moeten slapen. In plaats daarvan krabt onrust aan haar ziel, schuurt het oude zeer. Haar moeders zwangerschap, de MS, haar schuld. Ze is niet klaar, en die gedachte benauwt haar meer dan ze wil toegeven.

Wegwezen uit deze verstikkende stad, ze zou het graag wil-len, maar weglopen is geen optie, niet meer. Net zomin als ver-stoppertje spelen. Ze zal al haar moed bijeenrapen en orde scheppen in haar leven. Jupiter staat hier hoger aan de hemel dan vanuit haar slaapkamer in Amsterdam, en de planeet is deze nacht werkelijk adembenemend om te zien. Ze vergaapt zich aan de donkere en lichte structuren op het lichte bolletje, aan de wolkenbanden en manen eromheen, en probeert tever-geefs de recente kraterinslag te vinden van een meteoriet, tot haar ogen alles wazig beginnen te zien.

22

Ze is in een lange gang met een grijze vloer en vale muren. Maar waar ze een flonkerende sterrenhemel verwacht, is ze in een koude ruimte met muren waarin haar voetstappen hol weerklinken. Ze zoekt haar vader. Wat, wat is dit? Met de zwarte, bedwelmende rook komen de stemmen. Een silhouet. Een man. Onverstaanbare stemmen. Is daar iemand?

Ga weg, scheer je weg, ik wil niet dat je me aanraakt. Ze kijkt om zich heen. Ze is in haar slaapkamer. De felverlichte cijfertjes op de wekker maken haar duidelijk dat het zeven uur vijftien is. Ze vraagt zich af of ze het hele huis niet bij elkaar heeft geschreeuwd, maar niemand komt bij haar, alles lijkt rustig. Deze keer was het anders. De stemmen en de verkoolde rattenogen vermengden zich met het beeld van de dode in het kasteel. Di Gennaro. Zijn naam kleeft aan haar gedachten, zelfs in haar slaap. Het is alsof haar moeder haar een flinke duw in de rug heeft gegeven, zodat ze niet anders kon dan gaan hardlopen. Alleen, nu ze moe en wanhopig naar de finish zoekt en twijfelt of ze die ooit in het vizier krijgt, staat ma niet langs de kant met aanmoedigingen en water. Misschien is het probleem dat ze geen enkel talent heeft voor hardlopen.

Ze kijkt naar buiten. De onbewolkte hemel boven Florence. Ze overweegt haar miniatuurtelescoop te pakken, maar besluit dan op te staan en een douche te nemen. Een goed besluit, de douche is heerlijk verfrissend en ze voelt zich redelijk uitgerust als ze zich aankleedt. Even later loopt ze de kamer in. Het is stil in huis. Iedereen slaapt kennelijk nog, wat haar verbaast, omdat haar vader altijd voor dag en dauw op is. Vroeger was hij negen van de tien keer al naar zijn werk als ze gapend in haar pyjama beneden kwam. Of zou hij nu al weg zijn? Is hij wel thuis geweest, vannacht? Ze luistert aan zijn slaapkamerdeur en hoort niets. Zachtjes klopt ze op zijn deur, en als het stil blijft opent ze die voorzichtig. Leeg.

Ze zet het koffieapparaat aan en besluit dan impulsief naar het ziekenhuis te gaan; ze is benieuwd wat Ruiterbeek haar wil vertellen. Ze hoopt hem te spreken. En ze heeft ook een enorme behoefte het benauwende appartement te verlaten. Hoe ruim het ook is, het maakt haar onrustig.

Zelfs in de vroege ochtendschaduw voelt Florence warm aan. De hitte is niet weg te krijgen uit de stad, zelfs niet met de lichte afkoeling in de nacht. Het moet gaan waaien, of winter worden, hoewel 'winter' op dit moment bijna een abstract woord lijkt. Zal haar moeder er nog zijn, in de winter waaraan ze niet wil denken? Ze wandelt via de Piazza della Santissima Annunziata langs het appartementencomplex waar Ruiterbeek moet wonen. Ze laat haar vingers over de uiterst chique deurbellen en de goudkleurige naamplaatjes glijden en ziet zijn naam erbij staan. Ze belt aan. Er gebeurt niets, zoals ze had verwacht; hij is natuurlijk al lang aan het werk. Ze loopt de Via dei Servi uit, bijna tot aan de Duomo. Daar slaat ze links af, de Via Bufalini in.

Het ziekenhuis zou niet opvallen in de omgeving als er geen steigers omheen hadden gestaan. De van ouderdom vies geworden muren worden opnieuw geverfd. Een bejaard rommeltje, dat is ook de eerste gedachte die bij haar opkomt als ze eenmaal

binnen is. Verplegend personeel in witte kleding met een licht-
blauw randje loopt langs, een enkele zuster kijkt haar aan, maar
niemand vraagt iets. Afgelopen zondag was ze met oom Alex
hier; toen zijn ze via een zijingang binnengekomen, en van
de sporadische eerdere bezoeken is haar slechts de chemische
schoonmaaklucht bijgebleven. Ze heeft geen idee waar ze moet
zijn, en er is geen balie te bekennen, laat staan eentje voor ontvangst. Er hing toch echt een bordje met VISITATORI erop bij de
ingang, met een pijl die deze kant op wees. In wat een binnen-
tuin moet worden of ooit is geweest staat een werkloze graaf-
machine en langzaamaan krijgt ze het gevoel dat ze in een verlaten filmdecor rondloopt. Op de gok opent ze deuren van
voorraadkasten, een trappenhuis en ruimten met een onduidelijke bestemming. Geen patiënt te bekennen. Ze gokt, links,
rechts, rechts, en dan eindelijk herkent ze Brunelleschi aan de
muur en is daar de blauwe deur van het lab. En iemand met een
bekend loopje.

Haar oom!

Ze haast zich en haalt hem en zijn trage oudemannenbenen
vlot in. Hij draait zich geschrokken om als ze hem op zijn
schouder tikt. 'Dat is toevallig,' zegt ze. 'Hoewel... ik ben voor
Ruiterbeek gekomen, is hij er?'

'Ben je er nu al?'

'Ik wilde graag weten waar hij is,' verklaart ze, naar haar idee
erg overbodig. 'In het lab?'

Hij ontwijkt haar blik. 'Ik heb het er met je vader over gehad.
Echt, het is...'

'Anne-Claire?' Haar vader. Met een frons tussen zijn wenkbrauwen. De frons is er vaker, altijd eigenlijk, maar nu lijkt die
zo diep als een scheur in het maanlandschap.

'Ik, eh... ik...'

Hij aarzelt, maar dan gebaart hij ongeduldig met zijn arm.
'Loop met me mee.'

De rusteloze blik in zijn ogen bevreemdt haar. 'Hoezo?' vraagt ze. 'Is hij...'

'Kom maar. Je wilt het toch graag weten?'

Ineens weet ze dat niet meer zo zeker.

Haar vader troont haar mee, gangen door, een lift in. Naar beneden. Begane grond minus één. Ze begint iets te vermoeden. Het is er koud, en hun voetstappen klinken hard en hol in de betegelde gangen. Een deur door, haar vader die een pasje door een veiligheidssysteem haalt. Nog een deur. Een steriele ruimte. Laat maar, het hoeft niet meer, wil ze roepen. Hij trekt een lade open.

'Hier is hij,' zegt hij. 'Anne-Claire, dit zijn dingen waar ik je voor wil behoeden, maar jij zoekt ze kennelijk graag op.'

Ze vervloekt haar nieuwsgierigheid vanwege de aanblik van Di Gennaro. Het gezicht dat ze zaterdag heeft gezien. Inwit nu. Het dode gezicht, overduidelijk, van iemand die ziek is geweest. Ze wenst dat ze vanmorgen iets had gegeten. Ze voelt zich onpasselijk en haar benen weigeren dienst, en ze betwijfelt of een broodje kaas dat had kunnen voorkomen. De man is dood. Ze kent hem niet eens, net zomin als de lijken die ze op haar eigen tafel krijgt, en toch. De aanblik brengt haar compleet van haar stuk. Juist omdat ze hem zaterdag heeft gezien? Of omdat iedereen vervolgens tegen haar heeft gelogen?

'Dit is... Het is verschrikkelijk.' Ze zag hem nadat Ruiterbeek tijdens het feestje een intrigerend verhaal vertelde over de verdwijnziekte van bijen, waar wereldwijd, tot China toe, al tientallen jaren veel van die beestjes aan ten onder gaan. Van de ene op de andere dag verdwijnen complete bijenvolken. Een mysterie.

'Had je niet eenvoudigweg de telefoon kunnen pakken?' vraagt hij, met het gedempte volume dat past bij de dood. 'Dan had ik het je uitgelegd.'

Inwendig krimpt ze in elkaar. 'Sorry,' fluistert ze.

Soms wel vierhonderdduizend bijen, ineens foetsie. Een grotere ramp voor de mensheid dan we ons realiseren, zei hij. Veel fruit en groente zijn voor de bestuiving afhankelijk van de bij. Ze zou willen dat ze aan de bijenziekte leed. Gewoon verdwijnen. Niets weten, geen dode. Net geen insect, vier letters. Bijna.

'Kom.' Hij pakt haar arm. Zacht, maar dwingend. 'We zullen de man zijn rust gunnen.'

Ze zou er iets liefs voor overhebben als ze nu heel, heel diep door de grond kon zakken. Komt ze dan uiteindelijk terecht in bijenarm China?

In de lift omhoog kijkt haar vader haar ontstemd aan. 'Ik dacht dat je hier was gekomen om je moeder te helpen.'

'Het spijt me,' mompelt ze. Ze kent zijn kwade buien, niet van de vele keren dat ze ermee werd geconfronteerd, want zo vaak zag ze hem niet, maar áls hij zo'n bui had, dan wist ze niet hoe snel ze zich uit de voeten moest maken. Vroeger de boomhut in, later naar boven rennend, haar slaapkamer in, onder haar veilige kosmos. Vluchtend, wat anders.

'Ik hoorde dat Frits je wilde spreken,' zegt hij. 'Hij had jou zijn telefoonnummer gegeven?'

'Frits?'

'Ruiterbeek. Mijn collega.'

'O ja.'

'Alexander heeft dat voor je opgehelderd, niet?'

'Ja.'

'En verder?'

'Oom Alex dacht dat Ruiterbeek me over iets anders wilde spreken. Iets wat met zijn verleden te maken had. Maar aan de telefoon had hij het over die patiënt, die was overleden.'

'En dan denk jij meteen aan de meest gruwelijke complottheorieën? Anne-Claire! Ik had je intelligenter ingeschat.'

Waarom zakt ze nog niet?

'Dat is nou precies een van de redenen waarom ik het bekrompen Nederland ben ontvlucht.'

Ze stappen de lift uit, haar vader gaat haar voor, een hal in. Ze kan zijn lange benen amper bijhouden. 'Denk je dat Albert Schweitzer, ondanks zijn status als heilige vanwege al zijn fantastische werk in arm Afrika, iedereen heeft kunnen redden? Of dat er bij Christiaan Barnard nooit iets mis is gegaan voordat hij zijn eerste hart transplanteerde? Ik weet hoe begaan jij altijd was met half overreden katten en uit het nest verstoten vogels, maar het volwassen leven steekt gecompliceerder in elkaar, Anne-Claire.'

'Ik vond het gewoon nogal raar.' Inmiddels beent hij met zijn lange stelten rechtsaf, een gang in. Gedesoriënteerd vraagt ze zich af of ze hier zojuist ook zijn geweest. Voordat... voor ze Di Gennaro zag...

Hij houdt ineens stil, en ze doet automatisch hetzelfde. 'Als een bankier fouten maakt, krijgt hij een oprotpremie waarmee hij de rest van zijn leven als God in Frankrijk kan doorbrengen. En als een minister verkeerd handelt, wordt dat onder de grasmat geschoven. Maar dokters?' Ze deinst terug als hij hard met een vuist tegen een deur stompt. 'Die moeten verdorie hangen.' Zijn stem klinkt hard, en bitter. 'Wij werken nu eenmaal met mensen, en als wij fouten maken heeft dat consequenties van een andere orde. Dat is het risico van ons vak. Niemand vindt het prettig, maar het is een onontkoombaar feit.'

Een verpleegster loopt langs. De hakken van haar schoenen tikken over de vloer, het geluid verdwijnt als ze langs hen is gelopen.

Haar vader haalt een zakdoek uit zijn broekzak en veegt langs zijn voorhoofd. 'Meneer Di Gennaro is helaas een patiënt die het niet heeft gered. Breng de guillotine in stelling. Umberto Tarantini heeft een groot hart. Soms neemt hij de zorg van een patiënt op zich, zoals Di Gennaro. Zodat die in alle rust en comfort zijn laatste dagen of weken kan doorbrengen.'

'En dat mag niet.'

'Anne-Claire, ik vraag me af waar je je in godsnaam mee bemoeit! We hebben verdorie net een patiënt verloren, en jij loopt hier rond als een wantrouwende rechercheur. Wat mankeert jou?'

'Ik wilde alleen maar...'

'Als je het dan zo graag wilt weten, nee, officieel mag het niet. Maar Umberto heeft de middelen en de mogelijkheden; enkele verplegers en twee Roemeense *badanti*, zeer toegewijde verzorgsters, die niet de hele dag werk hebben met zijn zus. Mensen die graag voor andere mensen zorgen, begrijp je, en daar zou jij...'

'Illegale immigranten,' fluistert ze.

'Nee! Geloof toch niet alles wat je leest. Legaal, zoals het hoort, netjes op de loonlijst. Italië vergrijst en heeft nu eenmaal weinig werkende vrouwen, zodat we zijn aangewezen op immigranten. Ik wil geen kwaad woord horen over hen, ze zijn onmisbaar voor ons, ook in het ziekenhuis.' Hij kijkt op zijn horloge. 'Ik zal je wegbrengen,' zegt hij, 'en dan hoop ik dat je iets gaat doen waar je moeder gelukkig van wordt.' Hij komt vlak bij haar staan. 'Laat ons het werk doen dat zo hard nodig is, Anne-Claire, de tijd dringt.'

'Vanwege mam?'

'Ja, natuurlijk. En vanwege alle andere MS-patiënten die met smart wachten op het moment dat er eindelijk hoop voor ze is!' Even lijkt hij nog iets te willen zeggen, maar dan loopt hij weg. Nee, hij draait zich om. Zijn stem klinkt ineens zacht. 'Bemoei je alsjeblieft niet met zaken die je verstand te boven gaan. Die eeuwige Einstein-mentaliteit van je is niet overal op haar plaats. Ik zou willen dat je dat zelf ook eens ging inzien.' Hij loopt weg. 'Al weer tijd verloren,' hoort ze hem zeggen.

'Tijd, tijd, kostbare tijd. Als B-cellen van het immuniteits-systeem...'

Wat hij daarna nog zegt kan ze niet meer verstaan. Als hij aan het einde van de gang een deur opent en uit haar zicht verdwijnt, gieren de zenuwen nog steeds door haar lijf.

Kalf dat ze er rondloopt. Haar vader zo kwaad gemaakt... Hoe krijgt ze dit ooit weer goed?

Waarom kan ze niet iets meer op Stefanie lijken? Die verknoeit geen dure jurken, maakt geen stomme opmerkingen en zou zeker niet zulke ondoordachte acties ondernemen. Stefanie, haar moeder, haar vader, ze laat iedereen stikken.

23

Het duurt lang. Ze zit in de vensterbank en staart naar muren vol afgebladderde verf. Er moet inmiddels minstens een halfuur voorbij zijn gegaan. Aarzelend loopt ze de gang in. Ze staat nog steeds lichtelijk wankel op haar benen bij de herinnering aan Di Gennaro, of misschien heeft haar vaders tirade nog wel meer impact op haar gemoedstoestand. In de verlaten gangen zoekt ze naar een herkenningspunt, tot ze even later Brunelleschi aan de muur ziet hangen. Het lab. De zware deur lijkt haar te willen ontmoedigen naar binnen te gaan en ze weerstaat de verleiding weg te lopen. Dat kan ze toch gewoon doen? Nee. Niet weer zomaar iets doen. Opnieuw overvalt de kou haar in de klinische ruimte, en de weeïge lucht maakt haar misselijk. Haar eigen werkomgeving is ook niet bepaald feestelijk te noemen, maar ze is dit soort ruimtes gewend; waarom kruipt hier dan het kippenvel over haar lijf?

'Hallo?' roept ze.

Een hoofd. Niet haar vader. Een collega? Ja. Frits Ruiterbeek. Hij lijkt te schrikken als hij haar ziet. 'Anne-Claire? Eh, je mag hier niet komen.'

'Maar u wilde me toch spreken?' Ze geeft hem een hand, en wijst op een stapel papieren. 'Ik dacht dat u onderzoek deed.'

'Papierwerk hoort er zelfs in Italië af en toe bij. Trouwens, je zou "je" zeggen, weet je nog, zaterdag?' Hij zucht. 'Het was een mooie dag…'

Ze realiseert zich ineens dat ook hij een patiënt is kwijtgeraakt. Dat moet een hard gelag zijn, als je levenswerk het redden van mensen is, en je aan de vooravond van een enorme doorbraak staat. De dood van die man moet een grote impact op hem hebben. 'Gecondoleerd, ik bedoel… die patiënt, Di Gennaro… het moet vreselijk zijn.' Ook op haar vader, beseft ze ineens. Geen wonder dat hij zo heftig reageerde.

'Ja, het is keihard, maar we hebben een paar honderd patiënten en we kunnen geen wonderen verrichten,' zegt hij. 'We krijgen mensen binnen die MS in een dergelijk vergevorderd stadium hebben, dat we weinig meer kunnen doen. Ik dank God op mijn blote knieën voor de nieuwe behandeling die je vader heeft ontdekt, maar het is erg zuur dat we niet iedereen kunnen helpen. Nog niet, in ieder geval. Het is triest, en ik krijg geen letter op papier, om eerlijk te zijn.' Hij schuift de spullen op zijn bureau aan de kant. 'Je moet hier weg, Anne, dit is verboden terrein voor onbevoegden. Ik dacht dat je bij me thuis zou komen, gisteravond.'

'Ik werd opgehouden, het spijt me. En nu zoek ik mijn vader. Hij zou me naar huis brengen… Maar wat wilde u… wat wilde je me vertellen? Oom Alex zei iets over een medisch tuchtcollege waarvoor je moest verschijnen?'

'Ja, ja, zeker. Eh, weet je wat, ik breng je zelf even naar huis.'

Hij staat op, maar dan klinkt er ineens een fel, zenuwachtig geluid. Ruiterbeeks pieper. Hij toetst een nummer in en ze hoort hem iets bevestigen. Hij beëindigt het gesprek, en vraagt haar te wachten. 'Ik moet even naar een patiënt, ik ben zo terug. Nergens aan komen hoor.'

Pa's collega werd nerveus toen ze over dat tuchtcollege begon. Die zaak moet hem inderdaad nog steeds dwarszitten. Eigenlijk zou het geheugen wat selectiever moeten werken. Dat je alleen mooie dingen onthoudt, en nare herinneringen kunt uitwissen. Dat zou haar ook goed passen. Zittend op Ruiterbeeks bureau bladert ze door een stapeltje mappen, verwachtend dat Di Gennaro's dossier ertussen zal zitten, zodat ze misschien kan zien hoe hij er levend uitzag. Ze vindt hem niet, maar haar oog valt in plaats daarvan op een dossier waar een foto half uitsteekt. De foto van een vrouw, ze schat van haar eigen leeftijd. De vrouw lacht niet echt, maar straalt levenslust uit. *Incinta*, leest ze onder de naam. Zwanger. Op de foto wist ze dat misschien al, of ze verheugt zich op een zonnige toekomst, met haar man, en straks een rijtje koters. Zij zal toch niet...

Op dat moment komt Ruiterbeek net weer binnenlopen.

'Ze is zo jong,' zegt ze.

'Wat zei ik nou? Overal afblijven! Dit is niet voor jouw ogen bestemd,' zegt hij, zijn wijsvinger opstekend. 'Beroepsgeheimen, weet je wel?' Maar hij lacht er wat triest bij. 'Erg hè, zo jong al. Je vader heeft haar ontraden haar zwangerschap door te zetten. De arme vrouw heeft de diagnose MS gekregen. Ze was volledig de weg kwijt.'

Ze weet niets te zeggen, haar adem stokt in haar keel.

'Kom, ik wil je iets vertellen,' fluistert Ruiterbeek. 'Maar niet hier. Deze muren hebben oren. Ach, verdorie, mijn autosleutels laten liggen. Eén momentje nog.'

Wat zei hij? Oren in de muren? Ze merkt niet eens dat hij wegloopt. Ontraden. Zwangerschap. Arme vrouw. Diagnose. Haar vader die deze vrouw een zwangerschap ontraadt. Zijn advies luidt dus abortus plegen. Haar vader raadt een zwangerschap af omdat hij denkt, of weet, dat MS daardoor erger wordt. Zie je wel. Zie je wel. Haar benen willen haar niet meer dragen en ze laat zich op de grond zakken. Ze heeft de gedachte niet voor niets nooit volledig uit haar systeem kunnen bannen. Het is waar. Tranen kriebelen langs haar wangen, druppelen op haar broek, ze merkt het amper. Als het aan hem had gelegen was ze er nooit geweest. Hij had haar weg laten halen, hij neemt het haar kwalijk, ze is er de oorzaak van dat haar moeder nu dood wil. Wezenloos kijkt ze rond in het lab, alsof ze in deze ruimte ergens een ontkenning zou kunnen vinden. Zou haar moeder het ook weten? Dat moet, alleen ze zegt het niet. Ma houdt meer van vrede dan van waarheid. Ze heeft het vast ook goed ingeschat, dat ze loog, toen ze ineens zei dat het niet meer hoefde… Gedachten buitelen in haar hoofd, zodat ze niet meer logisch kan nadenken, en ze krijgt het koud. Ze haalt diep adem en sluit haar ogen. Het dossier. Ze raakt het aan en wrijft over de letters. Dit is het bewijs. Het staat er. Zwart op wit. *Verergering symptomen. Advies: zwangerschap afbreken. Therapie zo spoedig mogelijk starten.* Het kan best zijn dat dit een nieuw inzicht is. Dat het dertig jaar geleden nog een groot vraagteken was. Droom lekker verder, het is haar schuld en diep vanbinnen heeft ze dat gevoeld, geweten. Er heeft altijd iets tussen hen in gestaan, tussen haar vader en haar, en het is dus waar. Dit is het. Ze wil hier weg, weg van deze onheilsplek. Ze hijst zichzelf met moeite overeind, en met trillende handen moffelt ze het dossier tussen de andere weg.

'Zo, ik heb ze en ik ben klaar,' hoort ze hem zeggen, en ze ziet zijn bezorgde blik als hij haar aankijkt. 'Wat is er met je? Heb je last van de chemische lucht die hier hangt? Ik breng je naar huis, dit hier is allemaal niets voor mooie dames, jij moet genieten van onze fraaie stad!'

Ze doet niet eens moeite om te camoufleren hoe ontdaan ze is. 'Hoofdpijn,' zegt ze. 'Heb je iets voor me?'

Hij rommelt in een kastje en knipt twee tabletjes van een strip. 'Ik heb alleen deze, met codeïne.'

'Die heb ik wel vaker.'

'Dan moet je beloven het de komende uren rustig aan te doen.'

Alsof ze van plan is nu alle vijfhonderd trappen van de Duomo te beklimmen. Ze slikt een tablet door met water. Laat die snel gaan werken, alsjeblieft.

Hij opent een la en haalt er een map uit. 'Kom, we gaan.'

Als ze buiten zijn, laat hij haar de foto van een vrouw zien. Ze heeft Ruiterbeeks bruine ogen en oogt jonger dan de zestig jaren die ze volgens het formulier moet tellen. 'Mijn zus,' zegt hij. 'Ik durfde je dit binnen niet te laten zien; ze willen me tegenhouden.'

Tegenhouden? Wie? Ze begrijpt er niets van. 'Ik voel me niet goed. Wil je me nu wegbrengen?'

'Ja, natuurlijk.'

Haar vaders collega ondersteunt haar en daar is ze blij om. Lag ze maar in bed. Ze wil rust, ze wil alleen zijn en vergeten.

'Mijn zus is vorige week hier in het ziekenhuis overleden,' zegt hij.

Ze loopt over de stenen. Onregelmatige stenen zijn het, haar zus zou er haar naaldhakken op stuklopen. Niet nadenken, gewoon de basale kennis toepassen: linkervoet voor de rechter zetten, en dan de rechter weer naar voren schuiven. Ruiterbeeks zus, het dossier van daarnet. Wat zei hij, is ze dood? Ze had MS, net als haar moeder, en die zus van haar vaders baas... 'Die meneer Tarantini, die heeft ook een zus met MS.'

'Umberto kreeg interesse in ons onderzoek nadat zijn tweelingzus ziek werd en dankzij hem zitten we nu hier in Florence. De ziekte van mijn zus was de reden dat ik ja zei op je vaders vraag om hier deel uit te maken van het onderzoeksteam. Hoe dichter bij het vuur...' Hij veegt met de rug van zijn hand het zweet van zijn voorhoofd. 'Het zat eraan te komen, ze lag al maanden op bed, kreeg haar voeding via een sonde automatisch toegediend, ze werd een kasplantje. Zestig jaar. Het leven is niet eerlijk.'

Iedereen gaat hier dood. Florence is de stad van onheil, van ziekte, van dood. Haar hoofd bonkt. Nog even en ze kan zich voor de wereld afsluiten. Het is haar schuld. Zie je wel. Het dossier. Zijn zus, ze was zestig jaar, dat heeft ze gezien. Zestig? 'Op de foto leek ze jonger…'

'Een familietrekje dat velen benijdenswaardig vinden,' zegt hij.

'Hoe heette ze?'

'Christine.'

'Een mooie naam.' Zestig jaar is jong om te sterven. Drieënzestig ook. Zou zijn zus hebben gedaan wat ma ook wil? 'Was het, eh, wilde ze euthanasie?'

'Nee,' antwoordt hij. 'Dat wilde ze niet. De laatste weken waren een lijdensweg. Ze is uiteindelijk gestikt en dat is een vreselijke dood, die gun je geen enkel mens.'

Op de parkeerplaats blijft hij staan. Waarom? Ze wil weg. Iets verderop registreert ze een Italiaanse bolide die haar bekend voorkomt.

'Dit is wat ik je wilde vertellen,' zegt Ruiterbeek, wijzend op het dossier onder zijn arm. 'Stap in de auto. Daar voel ik me veilig.'

Hoezo veilig? Voelt hij zich dan thuis en op zijn werk niet veilig?

'Er was toch iets met een tuchtcollege?'

'Wat? Nee, het gaat om mijn zus,' zegt hij, zodra ze in de auto zitten. Het is er warm, heet zelfs, de leren bekleding brandt aan haar billen. 'De hulp voor haar kwam te laat. Net als voor Di Gennaro.'

Di Gennaro, daar heb je hem weer. Ze zwijgt. De inspanning om zinnen te formuleren gaat haar vermogen te boven. Elk woord dreunt door in haar hoofd.

'Ik wil Christine alsnog meenemen naar Nederland voor een autopsie,' zegt hij. 'Ik wil naar Nederland, en ik denk niet dat ik terugkom als ik eenmaal weer daar ben. Nu Christine er niet meer is, heb ik hier niemand meer. Die zes jaar hier kon het me niet schelen, ben ik er vol tegenaan gegaan in de hoop dat ik Christine kon helpen; ze is… was mijn enige familie. Maar nu… Ik voel me plotseling oud, en vreselijk moe. Ik kan het niet meer opbrengen. Ik weet niet wat ik in Nederland nog vindt, maar ik hoop dat ik me daar weer enigszins thuis kan voelen.'

Hij zwijgt even, en ze vraagt zich af of ze iets moet zeggen, of moet vragen, terwijl ze alleen maar weg wil.

'Die autopsie wil ik niet zomaar, Anne, ik vertrouw het niet, ik wil weten wat de oorzaak is geweest van Christines dood en een autopsie is de enige mogelijkheid. Je vader vindt dat geldverspilling, maar ik heb Di Gennaro's dossier thuis, meegenomen vanuit het lab, omdat ik ook in zijn geval mijn twijfels heb. Ik wilde het jou laten zien, omdat ik niemand hier vertrouw, en ik voelde tijdens ons gesprek op het kasteel afgelopen zaterdag dat je houdt van openheid. Je praatte zo gepassioneerd over je werk, en je durfde ook iets van je twijfels te tonen, dat vond ik heel bijzonder, zeker omdat we elkaar amper kenden. Later zag ik ook de schrik in je ogen toen je even weg was geweest. Ik realiseerde me onmiddellijk wat je moest hebben gezien, en…'

Ze schrikt op van harde tikken op het raam. Het is oom Alex. Eindelijk, hij zal haar naar huis brengen.

'Zeg dat je koffie bij me komt drinken,' zegt hij, terwijl hij in haar arm knijpt, haar wat bruusk heen en weer schudt. 'Anne? Luister je? Ik moet het aan iemand laten zien. Ik weet niet aan wie ik het anders kwijt kan, luister je wel?'

'Het is goed,' zegt ze. 'Ik kom naar je toe.' Ze opent het portier. 'Oom Alex? Ik wil graag naar huis.'

'Natuurlijk.' Hij wisselt een paar woorden met zijn collega, waarop Ruiterbeek de auto uit komt en met gebogen schouders richting de ingang van het ziekenhuis sjokt. 'Arme Frits,' zegt hij. 'Zijn zus overleden... Ik denk dat het werk hem juist wat afleiding kan bezorgen, maar ik weet niet of hij het nog aankan. Anne, word je ziek? Kind, je ziet eruit alsof je een geest hebt gezien. Heeft de aanblik van Di Gennaro je zo van streek gemaakt?'

Haar schuld. Zouden er meer patiënten zijn die, net als haar moeder, geen abortus hebben laten plegen?

Even later staan ze voor de ingang van haar ouders' penthouse op de Via Pier Antonio Micheli.

'Het spijt me voor je dat het zo is gelopen.' Ze voelt zijn grijze stoppels op haar wang, een warme hand op haar arm. Als ze uit de auto wil stappen voelt ze zijn ondersteunende arm. 'Ik help je de lift in. 'Gaat het?'

Ze knikt. De derde verdieping, ja, op het knopje drukken en dan gaat het vanzelf. Het stond er echt, ze heeft zich niet vergist. Verergering symptomen. Advies: zwangerschap afbreken. Ineens schiet haar te binnen van wie de auto was die ze op de parkeerplaats bij het ziekenhuis zag staan. De zwarte auto, met de getinte ramen. Tarantini.

24

Stefanie heeft de ochtend met groeiende ergernis, en enige bezorgdheid ook, doorgebracht in het gezelschap van haar moeder, nadat ze vers brood en fruit heeft gehaald. Haar zusje heeft het koffieapparaat aangezet en daarna is ze zonder iets te zeggen in alle vroegte vertrokken. Iets in gang zetten en wegwezen. Hoe typerend. Ze heeft Annes mobiele nummer geprobeerd, waarna ze het geluid van meneer Jansen die op valse toon 'Goedendag schoonheid' krijst uit Annes slaapkamer hoorde komen. Daar lag het mobieltje, met vrijwel lege batterij ook nog. Zonder oplader natuurlijk. Haar zusje heeft mazzel, de hare past ook op die van Anne. Met hulp van een slaappilletje heeft ze vannacht uiteindelijk enkele uren rust kunnen pakken, maar vanmorgen wezen de grijze wallen onder haar ogen gemeen hard op de realiteit.

Er is een patiënt overleden. Haar vader heeft gebeld om het slechte nieuws te vertellen. Hij komt later lunchen. Ze geeft haar moeder een mix van gepureerde sinaasappel en mango. Estella heeft de kamer schoongemaakt en moeders bed verschoond en nu heeft de zuster een paar dagen vrijaf; dagen die ze na enig tegensputteren dankbaar aanvaardde om een kennis in Venetië te bezoeken. Het is schrijnend om te zien hoeveel moeite het haar moeder kost iets naar binnen te krijgen en hoe ze zich verslikt in het stukje vel van een sinaasappel.

Haar moeder moet hoop houden, en zij moet alles doen wat in haar vermogen ligt om dat leven te redden. Er is toch altijd kans op een wonder? Wat als ze haar moeder met euthanasie zou helpen – niet dat ze dat ooit zou kunnen – en de week erna duikt het redmiddel op? Haar vader kan MS genezen, hij heeft het met zoveel woorden nota bene gezegd en dat hebben ze eergisteren zelfs gevierd. Dus ze moet haar moeder helpen aansterken. Masseren, betere voeding, aromatherapieën, wat dan ook, hoe dan ook, zodat ze de behandeling lichamelijk en geestelijk aankan. Zorgen voor een kentering in de neerwaartse spiraal van deze ziekte. Vechten zal ze, niet alleen voor haar moeder, maar ook voor haar gezin. Als ze bereid is hard genoeg te werken en te strijden voor wat haar lief is, dan zal dat haar lukken. Daar moet en daar wil ze in geloven.

De telefoon staart haar aan. Hypnotiserende blikken om die te laten rinkelen hebben geen uitwerking gehad. Maandagochtend... hij moet op kantoor zijn. Lodewijk, de charmante zakenman. Dat is wat mensen zien. Onder dat rimpelloze oppervlak kent ze zijn gevoelige alter ego, het jochie dat alles vroeger alleen moest uitzoeken. Het ligt niet aan hem dat ze te weinig voldoening haalt uit haar leven. Voordat ze vrijwilligerswerk ging doen, bracht ze 's morgens de kinderen naar school, ging vervolgens winkelen of bij andere moeders koffiedrinken. Met weer iemand anders lunchen, 's middags naar de sportschool of een zinloze schoolbijeenkomst bijwonen, 's avonds het gezin en daarna met een glas wijn op de bank. En dan die feestjes, waarop de vrouwen hun uiterste best doen elkaar de loef af te steken. Met kleding, schoeisel, de nieuwste haarmode en tassen. Als je in gesprek bent met een zogenaamde vriendin loert ze continu over je schouder en zodra ze een interessantere persoonlijkheid in het vizier krijgt is ze weg met een vaag excuus, ook al heb je net verteld dat je moeder erg ziek is. De mannen kunnen er trouwens ook wat van, alleen de onderwerpen zijn anders. Zij praten over de power van een SUV die op de markt komt, alsof ze daar in de Nederlandse file ook maar enig voordeel van hebben, of over gigantische rendementen die ze halen op hun wijze beleggingen, terwijl het hele land zucht onder de waardedaling van welke spaarpot dan ook. Het ergste zijn de dames met hun persoonlijke verbouwingen; de weggewerkte rimpels, opgepompte tieten en gelifte ogen. Niemand mag het eigenlijk zien, want dan is het niet naturel, maar als je zegt dat je geen verschil ziet met ervoor, is het ook niet goed. Ze wordt er raar op aangekeken als ze bekent dat ze er niet aan meedoet… moet je dan op je veertigste nog nagefloten willen worden op straat? Het idee alleen al is zielig. Het stelt allemaal zo weinig voor; een laagje glamour over niets. Ze wil het niet meer.

Haar moeder slaapt. Ze pakt haar telefoon en belt hem, laat de telefoon overgaan. Drie keer, vier keer. Geen respons. Hij is dus echt kwaad, of druk. Het is haar eigen schuld. Elke keer dacht ze: straks, vanavond zal ik het hem vertellen. Als ze tussen de ziekenhuisbedden liep met weerloze, kleine mensen erin, die vertederende vechtertjes, kon ze zich niet voorstellen dat Lodewijk het niet zou begrijpen. Ze zou hem meenemen. Kom eens kijken, hier kun je je hart toch niet voor sluiten? Ze probeert het opnieuw.

Nu pakt hij op. 'Van Doorne Makelaars en Vastgoed, goedemorgen,' zegt hij.

'Lodewijk?'

'Stefanie. Ik heb weinig tijd.'

'Wil je me niet spreken?'

'Ik ben aan het werk. Het is rustig, maar ik wacht op een klant, en ik werk wat telefoontjes af.'

'Ben je nog boos?'

'Boos… nee, of ja, dat was ik wel, omdat je me niets hebt verteld.'

Ze hoort een piep in de lijn.

'Stefanie, wacht even, er komt nog een lijntje binnen.'

Op een middag, onderweg naar huis in haar auto, gehaast, omdat over een kwartier Floor uit school zou komen, zag ze het voor zich. Beeldde ze zich in dat ze een patiëntje mocht vertellen dat hij binnenkort naar huis mocht, terwijl ze zelf had bijgedragen aan zijn genezing. Wat een onbeschrijflijk geluksgevoel moest dat geven! Natuurlijk, die kleintjes donderdagmiddag de dieren van de naburige kinderboerderij laten aaien gaf ook voldoening, alleen niet die waar zij naar zocht. Zodra ze weer thuis was, zich omkleedde in een Chanel-creatie en groenten in de steamer zette die de hulp 's middags had voorbereid, brokkelde haar moed af. Laf, zonder meer.

'Daar ben ik weer.'

'Heb je... heb je nagedacht over wat ik zei?

'Vooral vannacht, ja. Ik geloof niet dat het werkt, Stefanie. Voor je het weet, zien we elkaar als ik er 's nachts in kruip en jij eruit moet voor een nachtdienst. Je kunt toch weer hier komen werken als je je verveelt? Dan ben je ten minste flexibel qua uren.'

'Dat is niet hetzelfde. Ik wil iets goeds doen voor mensen. Voor kinderen, in het bijzonder. Je moet een keer met me meegaan, Lodewijk, naar die afdeling. Ik weet zeker dat...'

'Het is niets voor mij, zo'n ziekenhuis, sorry. Als ik bloed zie val ik om, en ik zou ervan gaan dromen, bang worden dat Floor en Wouter eerdaags ook geveld worden door een of andere enge ziekte. Als ik voor hen per se moet dan ga ik, vanzelfsprekend, maar voor mijn lol stap ik zo'n ruimte die naar chemische schoonmaakmiddelen stinkt absoluut niet in.'

Dan weet ze niets meer te zeggen, en Lodewijk zegt dat zijn klant eraan komt. Ze beëindigen het gesprek met wat betekenisloze woorden, en ze blijft met een onbehaaglijk gevoel zitten. Moet ze dat gevoel negeren en blij zijn dat ze nog praten, of moet ze de wankele borden van hun stokken laten vallen? Ze had liever gehad dat hij kwaad was geworden. Dan was hij daarna misschien milder geweest, uit een soort vergevingsgezindheid, of ter compensatie.

In ieder geval heeft ze het spook onder haar bed vandaan gehaald. Ondanks de buikpijn die ze heeft overgehouden aan haar telefoontje lucht dat enigszins op. Alleen, dit had niet via de telefoon gemoeten. Ze had er eerder over moeten beginnen. Veel eerder. Ze zou er met iemand over willen praten. Ma moet zich kunnen concentreren op zichzelf, het laatste wat ze nu kan gebruiken is andermans zorgen. Ze moet vertellen dat er iemand dood is, dat overstijgt de te behappen dagelijkse dosis narigheid al ruimschoots. Of kan ze dit beter voor zich houden? Zodra ma wakker is, zal ze het bed naar de kamer rollen, ze zal ma enkele van haar gedichten voorlezen, die ze vroeger heeft geschreven. Dat beurt haar vast op, inspireert misschien zelfs tot schrijven, of lezen. Al moet de loep eraan te pas komen.

Voorzichtig gluurt ze om de deur van haar moeders slaapkamer. Haar ogen zijn open. 'Ma?'

Haar moeder draait zich naar haar toe. Een moment lijkt ze zich niet te realiseren waar ze is, maar dan glimlacht ze. 'Hè eindelijk, bezoekuur.'

In haar eentje is het een hele toer om het bed te verplaatsen, maar ze laat zich niet kennen. In het ziekenhuis sjouwt ze ook met loodzware bedden lift in, lift uit. Ze zet een pot groene thee en pakt een beduimeld exemplaar van haar moeders gedichtenbundel.

Vroeger heeft ma misschien gedroomd van een carrière als dichteres… Die boekjes verkopen niet, was Lodewijks nuchtere commentaar. Hij had ooit een poëet aan een appartementje geholpen, en die man kluste er flink bij. Een lezinkje hier, een workshopje daar. *Liefdesgedichten*. Allesbehalve zoetsappig. Een ervan gaat over een vrouw die niet in staat is tot liefhebben, omdat ze als kind in een concentratiekamp zat. 'Dieper dan ik gaan kan, vind ik een groter gat dan ik aankan'. De eerste twee – als enige rijmende – zinnen van een aangrijpend mozaïek van woorden. Ze merkt dat haar moeder elders is met haar gedachten. Normaal ontspant haar lichaam zich bij het horen van haar eigen zinnen, nu oogt ze verkrampt.

'Ma, ik moet met je praten.'

'Anne?'

'Hoezo Anne?'

'Ze is er niet, ik maak me zorgen. Is er iets gebeurd?'

'Welnee. Ze zal wel weer verdwaald zijn of zo. Nee, iets anders. Ik wilde dit eigenlijk samen met Anne met je bespreken, maar ik weet niet hoe laat ze terugkomt en het zit me zo hoog.' Hoe kan ze de woorden ooit over haar lippen krijgen? 'Anne zegt zeker te weten dat je... dat je...'

'Eruit wilt stappen?'

Ze knikt. 'Ik vind echt dat je moet vechten,' zegt ze. 'En ik zal je helpen. Met pa's behandeling, mijn verzorging, massages, of als je met me mee terug wilt...'

'Weet je nog dat je voor het eerst op het trottoir van de Hoge Duin en Daalseweg mocht fietsen?' vraagt haar moeder. De neergelaten zonneschermen voor het raam werpen een oranje gloed over het oude gezicht, dat van pijn lijkt vertrokken. 'Al je poppen moesten mee, je wilde mij niet uit het oog verliezen, en boem, daar lag je.'

Ze begrijpt waar ma op wijst, maar hemel, deze behandeling, de verzorging, dat heeft toch niets met haarzelf te maken?

'Ik voel je zorgzaamheid, net zoals ik die toen al in je zag, lieverd, en ik voel me ontzettend vereerd dat je voor me wilt zorgen.' Ze neemt traag een slok thee. 'Ondanks mijn ziekte ben ik altijd heel zelfstandig geweest, tot een jaar geleden had ik zelfs geen hulp nodig bij aan- en uitkleden. Ik haat het, dat ik langzaam maar zeker steeds meer moet inleveren, ook geestelijk. Ik haat het.'

'Wil dat zeggen dat je geen behandelingen meer wilt en dat je euthanasie overweegt?'

'Heel eerlijk? Als je diep in mijn hart kijkt? Ja. Ik zou zelf de controle willen hebben over het wanneer. In een zwak moment heb ik die vraag bij Anne neergelegd en dat spijt me, ik was benauwd, en ik kon niet helder nadenken. Helaas kan ik hier geen dokter vragen...'

'Dan moet je toch mee terug, bij ons helpen ze je maar al te graag naar de andere wereld. Er is zelfs een stichting met vrijwilligers die je een handje willen komen helpen.'

Ma pakt haar hand. 'Laat dat sarcasme maar zitten, ik weet echt wel hoe je erover denkt. Je hoeft je geen zorgen te maken, ik laat je vader niet alleen en dus ga ik niet naar Nederland.'

'Wil hij niet met je mee?' Nee, natuurlijk niet. Hij heeft zijn werk, en ook zijn hart klopt voor genezing.

'Ik ken mijn man.'

Ze zou het niet kunnen. Misschien als ze met eigen ogen zou zien hoe haar moeder op een kwade dag ondraaglijk lijdt? Stel dat, dan kan ze toch niet op dat moment... Zoiets moet gepland worden, er moeten pillen verzameld worden, antibraakmiddel. Haar maag draait zich nu al om bij het idee dat ze haar moeder daadwerkelijk pillen of een drankje zou geven, in de wetenschap dat ze haar daarmee laat sterven. Vermoorden. Nee. Lodewijk zou het ook afschuwelijk vinden, wat dat betreft zijn ze het roerend eens, ze hebben die discussie naar aanleiding van tv-programma's meermaals gevoerd. Ze herinnert zich een dubieus geval van euthanasie, waarbij een oude man en zijn echtgenote samen uit het leven zouden stappen. Zij eerst, waarna hij afhaakte en trouwde met haar beste vriendin. Niet te vergelijken met ma's situatie, maar het wijst glashelder op het on-omkeerbare ervan. En stel dat het misgaat, wat als haar moeder in een coma raakt? De opdracht luidt: haar moeders visie ver-anderen. Misschien is ze wat depressief door de achteruitgang. En ze zal Anne moeten overtuigen van het gevaar, hoewel ze twijfelt of ze daarmee indruk zal maken.

Ze schrikt op als haar vader plotseling verschijnt. Ze heeft de deur niet eens horen open- en dichtgaan. En er is nog geen lunch. 'Ik zal gauw iets gaan maken. Ik heb vers brood, ge-rookte kip en fruit.'

'Het was een zware ochtend.' Hij glimlacht. 'En hoe is het hier? Gedichten gelezen, zie ik?'

25

De combinatie van codeïne en spelen met woorden is geen
succes. Ondanks verwoede pogingen daartoe fantaseert Anne
geen enkele cryptische omschrijving die de moeite waard is,
laat staan dat ze er een creatieve oplossing aan kan koppelen.
Ze blijft steken op een belabberd niveau, met als hoogtepunt
een vogel die verkouden wordt. Vier letters. Wat dan een snip
moet zijn. Licht ironisch, ook met vier letters, vindt ze in eerste instantie nog net door de beugel kunnen, met spot als
uitkomst, maar na enige twijfel verwerpt ze ook die vondst.
Haar verdoofde, malende hoofd wil niet meewerken om alle
verwarrende gedachten los te laten. Verergering symptomen.
Advies: zwangerschap afbreken. Ze zou willen huilen, tot ze
geen tranen meer heeft. Of schreeuwen, tot haar keel schraal
is en uitgeput opgeeft. In plaats daarvan is het enige wat ze
doet wezenloos naar het plafond staren, haar haren rond haar
vingers tot vlechten draaien en haar gekmakende gedachten
ontwijken door cryptogramwoorden te verzinnen. En toch.
Ondanks het misselijkmakende gevoel dwalen haar gedachten
ook af naar de dode man in het kasteel. Tarantini's auto bij het
ziekenhuis. Ruiterbeek en zijn verwarrende verhaal. En elke
keer komt ze dan terug bij haar vader, die een patiënte adviseerde haar zwangerschap af te breken. Verergering sympto-

men. Rust. Ze draait zich om in bed en valt weg in een vreemde halfslaap.

Hij moet aan het werk. Ze jengelt om hem heen, wil dat hij de banden van haar fiets oppompt, maar ze moet wachten tot vanavond. Dat wil ze niet, want ze gaat vanmiddag met Juul spelen en zij heeft een knalrode fiets waar ze misschien ook op mag, als Juul dan op de hare kan. Stefanie wil helpen, ze wil haar moeder redden en bedenkt een plan om elkaar af te wisselen, zodat een van hen beiden altijd bij haar is, waarop een rij ongeduldige lijken houterig haar kant op schuifelt. Het schrapende geluid van hun nagels langs de muren bezorgt haar kippenvel. Dan ineens is het beeld er weer van die koude, lege ruimte. Het gegil.

Verdwaasd kijkt ze om zich heen. De slaapkamer. Haar sterrenhemel. Ze is in Florence. Bij haar ouders. Ze herinnert zich haar vader, die niet meer kwaad leek toen ze even uit haar bed kwam om een glas water te halen, maar in plaats daarvan zwijgend en gehaast aan tafel zat te eten. Met een wee gevoel in haar maag draait ze zich om. Ze wil slapen zonder dromen, ze wil vergeten. Verder zonder herinneringen. Ze is een teleurstelling voor haar vader, nu, vroeger, altijd. En inmiddels weet ze het zeker: met een verdomd goede reden.

Het loopt tegen vijven als ze wakker wordt en constateert dat ze ondanks alles een paar uur heeft geslapen. Ze voelt zich onvoldoende hersteld om op te staan, maar doet het toch. Ze neemt een douche, kleedt zich aan en constateert dat de accu van haar mobieltje is opgeladen. Met dank aan haar zus. Wie anders. Ze zou willen dat ze vanavond nog op het vliegtuig naar huis kon stappen. Zelfs een rare begroeting van meneer Jansen zou nu welkom zijn. Ze belt haar buurvrouw, die laat weten dat alles in orde is met haar papegaai en vindt dat ze moet genieten van zo'n mooie stad.

Niet vluchten, laten bezinken, dat is beter. Haar moeder deze ontdekking voorleggen en erover praten, nog beter. Het is toch mogelijk dat haar vader, ruim dertig jaar geleden, nog helemaal niets wist van de relatie tussen MS en zwangerschap? En misschien mankeerde deze vrouw uit het dossier nóg wel iets, waardoor de symptomen verergerden. Wishful thinking. Ze heeft altijd gevoeld dat er iets was, en daarom heeft ze het nooit durven vragen. Ze hield haar mond, uit angst voor het antwoord. Ooit wilde ze zelfs misschien wel geloven dat het kwam omdat ze niet voldeed aan haar vaders verwachtingen, die zo hoog waren dat niemand eraan zou kunnen voldoen. Dat was makkelijk, want dan lag het niet aan haar. Tenminste niet alleen. En intussen? Zij, die altijd zo gebrand is op de waarheid, vluchtte op de belangrijkste momenten in haar leven. Stefanie had natuurlijk gelijk, daarom werd ze ook zo kwaad. Weglopen, ja, dat is haar specialiteit. Nee, was. Ze zal erover praten. Het moet. Ze zal bij ma blijven, misschien wil ze wel helpen een cryptogram in elkaar te zetten, als ze een goede dag heeft, en op een geschikt moment zal ze erover beginnen.

Een paar uur slapen heeft het beeld van de dode Di Gennaro niet van haar netvlies gewist. En dat terwijl ze dagelijks te maken heeft met lijken. Ruiterbeek wilde haar iets laten zien. Hij drong aan op haar komst. Tijd heeft ze nodig, tijd om na te denken. Ze moet er met haar vader over praten. Er is geen enkele plausibele reden voor, maar ze heeft het idee dat ze haar neus in een wespennest steekt. Wespennesten zijn ingenieuze en intrigerende bouwsels, maar o wee als de bewoners het op je gemunt hebben. Ze zucht. Als ze niet meer wil weglopen zit er maar één ding op.

In de woonkamer treft ze haar zus, bladerend in een tijdschrift. Haar moeders bed is niet in de kamer, dan zal ze wel slapen.

Ze pakt een fles witte wijn uit de koelkast, die ze onmiddellijk weer terugzet. Ze kan beter helder blijven. 'Bedankt voor het opladen van mijn mobieltje.'

'Geen dank.'

Jus d'orange, dat is beter. Ze schenkt een groot glas in. 'Jij ook iets?'

'Nee, dank je.'

'Is er iets?'

'Afgezien van het feit dat jij ofwel iets raars uithaalt, of weg bent?'

'Ik wilde alleen iets weten, iets vragen aan pa's collega. Nou en?'

Stefanie slaat het tijdschrift dicht. 'We zouden onze aandacht op ma richten, weet je nog? Ik vind dat we ons best moeten doen om haar te motiveren tot therapie. Massages, lichttherapie, ik wil alles uit de kast halen om haar in een betere conditie te krijgen, zodat ze pa's behandeling aankan.'

'Dat wil ze helemaal niet.'

'Daarom moeten we haar juist motiveren! En daarvoor moeten we er wel zijn. Ik zou bijna gaan denken dat je ons bewust ontloopt.'

'Hoezo? Pa is aan het werk, ma slaapt. In feite heb ik vandaag niets familiairs gemist.'

'Ik heb ma voorgelezen, terwijl we zomaar wat praatten. We hadden samen iets kunnen doen.'

'Je hebt gelijk. Ik beloof je dat als ik straks terug ben, ik vanavond en morgen en de rest van de week hier blijf.'

'Hoezo, ga je nu nog weer weg dan?'

'Ik heb Frits Ruiterbeek beloofd dat ik even naar hem toe ga. Die patiënt die is overl…'

'Ssjt.' Stef houdt een opgestoken wijsvinger voor haar getuite lippen. 'Ma weet daar niets van; wie weet ligt ze wakker.'

'Ik moet even naar hem toe,' fluistert ze.

'Wat, moet jij troost bieden? Sinds wanneer speel jij voor Florence Nightingale?'

'Hij vroeg het. Ik heb trouwens zin in een ordinair stuk pizza van een meeneemtent, dus zonder hem had je me ook moeten missen. Stefanie, kom op, bel Lodewijk, kus je schatten van kinderen via sms welterusten, en tegen de tijd dat je klaar bent, ben ik alweer terug. Trek vast een flesje los en dan proosten we vanavond op, eh…'

'Op onze gezellige familieweek samen.'

Ze negeert Stefanies ironie. 'Precies.'

'Als ik jou zo zie, denk ik niet meteen aan gezelligheid. Je ziet eruit alsof je papegaai zojuist is overleden. Kom op, Anne, vertel nou eens wat er echt aan de hand is. En ik wil met je praten over ma.'

'Later.'

Eenmaal buiten haalt ze een paar keer diep adem.

Stefanie vertellen over… over dat? Over haar onzekerheid? Haar zus zou het afdoen als onzin, en haar erop wijzen dat ze haar leven op orde moet krijgen, en dat weet ze zelf ook wel. Ze heeft amper oog voor de zwervers die onder het beeld van een stoere ruiter te paard op de Piazza della Santissima Annunziata liggen te luieren. Geen geld, sorry, en ze heeft het warm. Het is alsof iemand een te hete föhn heeft aangezet. Ze heeft dus ook geen geld voor een stuk pizza. Stom. Zal ze omdraaien? Nee. Ze heeft niet eens trek.

Het is goed om eruit te zijn, aan andere dingen te denken. Meneer Jansen, haar gekke vogel. Ze heeft haar oma's papegaai in huis genomen toen ze naar het verzorgingshuis moest. Het beest mocht niet mee en dus weigerde ook oma te verkassen, zelfs toen ze haar eigen huis bijna per ongeluk in de fik had gezet. Oma ging overstag nadat ze beloofde een goed thuis voor hem te vinden, en toen ze hem eenmaal in huis had en hij haar 's morgens steevast met een vreemde naam begroette, kon ze hem niet meer wegdoen. Ze mist die stomme vogel en zijn ochtendgroet. Stefanie heeft gelijk. Het is meelijwekkend als je op je tweeëndertigste slechts een papegaai hebt om te missen.

Neerslachtig loopt ze Ruiterbeeks adres bijna voorbij; net op tijd ziet ze het nummer, 49, en de goudkleurige naamplaatjes. Professore Filippo Donati en Alberto Predieri, dottore. Een heel appartementencomplex vol IQ. Haar vingers glijden over de knoppen, en ze belt aan. De zoemer.

De deur is groot en oogt zwaar, maar opent zich bijna vanzelf. Ze moet vijfhoog. Al weer een lift. Een bordje met 49J, de deur op een kier.

'Meneer Ruiterbeek? Frits?' Ze duwt de deur open en gluurt in de hal.

Ze meent zijn gestalte te zien, of de schaduw ervan. Als ze de deur verder open wil doen, wordt die ineens tegen haar aan geduwd. Onmiddellijk gevolgd door een stomp in haar maag. Ze slaat dubbel en valt voorover. Ze voelt een prik in haar arm. Wat? Wie? Ze denkt aan schreeuwen om hulp, aan protest, aan om zich heen slaan, maar haar spieren verslappen en dan denkt ze aan helemaal niets meer.

Stemmen. Ze droomt. Donker. Aardedonker. Geen sterren, geen focus op de Poolster, alles is zwart. Een bizarre angst grijpt haar bij de strot, en dan herinnert ze zich de geur, waarna alles om haar heen verdween. Ze wordt overmand door een allesoverheersende zekerheid dat er iets vreselijk mis is. Dingen kloppen niet. Ze wil haar ogen openen maar ze ziet niets. Haar armen willen niet meewerken. Vastgebonden, ze is vastgebonden, en ze zit ergens tegenaan, iets van een hard materiaal. Koud. Ze voelt met haar vingers. Een radiator. Ze schuift, probeert te bewegen. Het lukt amper en levert slechts pijn op in haar polsen.

Een stem, en een tweede, die bedompt klinkt. Ze kent de stemmen. Ze weet het, maar daar houdt haar denkvermogen op. Als ze haar mond wil opendoen, slaat de paniek toe. Er zit iets in haar mond. Iets droogs, wat slikken bijna onmogelijk maakt, en ze moet haar best doen om niet te gaan hoesten. Rustig blijven, kalm blijven. Door de neus ademhalen, dat is geen enkel probleem. Niet zo snel ademhalen; langzaam, niet gaan hyperventileren. Ze denkt aan haar moeder, die zich vaak zo benauwd voelt. Blijf kalm, denk na. Concentreer je op iets anders. Ze hoort voetstappen. Stemmen. Alsof ze fluisteren, maar misschien lijkt dat zo. Wat is er aan de hand... en waarom? Ruiterbeek moet in de buurt zijn. Het was zijn stem die ze net hoorde, ze weet het ineens. Waarom helpt hij haar niet? En wie is er bij hem? Stefanie weet waar ze uithangt, haar zus zal hulp inschakelen als ze niet snel terugkomt. Hoopt ze. Ze vervloekt al die keren dat ze te laat bij haar zus kwam of niet kwam opdagen. Stefanie zal denken dat ze het expres doet, dat ze een kroeg in is gedoken. Stefanie, alsjeblieft, sla alarm! Dit moet een vergissing zijn. Iemand dacht dat ze wilde inbreken. Er is iemand dicht bij haar. Ze hoort geluiden die ze niet kan thuisbrengen. Donker. Wat is het godsgruwelijk donker.

Voetstappen. Ze lijken verder van haar vandaan te zijn. Geen enkele cel in haar lijf die echter ook maar iets van opluchting ervaart. Dit... dit moet te maken hebben met de dode man die ze heeft gezien. Di Gennaro. Ruiterbeek zelf? Wat wilde hij haar vertellen, of laten zien? Ze graaft in haar herinnering, maar ze weet niet meer wat hij tegen haar zei, in de auto. Er is nog iemand in de kamer. Iemand van wie ze de stem meende te herkennen. Ze praten. Maar niet op een normale manier. Wat is dit? Af en toe denkt ze iets te horen. Geschuifel, een stem. Een andere houding zou welkom zijn. Door het zitten op de harde grond, met haar rug tegen de radiator, beginnen allerlei spieren te protesteren. En toch weet ze zeker dat dit haar min-

ste probleem is. Denk na. Denk na. Ruiterbeek. Er was iets met
dat dossier van zijn zus. Hij wilde haar iets laten zien. Ja, wacht.
Hij had nog een dossier thuis. Van Di Gennaro. Toch? Ruiterbeek weet iets. Stond Tarantini's auto daarom bij het ziekenhuis? Red me, red me, iemand. Waarom moest ze in godsnaam
ook zo nodig hiernaartoe? Zo erg kan het niet zijn wat ze heeft
gehoord, of gezien. Ze zullen haar daarvoor vast niet... Ze willen iets van haar. Iets weten. De vraag is wie. De stem klinkt ingehouden. Afgevlakt. Houdt hij een hand voor zijn mond? Ze
hoort Italiaanse woorden. Tarantini? Hij zal haar niets doen.
Nee, natuurlijk niet. Als ze daar zo van overtuigd is, waarom
draait haar maag zich dan om?

26

'Anne-Claire? Anne?'

Ze wil antwoorden. Er komt niets fatsoenlijks uit haar keel. Een rare hoge toon, dat is alles. Hopelijk klinkt die paniekerig genoeg. Acuut krijgt ze braakneigingen en ze is bang dat ze zal stikken. Rustig blijven, ademhalen door de neus. Ruiterbeek. Gelukkig, hij praat tegen haar. Hij zal haar zo losmaken. Dit is allemaal een grote vergissing, een belachelijk misverstand. Ze heeft de neiging te gaan gillen, maar houdt zich in. Ze zal slechts een zielig geluid produceren, en ze is als de dood dat ze zal stikken door haar eigen stommiteit. Ze voelt zich niet goed, het is te warm, te benauwd, en ze vreest dat ze van haar stokje gaat. Zal ze dan stikken?

'Anne, je mond is met tape gesnoerd. Je moet rustig ademhalen. Ik wilde je niet laten schrikken, het spijt me.'

Zijn stem klinkt nerveus, helemaal niet zo warm en vriendelijk als afgelopen zaterdag, toen ze het zomaar ineens hadden over de vergankelijkheid van de mens, alsof ze elkaar al jaren kenden. Een bijzondere man, maar met ineengekrompen schouders die verraadden dat ze te zware lasten droegen.

'Ik, ik had geen keuze, Anne, dat moet je van me...'

Een doffe klap, en ze hoort hem kreunen. Daarna een raar soort geluid van het kort schuiven van metaal over metaal. Het beeld van een pistool dat wordt gespannen verschijnt op haar netvlies. Hou op. Ze kent die geluiden alleen van tv-series, hoe weet ze nou of dat echt is?

Hij schraapt zijn keel, hoest een keer. 'Ik ben geen genie, begrijp je, niet zoals je vader.' Zijn stem hapert.

Wat is er aan de hand? Ze weet het niet, ze weet op dit moment helemaal niet veel, alleen dat ze los zou willen zijn van haar lijf, dat ze zich moet concentreren op zijn stem, en niet moet denken aan de angst. God, als ze maar niet gaat overgeven. Geluiden. Afleiding. Ze moet luisteren.

'Je vader doet zulk belangrijk werk, ik, ik weet... Je zult je afvragen waarom, waarom jij, waarom wij hier...'

Hij doet misschien zijn best om geruststellend over te komen maar daar slaagt hij niet in.

Het is even stil. Laat hem doorpraten, alsjeblieft, alsjeblieft. Wat is er aan de hand met Ruiterbeek? Hij is een onderdeel van het team. Een hecht met elkaar verbonden team, volgens oom Alex. Zo ongeveer omschreef hij het. Toch?

'Ik was zo vereerd toen hij me vroeg om deel uit te maken van zijn team, zo trots.'

Gelukkig, hij praat weer. Ook al komen de woorden belabberd zijn strot uit. Vertel dan, schiet een beetje op, ze houdt het niet meer door die dwingende kriebel in haar keel.

'Bijna zes jaar geleden, maar ik herinner het me als de dag van gisteren. Een mistige ochtend in september, in afwachting van onze meeting, zat ik met een kop koffie aan de rand van het Slotermeer, en maakte me zorgen over de gezondheid van mijn zus. Christine. Christine, daar heb ik je over verteld. In de auto was ik nerveus geweest, maar daar viel alles op zijn plek. De rust, de natuur die wakker werd, het werkte bijna hallucinerend. Achteraf plaagde ik je... je vader wel eens met het vermoeden dat hij me expres liet wachten. Daar aan het water kon ik niets anders dan ja zeggen. Ik geloof niet dat hij wist dat ik allang had besloten op zijn voorstel in te gaan, ook al had ik er geld op toe moeten leggen.'

Ze hoort iets. Zijn het Ruiterbeeks bewegingen? Een geluid, alsof hij kreunt, en dan is hij stil. Praat, verdorie, praat! Het kost haar moeite om zich te concentreren. Vergeten. Slapen. Een aanlokkelijk vooruitzicht. Maar ze mag er niet aan toegeven, al is de verleiding groot.

'Ik werkte... ik werkte op dat moment als laborant van de universiteit in Wageningen. Daar deed ik onderzoek naar de invloed van voeding en beweging op spierziekten, en je vader bood me de kans om mijn bevindingen in praktijk te brengen. Geen reageerbuisjes en grafieken, nee, werken met patiënten die onze hulp hard nodig hadden. Daadwerkelijk constateren wat de cijfers indiceren. In Florence was een vooruitstrevend ziekenhuis dat je vaders therapieën verder wilde helpen ontwikkelen, zonder de stapels wetten en regels die ons in Nederland in de weg stonden. Mijn inbreng zou daar perfect op aansluiten. Met je vader als inspirator heb ik geen moment getwijfeld of ik zou gaan. De eer, maar vooral de noodzaak om aan zo'n belangrijk onderzoek mee te mogen werken, zodat ik mijn zus misschien zou kunnen helpen.'

Wat moet ze met versleten herinneringen die er niet toe doen? Ze heeft liever dat hij haar losmaakt en vertelt of Di Gennaro's dood er de oorzaak van is dat ze hier is, of zo niet, waarom ze hier langzaam maar zeker de weg kwijtraakt.

'Alexander en je vader vormden samen een onafscheidelijk en meesterlijk duo, en dat ik met hen mocht werken was een eer. Vastbesloten om de wereld versteld te doen staan, vertrok ik met ze naar Florence.'

Of ze alles nog begrijpt wat hij zegt, weet ze niet. Ze merkt dat ze een moment mist, even weg is, en dan doemen er beelden op van haar vaders laboratorium, die gepaard gaan met het eentonige zuchten van een zuurstofpomp, en stemmen, stemmen die haar vragen om te helpen. Wat helpen, hoezo helpen, ze kan helemaal niets.

'… ik bedoel, je bent bij zijn lezing geweest, je hebt het zelf gehoord, het is ons gelukt. Je vader heeft het voor elkaar gekregen. Dat virus… het is verbluffend. Al die jaren van onderzoek. Ik bemoeide me er pas relatief kort mee, sinds we hier werken, maar je vader, die al dertig jaar zijn ziel en zaligheid erin legt, de helft van zijn leven heeft opgeofferd aan de geneeskunde, wat hij heeft bewerkstelligd, het is… het is…'

Wordt hij moe? Heeft hij ook last van de warmte?

'Je moet hem zijn werk laten afmaken, Anne-Claire, alsjeblieft, het is belangrijk, belangrijker dan wat ook. Ik zou niet weg willen, maar ik…'

Opnieuw een kreun. Is hij gewond? Ze begrijpt er niets van. Is er nog iemand in de kamer, een zwijgende derde? Heeft ze daadwerkelijk het spannen van een wapen gehoord?

'Laat hem doorgaan, Anne-Claire, laat hem…'

O god, wat gebeurt er? Ze zag zojuist een heldere sterrenhemel, met Jupiter, de Grote Beer, de Poolster en de maan als oplichtende punten van herkenning. Vervolgens keek ze van grote hoogte, alsof ze ergens in de dampkring ronddoolde, naar de aarde. Een bewegende bol, zonder enige verstoring van de mens. Enorme tsunami's, vulkaanuitbarstingen, bewegingen in de aardkorst en inslaande meteorieten hebben werelddelen verschoven, eilanden doen verdwijnen en al het leven op aarde vernietigd.

'Ik… ik kan niet… ik mis Christine…'

Zijn stem klinkt alsof die door een dikke deken wordt gefilterd. Snikkend. Komt dat door haar, of door hem? Ze zou zichzelf onzichtbaar willen maken, als een ster aan het firmament, onopvallend dankzij de veelheid ervan. Zou het echt zo zijn dat het lichaam een soort afweermechanisme in werking kan zetten? Dat het zorgt voor een automatische piloot, terwijl de geest in een afwijkende reddingsbaan wordt geslingerd? Help. De minuten lijken zich voort te slepen, maar hoe lang de momenten duren dat ze zich in andere sferen waant, daar kan ze alleen maar naar raden. Naar Ruiterbeek luisteren wil ze niet meer. Ze sluit zich af voor zijn gejammer. Hij raaskalt over het werk in het lab, gelooft ze, en hoe goed haar vader is. Hij kan beter om hulp schreeuwen. Ze wil verdwijnen naar een ander sterrenstelsel. Waar ze niets weet over zwangerschappen en ziekten.

Haar schuld. Ruwweg van de wereld, zeven letters. Globaal.

'... alsjeblieft... niet...'

Een geluid? Stemmen?

'... ik... ik zou nooit... help me... Anne, pas op, het is...'

Ze kan de geluiden niet plaatsen. Ze wil weg, ver weg, naar een andere dimensie. Ver weg van de hare, waarin de stank van sterfelijkheid gaat overheersen.

Nee, ze mag niet, ze moet wakker blijven. Even dan. Heel even.

27

Ik weet niet wat er allemaal aan de hand is, maar ik maak me zorgen om Anne. Die gaat Cees achterna met haar onverzettelijke behoefte om altijd alles te willen weten en die eeuwige hang naar rechtvaardigheid. Die eigenschappen heeft ze van haar vader, ja, ongetwijfeld; vroeger zat het er ook al in. Dan liep ze dagen met een blauw oog, omdat ze per se een jongetje uit haar klas had willen verdedigen dat werd gepest. Maar dan niet eerst praten, nee, meteen ertussenin springen. En vervolgens natuurlijk klappen opvangen. Het interesseerde dat iele ding met haar eigenwijze vlechten niet eens. Ik herinner me de keer dat ze een schildpad had gevonden. Ze verzorgde het beest, hing een briefje op bij de dierenarts, en toen zich na een week nog niemand had gemeld ging ze zelf op onderzoek uit. In de buurt waar ze het beest had aangetroffen ging ze alle woonhuizen langs, belde aan en vroeg of er een schildpad werd vermist. Typisch Anne.

Ik zou willen dat we samen meer zouden genieten van de tijd die ze hier is... Cees is er ogenschijnlijk rustig onder, hij maakt zich niet zo snel druk. Hij is niet het paniekerige type, nee, dat ben ik meer. Hij is in veel opzichten mijn tegenpool, misschien houden we het daarom zo lang met elkaar uit. Cees houdt van uitbundige, ontwapenende concerten, zoals De Vier Jaargetijden en Gloria in D, van Vivaldi. Of het vioolconcert Opus 15, van

Benjamin Britten, met flink wat Spaans ritme. Ik houd meer van ingetogener werken, bijvoorbeeld Josef Haydns Die sieben letzten Worte; de laatste tijd luister ik graag naar Treurode, een cantate van Bach. Ingetogen, betoverend en zeer ontroerend, elk nummer van dat kunstwerk is werkelijk subliem gecomponeerd.

Maar om hem een plezier te doen luister ik zonder morren naar Vivaldi.

Ik voel me vaak alleen. Dan kijk ik een film, en daarna kan ik er uren over mijmeren. Of ik de hoofdpersoon heb kunnen volgen in de ontwikkeling, hoe het leven van de personages verder zou kunnen gaan, of ik ze nog een volgend podium gun om hun leven verder te leiden. Cees heeft niets met fictie. Hij kijkt het nieuws en leest hooguit een keer een biografie van Obama, in de spaarzame vrije tijd die hij zichzelf gunt, of zijn hoofd verdwijnt in vooraanstaande medische tijdschriften.

Het laatste uurtje van de avond wil hij de dag voor zichzelf afsluiten en drinken we soms iets, als het zo uitkomt. De eerste jaren dat we hier woonden heeft hij de belangrijkste monumenten en musea in de stad bezocht, maar ik geloof dat hij zich inmiddels niet meer echt realiseert dat hij in Florence woont, de bakermat van de renaissance en dus een van de belangrijkste cultuursteden van Europa. Veertig jaar geleden zou hij een moord hebben gepleegd voor een weekend hier.

En nu? Als hij buiten is, dan bevindt hij zich ergens tussen huis en lab; hij heeft zijn mobiele telefoon amper nodig en ik wed dat hij al lang geen oog meer heeft voor de Duomo, dat hij erlangs kan lopen zonder nog verbaasd te zijn over de immense afmetingen van het gebouw.

Verleden tijd. Voltooid verleden tijd. Ik denk de laatste tijd vaak over vroeger. Het zal wel komen omdat ik ouder word; ik heb meer verleden dan toekomst, zo eenvoudig is het.

Ik kan er niets aan doen. Een beklemmend gevoel bekruipt me.

Soms heb ik het er moeilijk mee, en dit is zo'n moment. Soms wil ik van de daken schreeuwen dat ik zo niet verder wil, dat ik eindelijk, eindelijk verlost zou willen worden van mijn leven, van mijn lijf waarin ik opgesloten zit...

Maar ach. Die momenten gaan altijd weer voorbij.

Succes, een doorbraak. Ik heb er alle vertrouwen in dat Cees het voor elkaar krijgt.

O, ik gun het hem zo.

28

Wat is er, waar is ze? Wakker worden, ze mag daar niet blijven, hoe weids en stil het er ook is. Wacht even. Ze voelt iets. Ze moet terug, terug naar de kamer waarin ze niet wil zijn, naar haar moeizame ademhaling, naar haar stramme lijf dat verdoofd lijkt. Terug, ze moet terug naar de werkelijkheid, al lijkt geen enkele vezel in haar lichaam het daarmee eens. Ineens is het daar. Plotseling. Het besef van het koude staal tegen haar hoofd. Vreemd genoeg is er geen moment twijfel over wat het is, dat rondje tegen haar linkerslaap. Het voelt als een koud muntje, maar ze heeft zich eerder het schuiven van metaal over metaal niet verbeeld, en nu weet ze zeker dat het een pistool was. Is. Een pistool! Eén klik, en ze is weg. Ze verstijft, ervan overtuigd dat het over is. Een snelle dood. Ze voelt er vast niets van. Nee. Niet doen. Ze wil niet dood. Als het stil blijft, begint ze te rillen. Zeg me wat je wilt, en ik zal het doen, denkt ze. Alles. Zeg iets. Ze beeft over haar hele lijf, en ze doet nog wel zo haar best niet te bewegen. In plaats daarvan knakt haar nek naar rechts. Nog een keer. Weg van het koude staal. In schokkende bewegingen. Was ze maar niet weer bijgekomen. Schiet dan. Laat het voorbij zijn, het gaat toch gebeuren. Ruiterbeek, waar is Ruiterbeek? En die andere stem? Piep zei de muis in het voorhuis. Opnieuw wordt de loop tegen haar hoofd geduwd. Harder. Niet zo koud meer. Maar wel dodelijk, ha, ha! Wat was dat ook weer voor stom rijmpje? Ze kent alleen de laatste regel. Zeg iets, hufter. Eén klik, en ze is dood. Ze voelt warm vocht tussen haar benen. Waarom helpt niemand? Mm-mm was niet thuis... O ja: vader was niet thuis, moeder was niet thuis. Verdomme, doe iets. Zeg iets. Een geluid om benauwd van te worden, vier letters. Bang. Pas als ze de metalen smaak van bloed in haar mond proeft, merkt ze dat ze de binnenkant van haar onderlip kapot heeft gebeten. Eentonige regeltjes, pas bij de piep van de muis kwam er beweging in de melodie. Hoe begon dat liedje?

'Ultimo avvertimento.'

Wat? Iets betast haar gezicht, een ruk, en ineens staat haar huid in brand. De tape is van haar mond af. Niet van haar ogen, maar dit is... dit is... Ze kan ademen! Goddank! Opluchting, lucht, letterlijk. Ze spuugt uit wat ze in haar mond heeft, ze vermoedt dat het een stuk stof is geweest, en zuigt lucht in haar longen. Benauwde lucht. Zelfs die is meer dan welkom. Ze moet hoesten, maar ze durft niet. Slikken. Speeksel verzamelen en slikken. Is dit een grap, een afleiding, volgt nu de genadeklap? Hou je stil, het gevaar is nog tastbaar aanwezig. Wat zei hij? Een man, ja, dat weet ze zeker. Maar die stem... dezelfde stem als even daarvoor, de stem die ze hoorde met Ruiterbeek. Een bekende stem, maar van wie? Haar hersens weigeren dienst.

'Capito?'

Capito. Begrepen, betekent dat. Wat heeft ze begrepen? Wat zei hij daarvoor?

Ze knikt. Natuurlijk, ze snapt alles. Hoe het universum is ontstaan, waar de mens vandaan komt, dat er leven is na de dood. Ze snapt helemaal niets. U zegt het maar. Wat was precies de vraag? Mag ik dan naar huis? Ik hoef echt geen bonuspunten. Haar hele lijf trilt, het is godsonmogelijk om ermee op te houden.

'*Il tuo ultimo avvertimento, capito?*'

Wat is avvertimento in vredesnaam. '*Sì,*' zegt ze. '*Sì, capito.*' Wat de vraag ook betekende, het enige juiste antwoord is ja, want ze moet iets begrijpen. Waarschuwing, dat is het. Avvertimento. De laatste waarschuwing. De rubberachtige lucht. Ze zakt weg.

Ze ligt anders. Het lukt haar, zij het met grote moeite, haar armen te bewegen. Ze constateert het verbaasd, tegelijkertijd met een onwerkelijke blijheid. Ze is vrij. Ze betast haar gezicht en trekt voorzichtig de tape van haar ogen. De pijn verbijt ze, die stelt niets voor. Niet dood. Haar gezicht voelt plakkerig aan en jeukt. Het is onbelangrijk. De dood hijgde in haar nek, maar ze leeft. Haar keel voelt aan alsof ze weken heeft gehoest, het maakt niet uit, ze leeft. Ze leeft. Ze beweegt haar hoofd en steekt haar neus in de lucht, alsof haar dat iets oplevert. Niets, behalve pijnscheuten in haar nek. Ze is opzij gezakt, in elkaar gekrompen, en het lukt haar niet haar armen of benen te bewegen. Het lijkt alsof ze niet bij haar horen en ze voelen doods, stijf aan. Flarden van herinneringen komen in haar op. Ruiterbeek. Zijn gejammer. Hij miste zijn zus, en hij kon niet... hij zou nooit... wat? Dan pas voelt ze het staal weer. Ze wrijft met haar vingers over haar linkerslaap. Haar handen beven. Haar broek is nat, ze ruikt zichzelf. Ze leeft. Ze kijkt verward om zich heen in de onbekende ruimte, die het meest lijkt op een kruising tussen een eetkamer en een bibliotheek. Ouderwets ingericht met donkere meubelen en oosterse tapijten. Op het eerste gezicht brandschoon, elke stoel kaarsrecht onder de tafel en alle boeken zo netjes gerangschikt op grootte en kleur dat ze er jeuk van zou kunnen krijgen, als ze niets anders had om zich druk over te maken. Ruiterbeeks appartement. Waar is hij?

Met moeite lukt het haar om zich aan de rand van de tafel op te trekken. Haar benen weigeren te doen wat ze wil, maar al snel voelt ze de eerste vreemde tintelingen in haar spieren die wijzen op herstel. Ze heeft dorst en bovendien een onbedwingbare behoefte om te vluchten.

De keuken is zo onberispelijk schoon en netjes dat ze zich afvraagt of die ooit wordt gebruikt. Ze schenkt een groot glas vol water, en drinkt het gulzig leeg. Dat ze het in straaltjes langs haar kin knoeit, merkt ze amper. Als ze zich omdraait, leunend tegen het keukenblok, ziet ze dat de balkondeur openstaat. Een minpuntje in de perfectie. Ze zet het glas weg en loopt de kamer in. Haar bewegingen zijn nog licht ongecontroleerd en houterig, maar opluchting over haar vrijheid en gezondheid overstemt het ongemak, dat bovendien nu snel verdwijnt. Is er ergens een telefoon? Zweetdruppels glijden langs haar wangen. Op de bank zitten en wachten op een taxi die haar naar haar ouders brengt, en dan naar haar matras onder de sterrenhemel. Dat zijn de oppervlakkige gedachten waar ze zich aan wil vasthouden.

Als ze de balkondeur wil sluiten, hoort ze rumoer. Dit is Florence, straatgeluiden zijn hier bij de prijs van een overnachting inbegrepen. Onzin, de nerveuze opwinding die ze oppikt, hoort er niet bij. Haar adem stokt, als ze over de balkonrand kijkt. Het ziet eruit als een bijzondere kunstvorm: een groep mensen heeft zich op gepaste afstand om een figuur verzameld, waardoor het lijkt alsof in het midden een miniatuurvorm van theater wordt opgevoerd. Ruiterbeek ligt op de grond, zijn benen als geknakte luciferhoutjes in een onnatuurlijke stand gedraaid, en aan de linkerkant van zijn hoofd heeft zich een donkere vlek gevormd. Links, hij moest het juist hebben van links, de methodische kant die beredeneert en feiten kan optellen. Moest, want dat het leven Ruiterbeek heeft verlaten, daar twijfelt ze geen moment aan. Koud staal tegen haar linkerslaap. Een politieman staat met zijn armen gespreid voor de mensen, hij beweegt zich traag, schuifelt pasje voor pasje in de cirkel, kennelijk om het publiek op afstand te houden. Niets wijst er echter op dat iemand de neiging heeft dichterbij te komen, ondanks onrustige bewegingen van de mensen. Een tweede politieman zit gehurkt bij het lichaam. Ze hoort een sirene naderen, vrijwel gelijktijdig kijkt de politieman met de gespreide armen naar boven. Instinctief deinst ze terug. De afstand is groot, ze kon niet zien naar welk balkon hij keek, maar het kan niet anders dan dit zijn, waar ze op staat. Aangeslagen laat ze zich op Ruiterbeeks tapijt zakken. Ze trilt als een tak bij windkracht negen. Wat moet ze doen? Helder nadenken lukt niet, ze ziet alleen zijn lichaam in die rare houding voor zich.

De politieman heeft haar gezien. Nou en? Ze wrijft over haar linkerslaap. Ze voelt zich misselijk. Ze wil weg uit dit benauwde appartement, dat ruikt naar angst, en de dood. Weg. Ze onderdrukt de neiging om over te geven, laat de balkondeur open en na enkele aarzelende passen haast ze zich richting uitgang. Waarna ze eerst de deur van de bezemkast opent, en dan alsnog de juiste deur vindt. Ze ontkomt niet aan een blik in de levensgrote passpiegel en is ontdaan als ze haar rode, vlekkerige gezicht ziet.

In de dalende lift krijgt ze opnieuw kotsneigingen als ze in gedachten Ruiterbeeks lijk voor zich ziet en ze ademt langzaam en diep in, en uit. Als ze maar niet flauwvalt. De lift stopt. De deuren openen zich, en dan kijkt ze recht in het gezicht van haar vader. Ze wil iets zeggen, maar haar lichaam lijkt oncontroleerbaar en dan zakt ze vlak voor zijn neus in elkaar.

'Mijn dochter,' hoort ze hem zeggen. 'Zij heeft hier niets mee te maken.'

Hij helpt haar overeind, houdt haar weg van mensen die

kennelijk naar boven willen – ze meent enkele uniformen te onderscheiden – en even later zit ze in zijn auto.

Ze rijden naar haar ouders' appartement. In plaats van de derde verdieping stopt de lift op de eerste. Vaag registreert ze hoe hij een sleutel boven het deurkozijn vandaan tovert, en even later is ze in oom Alex' appartement.

'Jij moet bij je positieven komen en uitrusten,' zegt haar vader. 'Als je moeder je zo ziet, sta ik niet voor de gevolgen in. Stress heeft een ongewenst effect op haar lichaam.'

Ja, ha, op het mijne ook, denkt ze. Hij helpt haar om op de zachte hoekbank te gaan liggen, schuift een kussen onder haar hoofd. Hij is even weg, komt terug, geeft haar twee pilletjes. Ze slikt ze gehoorzaam door met een paar slokken water. 'Ik... ik...'

'Niet praten nu, ik weet wat er is gebeurd, en ik zie dat je ontzettend bent geschrokken.'

Ze is zich ineens bewust van haar natte broek.

'Waarom ging jij in vredesnaam naar Frits?' Hij zucht. 'Stefanie werd ongerust toen je niet terugkwam en ik besloot poolshoogte te komen nemen. De politie was er net bij. Het is triest, maar het is zijn keuze, tenminste, daar ziet het naar uit.'

Huh? Ruiterbeeks keuze? Denkt haar vader dat hij... dat hij zelfmoord heeft gepleegd? Waarom niet, pa weet niet dat zij daarbinnen vastzat. 'Maar, maar ik...'

'Wat? Wat is er? Anne-Claire, ben jij getuige geweest van zijn daad? Was je erbij?'

Ze schudt haar hoofd. 'Ik, ik was...'

'Jij ging eerst ergens een pizza eten, en je kwam toch net voor mij daarbinnen? Anne-Claire?'

Ze wil hem vertellen over het pistool op haar slaap, als ze zich realiseert dat die tweede stem van Tarantini kan zijn geweest.

Ze weet het nog steeds niet, maar een stem die haar bekend voorkwam, en Italiaans sprak? Hoeveel opties biedt dat? Ze moet nadenken, de stem terughalen in haar hoofd. Wat moet ze zeggen?

Haar vader lijkt haar zwijgen als instemming te beschouwen. 'Je hebt hem ook zien liggen. Ik hoopte dat het niet zo was, maar ik zag het aan je ontdane gezicht. Het is vreselijk dat je dit moet meemaken. Wat een afschuwwekkende situatie. Ik zou willen dat ik je dit had kunnen besparen.'

'Ik…' Ze probeert ze tegen te houden, maar de tranen komen toch. Ze kan er niets aan doen, ze denkt aan vroeger, aan de afkeuring die ze altijd in zijn ogen meende te zien. 'Het is…'

'Sssjt. Stil maar, je maakt jezelf overstuur.'

Ze dwingt zichzelf op te houden met huilen. Pa houdt niet van jankende kinderen. Haar vader pakt een washandje en veegt haar tranen weg. Het voelt prettig. Koud. Ze probeert te glim-lachen. Hij vraagt of ze iets wil drinken, wil eten. Ze schudt haar hoofd. 'Heeft oom Alex crème in huis? Bodylotion? Mijn huid jeukt.'

Haar vader verdwijnt, komt even later terug met een blauwe pot. Een mannencrème, althans dat vermoedt ze als ze het dek-sel openmaakt en de geur opsnuift. 'Ga slapen,' zegt hij. 'Of ga in bad. Alexander regelt de formaliteiten op het politiebureau, ik ga hem helpen, dus neem je tijd. Een van ons beiden komt straks terug. Of wil je dat ik blijf?'

Ja, dat zou ze willen, meer dan wat ook ter wereld op dit mo-ment. Bij hem uithuilen, alles vertellen en gerustgesteld wor-den. 'Nee, dat hoeft niet.'

'Dan laat ik je rusten. Als er iets is kun je me bellen, mijn mobiele nummer staat in Alexanders telefoon voorgeprogram-meerd. Akkoord?'

Ze knikt.

29

Ze heeft zich uitgekleed en oom Alex' badjas aangetrokken. Daarna heeft ze een halve bus met een roze substantie leeg gedrukt boven het bad, waarin het water nu stijgt onder een massa schuim. Haar gezichtshuid jeukt nog steeds. Ze wrijft over haar slaap. Koud staal. Als ze in de spiegel kijkt ziet ze een paar kleine restanten tape op haar wangen. De stukjes plakken als opgedroogde lijm aan haar huid, maar met warm water uit het bad laten ze zich eenvoudig verwijderen, zelfs met onvaste hand. Het zal even duren voordat haar bad vol is; ze pakt een fles witte wijn uit de koelkast, schenkt een groot glas tot de rand toe vol en neemt direct een flinke slok. Ze wil dat haar handen ophouden met trillen en ze wil vooral vergeten.

Ze zapt langs de tv-programma's, nerveus op het puntje van een stoel balancerend. De laatste waarschuwing. De tv-beelden dansen voor haar ogen en veranderen in Ruiterbeeks lijk in de cirkel van nieuwsgierige omstanders. Ze kijkt om zich heen, zoekend naar afleiding. Ze bekijkt een foto, waarop hij naast haar vader staat, beiden trots en breeduit lachend met de bul in hun handen, en oom Alex die gebroederlijk een arm om haar vader heeft geslagen. Ruiterbeek gesprongen? Ze heeft stemmen gehoord. Ruiterbeek die iets prevelde over hulp, dat heeft ze zich niet verbeeld. Of wel? Praatte hij in zichzelf? Nee, hij noemde haar naam, herinnert ze zich. Zo'n man bindt haar toch niet vast, hangt een of ander raar verhaal op, maakt haar weer los en springt? Hij was wel verward, in het lab al. Hij gedroeg zich nerveus. Het was Tarantini; hij heeft Ruiterbeek met een pistool bedreigd, hem gedwongen te springen, en daarna heeft hij het wapen tegen haar hoofd gedrukt. Eén klik en ze was dood geweest. Ruiterbeek wilde terug naar Nederland, en het lichaam van zijn zus meenemen voor een sectie. Iets wat haar vader verspilling van geld vond. En wie er over het geld gaat? Precies. Is dat te vergezocht? Ze loopt naar de badkamer, struikelt bijna over een badmatje en constateert dat het bad pas halfvol is. Het is niet te vergezocht, het klopt precies. De stem. Italiaanse woorden. Hij is de baas. En zij moet haar mond houden. Ruiterbeek werd gedwongen haar te overmeesteren en later moest hij springen. Deed hij dat omdat hij een pistool tegen zijn hoofd gedrukt kreeg? Dat lijkt haar de grootste onzin sinds Pluto tot dwergplaneet werd gedegradeerd. Zou zij zijn gesprongen? Nee. Nooit uit zichzelf. Verkoos hij de dood omdat hij zijn zus had verloren en nu niemand meer had om voor te leven? Hij klonk er verdrietig genoeg voor. Of hij werd geduwd.

De Italiaanse tv-zenders bieden vooral veel gepraat, en ze ziet Berlusconi's gladgestreken tronie meermaals langskomen. 'Proost, opa,' mompelt ze. 'Ik heb iets beters te doen dan naar jou luisteren.' Net als ze de tv wil uitzetten, ziet ze een ander bekend gezicht, vol in beeld. Tarantini. Ze zet het geluid harder. De voldane blik op zijn gezicht laat geen twijfel over wat hij te melden heeft: Italië wordt wereldnieuws dankzij een spectaculaire doorbraak in de geneeskunde. Op zijn initiatief en met de subsidie van het ministerie van Gezondheid – zijn ministerie – is er een doorbraak gerealiseerd in het onderzoek naar de ziekte multiple sclerose. Door een team, dat moet erbij worden gezegd, dat hij persoonlijk zes jaar geleden in het leven heeft geroepen.

Onder leiding van de gerenommeerde Nederlandse doctor Den Hartogh. En de doctor zal vrijdag melden dat MS in de nabije toekomst een te genezen ziekte wordt. Monden vol onnavolgbaar Italiaans van de commentator volgen waaruit ze weinig wijs kan worden en vooruit, Tarantini lijkt van het begrip 'bescheidenheid' nooit gehoord te hebben, maar toch. Zijn woorden die MS verbinden met genezen én met haar vaders naam, zijn zojuist door heel Italië – en welke landen ontvangen verder nog Rai Uno? – gegaan. Vrijdag zal haar vader in een persconferentie, gevolgd door een speciale uitzending, het belangrijke nieuws tot in detail onthullen. Daarmee besluit Tarantini zijn triomfspeech. Rai Uno is niet eens in handen van Berlusconi, gelooft ze. Niet dat dat er ook maar iets toe doet. Haar vader wordt wereldnieuws met zijn onderzoek. En zij heeft haar laatste waarschuwing gehad. Ze moet zich er niet mee bemoeien. Was het dan toch ook Tarantini's stem, afgelopen zondag in het kasteel?

Als het bad vol is, heeft ze haar tweede glas leeg. Ze vult een derde en zet dat in het zeepbakje. Het water is heet. Ze masseert haar polsen, waarop enkele lelijke róde striemen zichtbaar zijn. Verder bespeurt ze geen uiterlijke gevolgen van haar gevangenschap. Ze wordt sloom, de werkelijkheid verliest haar ruwe kantjes. Desondanks voelt haar hoofd aan alsof het in een karretje met een noodvaart door de achtbaan giert. Niet te stoppen gedachten, een wirwar van lijnen die ergens met elkaar verbonden moeten zijn. Ze wil niets verbinden, ze wil loslaten. Tot rust komen, net wat haar vader zei. Stefanie heeft hem dus verteld dat ze naar Ruiterbeek was. Wat had ze haar ook alweer gezegd? Dat hij haar had uitgenodigd, dat hij van slag was, ja, zoiets. Grappig, al die kleine, doorzichtige bolletjes op het water. Ze kan ze de lucht in blazen, en dan komen ze in slow motion omlaag gedwarreld.

Plop, plop. Sommige bellen spatten in de lucht uiteen. Zijn lichaam in die rare houding op de grond. Bloed. De donkere vlek naast zijn hoofd. Spring! Is dat een optie? Dat hij zo bang was voor wat er zou gebeuren, dat hij alvast de handdoek in de ring heeft gegooid? Bang voor koud staal? Ze drinkt haar glas leeg en constateert dat ze de fles had moeten meenemen. Als ze haar ogen dichtdoet, ziet ze Ruiterbeek liggen; als ze haar ogen opent, ziet ze hem ook. Soms vloeien beelden van Ruiterbeek en Di Gennaro in elkaar over, om daarna te veranderen in het lachende gezicht op de foto. De zwangere vrouw. Haar schuld. Ze probeert zich te herinneren wat ze heeft gehoord, in Ruiterbeeks appartement, en wat hij haar heeft verteld.

Als de achtbaan nou eens zou stilhouden, dan kan ze helder denken en de tijd nemen alles op een rijtje te zetten. Ze wil opstaan, de fles halen, maar haar benen weigeren. Ze doet een nieuwe poging, klimt uit het bad, en struikelt bijna over een matje. Ze vloekt, en slaat keihard met haar vuist tegen een spiegel, waarin ze haar eigen ontredderde gezicht bijna niet herkent. De spiegel barst en valt uiteen in duizend stukken. Ze schrikt, meer van het geluid dan van haar daad. Ze stapt terug in het bad, en dan ineens begint ze te snotteren, eerst onwennig, dan harder. Lange, gierende uithalen, haar lichaam schokt. Ze huilt om haar moeder en haar magere, zieke lijf in het bed, en vooral om de pijn in haar blik, die uitstraalt dat ze een hulpbehoevend leven niet zal waarderen. Ze voelt haar eigen onmacht om te helpen. Als ze eraan denkt dat haar moeder niet ziek zou zijn als ze er niet was geweest slaat ze de armen om haar opgetrokken benen, omdat ze in het niets wil verdwijnen. Ze huilt omdat ze niet aardiger is voor Stefanie. Ze huilt omdat ze eerder dit jaar een kansrijke relatie om zeep heeft geholpen, omdat hij begon over samenwonen. Ze huilt omdat ze de weeïge geur van de dood heeft geroken. De machteloosheid, het verdriet, de teleurstelling die ze is voor anderen, de ervaring van een doodsangst. Ze huilt zoals ze in jaren niet heeft gedaan, zoals ze misschien nooit eerder heeft gedaan.

Pas als het water koud wordt, dwingt ze zichzelf uit het bad te gaan. Ze trekt haar kleren weer aan, zich er vaag van bewust dat er iets met de broek was maar niet in staat om er serieus over na te denken, en krult zich in een hoekje van de bank op. Misschien zou ze het nu, op dit moment, kunnen doen, willen doen. Van zo'n balkon springen. Eén, twee, drie en voor altijd rust. Haar moeder voor een trein gooien, Stefanie is niet goed wijs. Ze wil verdoving, vergetelheid, rust in haar hoofd. Een nieuwe fles. Waar is haar glas? Het maakt niet uit, ze zet de fles aan haar mond. Hij miste zijn zus. Ze probeert terug te halen hoe zijn stem klonk. Met haar ogen dicht komen flarden van zijn zinnen naar boven. 'Wanhopig' komt het meest in de buurt, denkt ze. Springen. Het moment tussen springen en op de grond neerkomen, hoe zou dat voelen? Zou zijn hele leven aan hem voorbij zijn gegaan, in die paar seconden? Zou zij zich vrij voelen op dat moment, of zou de doodsangst door haar lijf gieren?

Heeft ze zich niet goed afgedroogd? Jawel. Het is wijn. Wijn lekt langs haar kin, op haar shirt. Ze heeft verdomme een slabbetje nodig. En dat niet alleen. Ze giechelt. Nogal hard, merkt ze, en alsof ze betrapt kan worden, houdt ze een hand voor haar mond. Nee, niet voor haar mond. Ze wil ademen. Diep in- en weer uitademen. Ze moet vieren dat ze leeft! 'Proost,' zegt ze tegen niemand, als ze de fles omhooghoudt. En dan hoort ze de deur. Hoera. Haar moeder komt haar halen. Eindelijk. Niet meer alleen. Hé, het is ma niet! 'Oom Alex. Mijn liefste oom. Ik breng net een toost uit op het leven. Ook een slokje?'

'Mon Dieu, wat is er met jou aan de hand?'

30

Slechts een paar fragmenten herinnert ze zich van de vorige avond, waarvan het duidelijkste dat met haar vader is. Hij kwam als een tornado binnenstormen. Vervolgens hielp hij haar woedend twee etages omhoog, haar verwijtend dat ze alcohol had gedronken in combinatie met de kalmeringsmiddelen. Op enig moment is ze in haar bed beland en in een diepe slaap gevallen. Een paar keer is ze in paniek overeind geschoten, meende ze dat ze geen adem kon halen, maar gelukkig sliep ze meteen weer in, vermoedelijk dankzij al het vergif dat ze 's avonds naar binnen had gewerkt. Laat vanmorgen werd ze wakker; haar lichaam voelde stijf en pijnlijk aan, en ze moest haar ogen met haar vingers openwurmen. Met wat oogschaduw kon ze haar opgezette ogen redelijk camoufleren. Dat moest ze doen, zei Stefanie, om ma niet ongerust te maken. Ze begreep het, en deed haar best zich zo normaal mogelijk te gedragen. Desondanks was ze vreselijk onzeker en nerveus, vanmorgen. Ze weet niet wat haar vader heeft verteld, maar ma en Stefanie waren vriendelijk en vroegen niets. Haar zus keek haar wel een keer vreemd aan, misschien verwijtend.

En nu is ze onderweg naar het vliegveld. Ze zit als verlamd in de auto naast haar vader, die de drukte van het centrum wilde ontwijken, en in plaats daarvan slechts stapvoets vooruitkomt in een stroom van verkeer, die zich aan het begin van de middag massaal richting Amerigo Vespucci lijkt te begeven. Ze voelt zich down. Afgewezen, weggestuurd als een klein kind. Maar vooral onzeker. Eerst vond ze het krankzinnig, dat haar vader voorstelde dat ze terug naar Amsterdam zou gaan. Toen ze erover nadacht, leek het haar de enige juiste beslissing en borrelde er iets van opluchting in haar naar boven. Haar eigen leven weer terug, geen doodsangst meer, zich nergens mee bemoeien, wegwezen uit het wespennest waar ze zich in heeft gewaagd. Maar nu...

De stilte tussen haar en haar vader is geladen, en waar ze aanvankelijk het goede voornemen had haar hart uit te storten, zit ze zwijgend naast hem. Zijn hoofd is gevuld met belangrijke zaken, een onderzoek dat de levens van veel mensen kan redden. Ze staat hem daarbij in de weg en zorgt voor vertraging, dat moet zijn conclusie zijn. Haar problemen zijn futiliteiten vergeleken met hetgeen hij doet, en die wetenschap belemmert haar in elke goedbedoelde poging tot communiceren.

'Het was een schitterend feest, afgelopen zaterdag,' zegt haar vader. 'Laten we dat onthouden.'

De wereld om haar heen lijkt een vertraagde opname. Watten in haar hoofd vertroebelen haar gedachten en ze doet niets anders dan twijfelen. Moet ze hem alsnog vertellen over gisteren, haar doodsangst, toen ze vastgebonden in Ruiterbeeks appartement zat? Het pistool tegen haar slaap? Zal hij dan haar uitspatting van de vorige avond begrijpen? Ze moet het aan iemand vertellen, al was het alleen maar om het echt te maken, in plaats van een vreselijke nachtmerrie. Deze doodservaring valt niet in de categorie futiliteiten. Maar nee, ze heeft de juiste beslissing genomen door haar mond te houden. Ze kan haar vader zijn kans op het succes, waar hij zo lang voor heeft gewerkt, niet ontnemen. Zijn kans op onsterfelijkheid.

Belangrijker nog, ze wil er zeker niet de oorzaak van zijn dat MS-patiënten de hoop zullen opgeven. Want stel dat Tarantini verantwoordelijk is geweest voor Ruiterbeeks dood en dat zou bekend worden, dan weet ze niet wat de gevolgen zijn, maar de kans is groot dat ook pa's onderzoek daaronder zal lijden. Misschien wordt het wel afgeblazen. Nu, net voor hij geschiedenis zal schrijven. Nee. Ze heeft een goede beslissing genomen.

'Ja, goed,' zegt ze. Hij ziet er aangeslagen uit. Geen wonder; in enkele dagen twee mensen dood. Drie zelfs, als ze Ruiterbeeks zus meetelt. Ziek. Zelfmoord. Moord?

Vlak bij het vliegveld herinnert ze zich de opgewekte stemming waarin Stefanie en zij waren, afgelopen vrijdag, tijdens de vlucht. Het lijkt een eeuwigheid geleden. Het moeilijkste was haar afscheid van haar moeder. Ze kuste het vermoeide voorhoofd en keek niet in haar ogen, uit angst voor wat ze erin zou lezen. Toen ze daarna haar koffer de provisorische ziekenboeg uit rolde, was ze een moment blij dat ze zich te verdoofd voelde voor welke emotie dan ook.

Voor de ingang van de vliegveldhal laat hij de auto stationair lopen. Hij pakt haar koffer voor haar uit de auto en zet die voor haar neer. 'Bel je moeder vaak op, maar houd haar niet te lang aan de praat, dat vermoeit haar te veel,' geeft hij haar mee, terwijl ze op zijn beide wangen een vluchtige kus drukt. Hij lijkt met zijn gedachten alweer elders.

'Succes met je televisieoptreden,' zegt ze. Ze probeert de prop in haar keel weg te slikken. 'Misschien kan ik Rai Uno via mijn computer kijken.'

'Mooi, ja, vrijdag gaat het de wereld in. Drukke tijden voor de boeg, die ik in mijn laboratorium hoor door te brengen. Er is nog zoveel werk te doen...'

'Ik zou...'

'Zorg dat je uitrust, Anne-Claire.'

Hij loopt weg, zijn lange, statige lijf verdwijnt met zelfverzekerde passen, zonder dat hij nog eenmaal omkijkt. Ze moet zich inhouden om hem niet achterna te rennen en zijn hand te pakken. Ze wil aan zijn zijde door de oude straten van Florence wandelen. Waarom hebben ze nog nooit samen over de Piazza della Repubblica geslenterd en bij een eettentje zoals La Posta gegeten? Waarom zijn ze nooit samen naar het Da Vinci-museum geweest? Hij is een bewonderaar van Da Vinci als natuurkundige, en zij houdt van zijn kunst, dus waarom kunnen ze niet samen een paar uur genieten van die Italiaan en discussiëren over zijn veelzijdigheid? Ze had hem alles moeten vertellen. En ze had hem die ene vraag moeten stellen. Wil ze zichzelf nog meer kwellen?

In het vliegtuig wurmt ze zich tussen een bleke dame met minstens twintig kilo overgewicht en een te zwaar parfum, en een behaarde Italiaan die breeduit lachend met zijn hand op de stoel klopt waar ze moet gaan zitten. Het onontkoombare lot van de passagier die als laatste de cabine in schuifelt en dan ook nog eerst nodig naar het toilet moet. Met haar ogen volgt ze de bewegingen van de passagiers en de crew. Handbagage die in de kastjes wordt gestopt of er juist weer uit wordt gehaald, twee stewardessen die voordoen hoe je een zwemvestje opblaast en een lampje moet aankrijgen. Ze kan zich nooit aan de indruk onttrekken dat ze met speelgoed in de weer zijn, al kent ze de tekst bijna letterlijk uit haar hoofd en weet ze de nooduitgangen blindelings te vinden. Ze pakt zelfs altijd de geplastificeerde gebruiksaanwijzingen van alle reddingsmiddelen erbij en leest de tekst aandachtig door. Afwezig luistert en observeert ze. Wat doet ze hier eigenlijk? Ze had toch besloten niet meer weg te lopen? Niet weggelopen, weggestuurd. Net zoals haar baas haar eerdaags definitief naar huis zal sturen. Nee, ze heeft een heel goede reden om weg te gaan. De laatste waarschuwing. Maar toch. Ze heeft haar missie afgebroken, af laten breken, en niet voltooid. Het zweet breekt haar uit en het indringende parfum van haar buurvrouw maakt haar misselijk. In een opwelling klikt ze de gordel open. Ze staat op, klautert over de Italiaan voordat hij de kans heeft om te protesteren, grist haar handkoffer uit het bagagevak en vlucht naar de uitgang. Of eigenlijk de ingang. De sluis, die iets weg heeft van een reuzenrups, is nog niet afgekoppeld en het kost haar weinig moeite om de stewardess ervan te overtuigen dat ze zojuist een dringend telefoontje van haar vader kreeg om terug te komen omdat haar moeder plotseling naar het ziekenhuis moet. Er schiet haar niets origineels te binnen, maar ze brengt de smoes met overtuiging. Ze geeft de vrouw ook weinig kans haar tegen te houden, ze loopt al pratend door. Bij het eerste het beste toilet haast ze zich naar binnen. Ze drinkt water uit de kraan, fatsoeneert haar haren en recht haar rug. En nu?

Pas als ze buiten besluiteloos om zich heen kijkt naar de niet-aflatende stroom auto's en mensen, realiseert ze zich aan welke impulsieve daad ze zich zojuist heeft overgegeven. Het vliegtuig vertrekt zonder haar. De douane was amper geïnteresseerd in haar onverwachte terugkeer, maar een volgende hindernis lijkt moeilijker te nemen: ze heeft niet eens geld op zak. Een pasje, maar als ze dat in een pinautomaat steekt meldt het apparaat dat haar saldo ontoereikend is. Geweldig. Ze slaat met haar vuist op de toetsen, met als enig resultaat dat ze haar hand bezeert. Een belabberde situatie. Haar spieren voelen stram aan, ze heeft een droge keel die na een avond doorzakken niet zou misstaan en de hitte plakt aan haar huid.

Het lichamelijke leed is echter te overzien, meer pijn doet de afgang. Dat haar vader haar als een ongehoorzaam kind heeft weggestuurd, dat ze het niet heeft aangedurfd om aan iemand de waarheid te vertellen. Zij, die leugens haat en nu juist op zoek was naar antwoorden, die niet meer wilde vluchten. Ze heeft tijd nodig om na te denken. Om na te denken over wat er gebeurd is, en over wat ze moet doen, en wat de consequenties daarvan zijn. Niet als een kip zonder kop rondrennen. Nadenken.

Ze neemt een bus richting centrum en spendeert daarmee de paar euro's die ze uit haar broekzak weet te vissen. Waarom gaat ze niet naar oom Alex? Hij zou haar zeker liefdevol opvangen. Is dat zo? Ook daarover moet ze nadenken. Hij vond haar afgelopen zaterdag, onder aan die trap in het kasteel. Hij loog tegen haar. Wat als hij ervan weet? En wat zal hij doen? Hij zal haar vader bellen, of hij brengt haar naar hem toe, en daarmee verzekert ze zich opnieuw van een enkeltje Florence-Amsterdam. En dat is in ieder geval niet wat ze wil. Een hotel, en de rekening op haar vaders naam laten zetten? En als die hotelmensen nou argwaan koesteren en hem gaan bellen? Wanneer een gezin met twee jonge kinderen haar vraagt of ze een foto van hen wil maken, schieten de tranen haar in de ogen.

31

Haar handkoffer ratelt over de keien, tot ze bij de Duomo aankomt en op een van de stenen banken neervalt. Tussen de vele toeristen valt ze niet op, hoewel er meer met een fotocamera sjouwen dan met een koffer. Niet één van de luidruchtige toeristen die langs haar lopen en naast haar zitten, gewapend met ijsco's en stadsplattegrondjes, lijkt haar op te merken. Alsof ze er niet is. Ze belt de buurvrouw om te vragen hoe het met meneer Jansen gaat. Waarom is ze niet gegaan? Ze had zelf kunnen constateren hoe het met haar brutale vogel gaat, maar de buurvrouw verzekert haar dat ze het uitstekend naar hun zin hebben samen en dat ze met een gerust hart kan genieten van haar vakantie.

Vakantie. Afgezien van een sporadische week uitrusten in Duitsland of Engeland – vakanties die ma afdwong – betekende vakantie in huize Den Hartogh cultuur snuiven. De honderden trappen naar de Sacré-Coeur op klimmen en luisteren naar de gids die hen in dat koude, hol klinkende kerkgebouw rondleidde, terwijl ze veel liever op het plein rondhing, waar vreemd uitgedoste kunstenaars hun vergezichten, kerken en karikaturen hadden uitgestald. Zo'n spannend leven wilde ze ook leiden. Niet meer in dat duffe schoolgebouw, nee, naar buiten en de mooiste dingen maken met krijt. Haar vader bewonderde Gaudí's bouwwerken in Barcelona, de restanten van de Berlijnse muur, en ze hobbelde met haar zus achter hem aan; Stefanie las voor uit een bijpassend toeristenboekje, en zij loerde naar ijskarretjes en wipkippen.

Een diepe zucht ontsnapt uit haar keel, ze veegt het zweet van haar voorhoofd en steekt haar haren achter op haar hoofd vast, zodat ze niet meer in haar nek kriebelen. Vandaag is het extreem heet. Vakanties. Ze heeft iets beters om over na te denken. Wat nu, is zo'n niet geheel onbelangrijke vraag. Ze kan hier niet blijven zitten met haar koffertje en haar laffe ego, zonder een euro op zak. Had ze haar vaders zakgeld nou maar meegenomen. Iemand raakt haar aan. Verschrikt draait ze zich om. 'Wat...'

De vrouw kijkt haar verbaasd aan, vast vanwege haar paniekerige reactie, en vraagt dan naar de tijd. Engels. Een doodnormale toerist. Ze haalt opgelucht adem. *'Nearly one o'clock,'* zegt ze.

'Thanks,' knikt de vrouw, en ze loopt weg.

Schichtig kijkt ze om zich heen. Ze gedraagt zich als een angstige prooi. Aangeschoten wild. De laatste waarschuwing. En anders? Stel dat Tarantini die bedreiging uitte, zal hij haar de volgende keer daadwerkelijk een kogel door haar hoofd jagen? Is ze er zeker van dat hij het was? Ze heeft de stem herkend. Nu ze erover nadenkt, over de stem die zo gedempt klonk, vermoedt ze dat hij een zakdoek of iets dergelijks voor zijn mond hield. Iets om de stem te dempen, anders te maken. Sprak hij origineel Italiaans? Ze durft het niet te zeggen. Maar wat de hele dag al in haar hoofd spookt, moet ze zo onderhand onder ogen zien. Ze heeft de stem herkend, en dat betekent dat naast Tarantini er slechts nog twee opties overblijven. Opties die te bizar zijn voor woorden, die ze onmiddellijk uit haar gedachten wil verbannen. De mogelijkheid dat het een van Tarantini's medewerkers of een verpleger is geweest, schuift ze van zich af. Die mensen kent ze niet, en zelfs de stemmen van de mannen op pa's feest zou ze niet herkennen, maar meer nog is het een zeker weten zonder feitelijke bewijzen. Ze heeft het gevoeld, gisteren. Ze heeft geprobeerd zijn geur op te vangen, in die kamer, maar het enige wat ze rook was haar eigen doodsangst. Waar moet ze naartoe? Wat gaat ze doen? Ze moet een beschut plekje zoeken waar ze rustig kan nadenken. Op dit plein voelt ze zich onveilig. Het besef dat de angst niet van buitenaf komt, maar zich diep in haar lijf genesteld heeft, weigert ze te aanvaarden.

Onzeker over de richting die ze op zal gaan staat ze vertwijfeld op. Ze steekt een sigaret op en slentert langs de kunstenaars, die druk in gesprek zijn met voorbijgangers of collega's.

'Signora?'

Een Italiaan trekt haar aandacht. Voor een toeristenwinkeltje, waar zowel op de gevel als op de markiezen nog reclame wordt gemaakt voor Kodak Film, neemt hij een paar vierkante meter in beslag. Die ruimte is gevuld met een ezel, een gammele tuinstoel en een geraffineerd in elkaar bedacht bouwsel van hout en staal, waaraan hij tekeningen van toeristische attracties en houtskoolschetsen van haar onbekende dames heeft uitgestald. En een parasol, die hem en zijn werken schaduw biedt. Aan de achterkant ontdekt ze een fiets. Het zou haar niet verbazen als hij vanavond in een handomdraai alles kan inpakken en met het bouwsel, dat dan gereduceerd is tot een handige kist, op zijn fiets verdwijnt.

'Mag ik u tekenen?'

'Sorry, geen geld.'

Ze wil doorlopen, maar hij houdt haar tegen. 'Voor mezelf. Om hier neer te zetten. Alstublieft? Mijn naam is Luca. Ik zag u een paar dagen geleden ook al, bij Il Bargello.'

Dan pas herkent ze hem. 'U was een van de medewerkers daar.'

'Niet was, ben. *Sì*. Lunch bedienen om geld te verdienen en een grappa drinken met mijn vrienden, en dan de rest van de dag tekenen.'

Zijn tekeningen van de Ponte Vecchio en de Duomo zijn fleurig en waarheidsgetrouw, maar ook die van dertien in een dozijn. Hij gebaart naar de tuinstoel. 'Alstublieft? Wilt u iets drinken?'

Het uitstellen van een beslissing over haar volgende stap is aanlokkelijk, en als Luca een fles water tevoorschijn haalt en een ontwapenende glimlach op zijn gezicht tovert, gaat ze zitten. Vanuit haar stoeltje kan ze de omgeving in de gaten houden.

'Eigenlijk heb ik liever doorleefde gezichten vol rimpels,' bekent hij, terwijl hij haar met één dichtgeknepen oog observeert. Daarbij houdt hij zijn potlood verticaal voor zijn neus, als een timmerman die de lengte van een latje inschat. 'Maar ik ben vereerd dat u mij uw verfijnde trekken wilt laten vereeuwigen, signora. En... er is iets... iets ondefinieerbaars in uw blik, wat ik hoop te vangen.'

De minuten tikken weg, terwijl ze er steeds meer van overtuigd raakt dat ze in het vliegtuig had moeten blijven zitten. Tegelijkertijd lucht het nietsdoen op, alsof ze haar leven voor even uit handen mag geven en hij de verantwoordelijkheid op zich neemt. Ze kan zichzelf zelfs even wijsmaken dat ze toerist is tussen de toeristen. Hij vertelt over zijn volle leven, waarin hij zijn best doet om zijn ambities als kunstenaar waar te maken en amper tijd overhoudt voor zijn vrienden. In dat leven heeft zijn ziekelijke moeder ook nog een grote plek, begrijpt ze. Hij praat redelijk Engels, hoewel zijn zinnen doorspekt zijn met Italiaanse woorden. Na ettelijke schetsen verandert zijn gespannen blik eindelijk in een glimlach, en als de schaduwen langer worden, proosten ze als oude vrienden, met wijn in plastic bekertjes. Wat gaat ze straks doen? Met hangende pootjes terug naar haar ouders? Ze kan naar het penthouse gaan, haar vader is nooit voor zevenen thuis. De gedachte aan het appartementencomplex bezorgt haar kippenvel. Ze kan Luca vragen of ze bij hem kan overnachten, maar ze hoeft zich niet af te vragen waar dat op uit zal draaien en dan kan ze alleen zichzelf de schuld geven.

'Klaar.' Luca kijkt vanaf een afstandje naar zijn schildersezel en is kennelijk tevreden, want hij knikt. Bedachtzaam, dat wel. 'Moeilijk te vatten, *bella signora,* maar ik ben verheugd over het resultaat.'

In eerste instantie herkent ze zichzelf niet in het portret en ze wil een gevatte opmerking maken, maar dan bekruipt haar de zekerheid dat hij haar gezicht beter kent dan zijzelf. Of moet ze zeggen haar ziel? Kippenvel. Ze weet niet waarom, maar ondanks de hitte trekt een lichte huivering langs haar huid. 'En, ben je er intussen achter wat het is, in mijn blik?' vraagt ze, in een poging niet te laten merken hoe getroffen ze is.

Hij knikt. Traag, alsof hij nog twijfelt over een antwoord. 'Het is alsof je een last met je meedraagt,' zegt hij dan. 'Intrigerend. Een trieste blik is het, maar niet vanwege een verlies. Dat klinkt weinig concreet, vrees ik, maar dat is wat ik zie.'

Het verwondert haar dat het verdriet zo zichtbaar is, maar eigenlijk ook weer niet. Het beeld van haar moeders aftakeling sluimert continu in haar gedachten, om op de meest ongelegen momenten op te duiken. Heeft ze daarnet ook aan ma gedacht, toen hij zo geconcentreerd aan het werk was? Dat moet, of ze heeft zijn intuïtieve meesterschap onderschat. Het is haar schuld. 'Het is… Ik vind het erg treffend,' zegt ze, uiteindelijk.

'Ik zou je mee uit eten willen nemen en je willen laten bekennen waar die blik van je vandaan komt, als ik niet over een uur moest aantreden in mijn rode jacquet.'

'Geen idee dat het al zo laat was,' zegt ze, terwijl ze zich tus-

sen hem en de ezel door wurmt. 'Ik moet er ook nodig vandoor.'
Waar moet ze in vredesnaam naartoe gaan?

'Alsjeblieft,' zegt hij. Hij drukt haar een briefje van vijftig euro in de handen. 'Ik ga je portret opnieuw opzetten en vervolmaken, en dan vang ik er zeker het viervoudige voor. Je hebt het eerlijk verdiend. Als je mij je adres geeft, stuur ik deze op, zodra ik het definitieve doek heb voltooid.'

Hij houdt zich misschien aan zijn woord, maar ze heeft eenmaal een opdringerige Italiaan meegemaakt die ineens op Centraal bleek te staan en haar van daaruit doodleuk belde dat hij eraan kwam. Ze geeft hem het adres van haar zus. Mocht hij wilde plannen hebben, dan heeft ze die alvast voor hem verknoeid. Stefanie zou acuut de politie bellen als er een Italiaan met een tekening van haar zusje voor de deur staat. In andere omstandigheden had ze de vijftig euro teruggestopt in zijn overhemd. Nu accepteert ze het geld, want ze is lichtelijk misselijk van de honger. Ze kijkt een paar keer om, als ze bij hem wegloopt, of hij haar niet volgt. Als ze uit zijn gezichtsveld is, blijft ze staan en observeert hem. Hij heeft zijn spullen ingepakt en fietst weg, niet eenmaal omkijkend.

Op een terrasje vlak bij de oudste kerk van de stad, de San Lorenzo, eet ze *spaghetti ai funghi* alsof ze drie dagen niet heeft gegeten. De Italiaan volgde haar niet, maar dat heeft weinig verbetering gebracht in haar gemoedstoestand. Ze heeft zin in meer wijn. Aantrekkelijk aan de drank, acht letters. Innemend. Ze loert continu om zich heen of niemand haar in de gaten houdt en hoe ze ook haar best doet, het lukt haar niet om aan iets anders te denken dan aan het pistool op haar hoofd. Houdt van drank bij een feest, zeven letters. Lustrum. *Klik,* en ze was dood geweest. Hoe dicht is ze erbij geweest? En nu, als uitkomt dat ze niet weg is gegaan? De gruwelijke aanblik van de dode Ruiterbeek verschijnt op haar netvlies. Moord. Zelfmoord.

Een woord waarmee gespeeld moet kunnen worden in een crypto. Iets met Herman Brood, misschien. Die sprong ook. Ruiterbeek. Het slaat nergens op, dat hij zelf zou zijn gesprongen. Waarom vertelde hij haar zoveel over zijn werk en zijn verleden? Er was wanhoop in zijn stem, zeker, maar er klonk ook angst door in zijn verhaal. Hij moet bedreigd zijn, natuurlijk, net als zij. Ze was niet gesprongen, niet uit zichzelf, nooit. Misschien werd hij ook gevolgd. Ze steekt een sigaret op en plukt wat aan het brood dat ze bij de spaghetti geserveerd kreeg. Een paar mussen komen brutaal hun aandeel opeisen, en terwijl ze de diertjes kruimels toewerpt, vraagt ze zich af wat ze kan doen. Het is de grootst denkbare idioterie. Moet ze als een zwerver hier ergens overnachten, in een portiek? En dan, morgen? Als ze heeft afgerekend is haar kapitaal fors geslonken en ze stopt alsnog het overgebleven brood in haar koffer.

Ze loopt doelloos de straten door, peinzend, zoekend, overwegend, met toenemende ongerustheid over het afnemende licht, dat wijst op het verstrijken van de dag, en het slinkende aantal toeristen. Wat als ze hier straks alleen loopt? Florence is adembenemend in al zijn oude glorie, maar als kersverse zwerver trekt de stad haar niet. Ze beseft steeds beter dat haar actie om te blijven een domme, oerdomme actie is geweest.

Het geluid van kofferwieltjes op de stenen weerklinkt onheilspellend in de nauwe straatjes.

32

Stefanie had haar vader nog nooit zo kwaad gezien. In haar herinnering vond hij het vroeger tijdens de schaarse eetmomenten
samen vooral belangrijk om over de vorderingen in zijn onderzoeken te vertellen en Anne en haar te stimuleren om goed hun
best te doen op school. Misschien vertrouwde hij op hun moeder of oom Alex als het ging om standjes en straffen. Anne
maakte het nogal eens bont met kattenkwaad en slechte scores
bij proefwerken, maar het leek langs hem heen te gaan. Hij
schudde zijn hoofd, hield in het ergste geval zakgeld in of
schoot een keer uit zijn slof, en daarna ging hij over tot de orde
van de dag. Maar gisteravond... haar vader was kwaad, terwijl
Anne kwetsbaar en hulpeloos leek, met verschrikte, rode ogen.
Ze had medelijden met dat brokje ellende en tegelijkertijd kon
ze Anne wel wurgen. Altijd dat gedoe met haar.

Even was ze verbijsterd door het onfamiliaire tafereel. Daarna
maande ze haar vader tot kalmte, wijzend naar moeders slaapkamer. Al had hij honderd keer het gelijk aan zijn kant, het
was overduidelijk dat Anne compleet van de wereld was en
geen woord opving van zijn tirade, en het enige wat hij kon
bereiken was dat ma wakker werd. Ze dirigeerde hem in een
stoel en schonk een glas whisky in. Daarna hielp ze haar zusje
naar bed.

'Wat spook jij allemaal uit?' had ze aan Anne gevraagd, terwijl ze haar toedekte. Op een antwoord hoefde ze niet te rekenen. Anne was als een blok in slaap gevallen, waarschijnlijk had ze haar verhuizing naar bed niet eens opgemerkt.

Op het moment dat ze Annes slaapkamerdeur sloot en hoopte dat haar zusje niet zou gaan slaapwandelen, herinnerde ze zich de eerste keer dat Anne dat deed. Tegelijkertijd schoot haar te binnen dat Anne over dat voorval vertelde, een paar dagen geleden. Droomde ze er niet van? Geen wonder; dat rare kind met haar aandachttrekkerij. Anne was op een winteravond slaap- wandelend op de achterbank van pa's auto gekropen. Waarna pa nietsvermoedend naar het lab ging. Anne volgde hem vervolgens gemoedelijk naar binnen, wilde hem niet storen en speelde een tijdje in de gang, met Pluto, haar favoriete hondenknuffel. Tot ze moe werd en haar vader ging opzoeken, in het lab. Pa was zich rot geschrokken. 'Er had haar ik weet niet wat kunnen overkomen,' zei hij later. Haar zusje was dagenlang van de kaart, deed niets dan huilen, en zelf wist ze ook niet goed raad met Anne; ma lag in het ziekenhuis en alles leek thuis vreemd en ontregeld. Anne slaapwandelde daarna nog een keer of wat, maar de achterdeur ging sindsdien 's avonds steevast op slot en de tochtjes werden beperkt tot de keuken of de woonkamer. Anne ontpopte zich als een rare slaper met die sterrenhemel boven haar hoofd. Vroeger een van karton, en later ging haar zusje met het raam open slapen, zodat ze naar de echte hemel kon turen. Daar begrijpt ze niets van; ze moet er niet aan denken wat voor beestjes er 's nachts naar binnen kunnen vliegen, of kruipen, om zich vervolgens onder het dekbed te verstoppen. Een vriendin van haar moest ooit naar de dokter om een spin uit haar oor te laten verwijderen, die naar binnen was geklauterd toen ze in de tuin lag te zonnen.

Pa heeft haar zusje naar het vliegveld gebracht en zou daarna een late lunch komen gebruiken. Maar inmiddels loopt het tegen vijven en kan ze beter iets voor het avondeten gaan maken. Ma ligt in bed aan haar zuurstofapparaat. Ze heeft Lodewijk een paar keer gebeld en hij ontwijkt het onderwerp dat als een dikke stenen muur tussen hen in is gemetseld, ook al wil ze niets liever dan hem overtuigen van de noodzaak om haar grootste droom na te jagen. Hun conversaties komen echter niet verder dan een uitwisseling over het welzijn van de kinderen, waarna ze koeltjes afscheid nemen. Hij ontwijkt haar pogingen tot verzoening en dat maakt haar verdrietig. Lodewijk heeft Floor gisteravond opgehaald van het ponykamp en haar vanmorgen weer teruggebracht. Haar kleine meid met heimwee.

Anne is naar huis en ze durft niet toe te geven hoe graag ze mee had gewild. Ze is moe. Moe van nachten met te weinig slaap – ze kent het gevaar van verslaving aan slaapmiddelen en liet ze daarom afgelopen nacht onaangeroerd in haar toilettas zitten – en te veel woelen. Ze mist haar leven, ze mist Lodewijk en haar kinderen. Hun vrolijke gebabbel, hun onnavolgbare verhalen van school en hun zoete geur als ze de lakens 's avonds over de vermoeide lijfjes rechttrekt. Alleen vanwege ma heeft ze haar verlangens voor zichzelf gehouden.

Ze maakt een frisse groentesalade, snijdt er strookjes gerookte zalm bij voor haar vader en bakt blokjes tofu voor zichzelf. Nu moet ze de rest van de dagen in haar eentje hier doorbrengen. Ma slaapt veel, en als ze wakker is, is praten soms te vermoeiend. Dan leest ze voor of ze zitten beiden zomaar wat voor zich uit te mijmeren. Tenminste, ze neemt aan dat ook ma dat doet. Het is alsof haar leven stilstaat hier. Op enig ander moment zou ze daar blij mee zijn geweest, de dagen hebben benut met lezen, overpeinzingen en meditatie; nu past het niet in haar programma.

Anne is altijd al een held geweest in het omgooien van andermans schema's en plannen. Zelfs met haar geboorte zorgde ze al voor consternatie. Drie weken te vroeg kondigde haar zusje zich plotseling aan, toen haar moeder naar een balletvoorstelling was komen kijken van haar klas, waarin zij een van de hoofdrollen speelde. Ze had een rode maillot aan en ze moest zich op een zeker moment onder de piano verstoppen. Waar het verhaal over ging dat ze uitbeeldde weet ze niet, en dat komt misschien wel omdat de herinnering aan moeders razendsnelle aftocht richting ziekenhuis, tien minuten na aanvang van de uitvoering, haar meer voor de geest staat. Pa kwam ook naar school gespoed en nam Stefanie mee. Wie haar rol heeft overgenomen, of dat die gewoon spontaan werd geschrapt? Geen idee.

Eindelijk, de deur. Vader, met Alexander.

'Kan Alexander een hapje bij ons eten, Stefanie? We moeten rap weer terug naar het laboratorium; er moet nog te veel gebeuren voor vrijdag.'

'Natuurlijk kan dat.'

Een extra bord, een blikje vis erbij opentrekken, het is zo gepiept. Thuis is ze gewend dat er onverwacht zakenrelaties opduiken en dan wordt er heel wat meer van haar verwacht dan een salade. Thuis. Ze zucht. Ze pakt nog gauw wat soep van gisteren om op te warmen. Die twee werken ongetwijfeld tot vanavond laat door, en dan moeten ze een goed gevulde maag hebben. Haar vader ziet er vermoeid uit, de rimpels in zijn gezicht lijken dieper dan ooit, maar ze bespeurt ook de verbeten trek om zijn mond. Ze volgt terloops de conversatie over het onderzoekswerk tussen de twee mannen, waarvan ze amper iets begrijpt. Als Alexander zich even excuseert, zet ze kommen soep op tafel.

'Dit zou wel eens de laatste keer kunnen zijn, dat we zo samen zijn. Onze wegen, die van Alexander en mij, zullen zich na voltooiing van dit onderzoek scheiden.' Haar vader prikt een stukje zalm aan zijn vork. 'Ik ga me straks richten op de introductie van de behandeling wereldwijd en daarvoor zal ik veel op reis moeten.'

Niets is voor eeuwig. Maar hoe wil hij dat gaan doen, met ma hier? Ze komt er niet aan toe het hem te vragen, omdat Alexander terugkomt en haar vader van onderwerp verandert. 'Wat is er aan de hand met die zus van je, Stefanie?'

Ze is even uit het veld geslagen en kijkt haar vader verbaasd aan.

'Jij zult toch wel weten wat er in dat chaotische hoofd omgaat?'

'Anne was aan het einde van haar Latijn, gisteravond,' zegt ze. 'Het is ook niet niks wat ze heeft meegemaakt.' Ze heeft zin om te gillen. Altijd dat goedpraten, sussen, kalmeren. Tegenover Lodewijk, haar vader, tegenover de wereld. Ik ben er ook nog!

'Ze zoekt het op,' zegt haar vader. 'Alles wat ze de afgelopen dagen heeft gezien en gehoord, het was haar eigen keuze. Jij bent hier toch ook gewoon, met je moeder, zonder enige problemen? Ik begrijp Anne-Claire niet...'

'Sssjt, ma ligt nog niet zo lang in bed,' zegt ze, op zachte toon, alsof ze daarmee ook haar vaders volume kan beïnvloeden.

'Hoe was het met haar, vandaag?' vraagt Alexander. 'Kan ik even bij haar kijken?'

Ze knikt. 'Misschien kun je dan beter nu even gaan, nu is ze nog niet in diepe slaap.'

Hij staat op.

'Ze weet niets van Frits,' zegt haar vader. 'Ik heb haar ook niets verteld van die patiënt die is overleden. Laten we dat zo houden, goed? De miserabele conditie van Umberto's vrouw heeft haar erg aangegrepen en buiten dat was er al genoeg commotie de afgelopen dagen. Ze weet niet beter dan dat Anne uit eigen beweging is vertrokken, omdat ze onverwacht op haar werk met ziektegevallen kampen.'

'Prima,' zegt Alexander.

'Mee eens,' zegt ze.

Alexander klopt zachtjes op ma's deur, verdwijnt daarna in haar kamer.

'Het spijt me dat ik zo'n rigoureuze maatregel meende te moeten treffen, Stefanie,' zegt haar vader. 'Ik vond het pijnlijk om te zien hoe teleurgesteld en ontredderd ik haar op het vliegveld achterliet. Voor de zekerheid heb ik gecheckt of ze niet zomaar in een wildvreemd vliegtuig is gestapt, ik zie haar er probleemloos voor aan, maar gelukkig kreeg ik de bevestiging dat ze aan boord is gegaan. Ik hoop dat ze zichzelf kan herpakken, en dat ze gauw weer in staat is om een weekend te komen.'

Alexander is van mening dat haar moeder hard achteruitgaat. 'Ze hoort in een verpleeghuis, Cees,' zegt hij. 'Hier kun je te weinig acute medische zorg bieden. Met alle respect voor wat je doet, Stefanie, ik weet dat jij je heus wel redt met infusen en injecties, en hetzelfde geldt voor Estella, maar deze situatie is toch niet vol te houden?'

'Ik zal Estella vragen of ze morgen haar taken kan hervatten,' zegt haar vader. 'Dan is er in ieder geval één hulp extra. Je hebt gelijk, verder heb je honderd procent gelijk. Maar een verpleeghuis krijg ik haar niet in, dat kun je rustig vergeten. Ik hoop elke dag dat ze me zal vragen om haar te helpen, maar ik kan haar niet dwingen.'

'We moeten toch iets kunnen doen, zodat ze zich door jullie laat behandelen?' zegt Stefanie. 'Waarom wil ze dat in vredesnaam niet? Is ze inderdaad te zwak voor die behandeling, zoals ze zelf zegt?'

'Een deel van het succes van onze behandeling is gebaseerd

op de wil van de patiënt,' zegt Alexander. 'En ik twijfel inderdaad sterk of Céline de fysieke en mentale kracht daarvoor kan opbrengen.'

'Klinkklare onzin, ik wil het niet horen! Als ze maar wíl, net wat je zegt, dan komt de rest vanzelf,' zegt haar vader.

'Cees, dat is bij...'

'Ik wil daar nu niet over discussiëren,' valt haar vader Alexander in de rede. 'Ze wil niet, en als haar situatie het niet langer toelaat dat ze thuis wordt verzorgd, zullen we haar moeten laten overbrengen naar een verpleeghuis, of naar het ziekenhuis. Ook al zal ze daartegen protesteren.' Hij schuift zijn nog halfvolle bord terzijde. 'Ik ben steeds meer geneigd om haar met bed en al ons ziekenhuis in te duwen. We zullen haar op een of andere manier moeten overtuigen dat ze onze behandeling móét gaan volgen.'

'Maar als ze...' probeert Alexander.

Pa slaat met een vuist op tafel. 'Verdomme! Het is toch ook godgeklaagd, onze wetenschap onwaardig! Hoe vaak heb ik er al niet op aangedrongen? Ik weet niet hoe ik die knop in haar hoofd om moet krijgen. Misschien gaat ze overstag als mijn behandeling internationaal erkenning en navolging krijgt. Dat moet. We moeten in ieder geval nóg harder doorwerken, Alexander.' Kleine zweetdruppels parelen op zijn bovenlip. 'Harder werken. Precies, dan komt alles goed.' Hij lacht, en knikt, alsof hij zichzelf ook moet overtuigen.

'Eet in ieder geval je salade op, pa,' zegt ze, terwijl ze het bord weer naar hem toe schuift. 'Je hebt de energie hard nodig.'

Haar vader staat onverhoeds op, en in de plotselinge beweging stoot hij zijn bord van tafel. Hij aarzelt even, maar loopt dan wrevelig weg. Alexander excuseert zich, en ze glimlacht vergoelijkend. We worden allemaal doodmoe van ma's ziekte, denkt ze, en nu is het eerste bord daadwerkelijk aan gruzelementen.

Een halfuur later is het doodstil in de suite. De borden staan in de afwasmachine, de scherven heeft ze nijdig in de afvalemmer gekieperd. De stilte benadrukt Annes afwezigheid. Ze mist haar zusje, ondanks alles. Ze had zich verheugd op deze week, niet alleen met haar ouders, maar juist ook met Anne, met wie ze de band graag had willen aanhalen. Die paar uurtjes zondag stelden niets voor. Voor ze goed en wel aan de praat waren maakten ze al ruzie. Ze had naar haar zusje willen luisteren, als ze haar problemen op tafel had willen leggen. Want dat Anne problemen heeft, dat is haar duidelijk. Eerst dacht ze dat het te maken had met moeders ziekte. Maar er is meer aan de hand. Problemen op het werk? Ze vermoedt dat het dieper zit. Er rest haar niets anders dan te wachten tot ze Anne weer ziet, en een deel van haar hoopt dat haar zusje zich voorlopig gedeisd zal houden. Geen bericht, goed bericht. Wanneer zal zij zelf naar huis gaan? Kan ze haar moeder eigenlijk wel alleen laten, zelfs als Estella er is?

Het optimisme dat zaterdag vlam vatte, op het feestje waarop ze naast vaders verjaardag ook het fantastische nieuws vierden dat hij en zijn team de genezing van MS van utopie tot werkelijkheid hadden gemaakt, is omgeslagen in radeloosheid.

Ze kijkt een Italiaanse film op tv. Ze verstaat niet alles, maar ze ziet hoe een echtpaar slaande ruzie heeft, en ze huilt stilletjes met de vrouwelijke helft mee. Blijven of weggaan? Huwelijk of carrière? En wat als ze Lodewijk moet missen? Haar kinderen? Ma zegt wel dat ze zich hier wel zal redden, maar hoe dan? Pa komt amper meer uit zijn laboratorium, en wat als hij gaat reizen, zoals hij van plan lijkt te zijn? Ze heeft aangeboden te blijven, maar ma wilde dat niet. Deze afstand had ze zelf verkozen, met vader, en ze moet net als Anne haar eigen leven leiden. Met pijn in haar hart heeft ze geprotesteerd omdat ze haar gezin net zomin kan missen, maar ma heeft haar nu harder nodig. Als ze zou blijven, zou Lodewijk daar begrip voor hebben? Ze hoeft het zich niet af te vragen, want ma wil het niet.

Ze verliest de controle over haar leven, alles wat ze ooit als zekerheid aannam glijdt als zand door haar vingers, en al is ze van nature niet doemdenkend, ze kan het vermoeden niet van zich afzetten dat vandaag of morgen een volgend porseleinen bord in duizend stukken zal vallen.

Om haar snikken te dempen drukt ze een kussen tegen haar gezicht.

33

Verstopt. Anne heeft zich daadwerkelijk verstopt voor iedereen, in een kerk. Als God bestaat kan Hij het haar nu bewijzen.
Met haar benen opgetrokken en haar hoofd op een opgerolde
broek, die dient als hoofdkussen, ligt ze achter het altaar van de
San Lorenzo. Ze heeft zich in de oudste kerk van de stad laten
insluiten, omdat ze omviel van vermoeidheid en niet buiten
durfde te blijven. Ze is niet gelovig, hoewel haar moeder pogingen deed om haar ervan te overtuigen dat er meer is tussen
hemel en aarde dan een sterrenstelsel. Maar ze voelt zich hier-
binnen veiliger dan daarbuiten. Misschien wil Donatello iets
van zijn dynamische kracht met haar delen, hier, tussen de twee
bronzen gevaarten in, twee preekstoelen, die hij ooit beeld-
houwde. Ze torenen hoog boven de houten zitbanken uit, statig en massief, en ze hoopt dat ze haar bewaken. Beschermen
tegen koud staal tegen haar slaap. Ze huivert. Denken aan andere dingen dan aan de spookbeelden in haar hoofd. De preekstoelen hebben namen. Ze willen haar niet te binnen schieten.
Hij gaf niets om geld. Een te benijden eigenschap; op dit moment had zij graag honderd euro gehad voor een normaal bed
in een hotel, hoe klein ook. Een van Donatello's klanten, een
koopman voor wie hij een beeld had gemaakt, klaagde na de
voltooiing over de hoge prijs ervan. Donatello werd woedend

en smeet het werk in gruzelementen. Vervolgens weigerde hij een nieuw beeld te maken, zelfs niet voor de dubbele prijs, die de koopman er inmiddels voor wilde neertellen. Typerend dat dit verhaal haar is bijgebleven, terwijl ze de namen van zijn preekstoelen kwijt is. Misschien zegt dat wel meer over haar dan over Donatello. Zou hij ooit met de dood bedreigd zijn? Het is donker, de kerk telt weinig ramen, zodat het binnen koel blijft. Ze kan afleiding zoeken, de situatie wordt er niet anders van. Ruiterbeek. Zijn woorden malen in haar hoofd, en telkens weer pijnigt ze haar hersens: wat heeft hij gezegd, wat wilde hij haar vertellen, laten zien? Wat moet ze in godsnaam doen, als ze deze donkere uren doorkomt?

De enige hier die haar gezelschap houdt is een kleine muis. Even schiet de nachtmerrie van de brandende rattenlijken door haar heen en heeft ze de neiging het beestje een dodelijke trap te geven, maar ze bedenkt zich. De muis lijkt slechts met heel veel fantasie verre familie van de zwarte monsters in haar dromen. Hij is niet eng, heeft geen verkoolde ogen en op een ander moment had ze het beestje zelfs grappig kunnen vinden. Het is een grijze, met een lichter grijs snuitje, en aan zijn parmantige bewegingen te zien vindt hij het allemaal wel prima. Waarom is hij niet weggevlucht toen ze kwam? Zou hij dement zijn en de weg niet meer weten? Of is hij tam en ergens uit een kooitje ontsnapt, huilt er nu een jochie om zijn huisdiertje?

'Kijk eens, een stukje brood. Lust je dat?' Ze legt een paar kruimels voor zijn neus, maar hij lijkt haar niet te horen. Hij poetst zijn velletje en dat doet hij ervaren. Zijn pootjes flitsen regelmatig en handig langs zijn snuitje, om vervolgens zijn hele kopje te wassen. En met zijn tongetje doet hij de rest, hij is lenig genoeg om zelfs zijn eigen rug te doen. Snel en vakkundig, zo ziet het eruit. Als hij klaar is met de wasbeurt, snuffelt hij rond, pakt alsnog een kruimel brood en nestelt zich in een hoekje van haar broek. Een comfortabel kussen. Hij draait een paar keer om zijn eigen as en plof, daar ligt hij. Hoe simpel kan het leven zijn. Beetje wassen, eten en slapen.

'Welterusten,' wenst ze hem, terwijl ze haar haren losschudt. Ze zitten toch min of meer in hetzelfde schuitje. 'Een teken van kameraadschap was leuk geweest.' Dat is vast te veel gevraagd van een muis. Een muis, nota bene. Kalm aan. Als ze dat de afgelopen dagen iets vaker had gedaan, had ze hier nu niet gelegen. Ze mist haar sterrenhemel. Omhoog turend onderscheidt ze met moeite de immens hoge plafonds, het enige wat ze ziet is dat delen ervan in keurige vierkante vlakken zijn verdeeld. Ze sluit haar ogen en laat de sterren van haar geheugen hun werk doen. Pluto, de zomerdriehoek, langzaam verschijnen ze op haar netvlies en ze merkt dat ze rustiger wordt. Haar ogen vallen dicht. Tot ze plotseling het beeld van Ruiterbeeks lichaam weer in die vreemde, dode houding op haar netvlies krijgt, het pistool op haar hoofd voelt, en begint te rillen.

Blijkbaar is ze toch ingedut. Ze heeft geen idee hoelang ze heeft geslapen, maar aan haar stijve rug en billen te voelen, heeft ze een paar uur gelegen. Ze knippert een paar keer met haar ogen, en dan beseft ze dat iets haar wakker heeft gemaakt. Een geluid. Ze wil voorzichtig overeind komen, maar dan schrikt ze van de muis. Ze was haar kleine medealtaarbewoner helemaal vergeten. De muis is blijkbaar even hard geschrokken en vlucht.

'*Chi c'è?*' hoort ze roepen.

Angstig loert ze over de rand van het tot slaapplek verheven altaar. Als ze nu overmeesterd wordt door een onguur type, is er niemand die haar hoort. Een oude man schrijdt tussen de kerkbanken. Ze vermoedt dat hij hier andere dagen in een godsdienstig priestertenue rondloopt in plaats van zijn spijkerbroek en bruine overhemd. Tot haar opluchting herkent ze in hem degene voor wie ze zich verstopte toen hij de kerk afsloot. Beschroomd geeft ze haar schuilplaats prijs door op te staan. Wat als hij de politie erbij haalt? 'Het spijt me. Ik was moe en hier hoopte ik me veilig te kunnen voelen,' zegt ze in haar beste Italiaans.

'Dat kan, mijn kind. Je veilig voelen in Gods woning is het beste wat je kan overkomen. God is de sleutel tot de rust in je ziel. Maar ik vrees dat we niet ingericht zijn op logees. Loop je mee?'

Een moment overweegt ze hard weg te rennen. Het ontbreekt haar echter aan kracht, en moed, en hoewel ze op haar hoede is, loopt ze naar hem toe.

'Als je wilt, warm ik soep voor je op.' Hij steekt zijn hand uit, en zonder enige terughoudendheid pakt ze die.

'*Grazie, signore,*' mompelt ze. 'Ik ben Anne. Mijn Italiaans is niet erg best.'

'Antonio,' knikt hij. 'En mijn Engels is voortreffelijk.' Zijn voorkomen straalt wijsheid uit. En vriendschap.

Een wankele eettafel van het lelijkste hout dat ze ooit heeft gezien, en stoelen die zelfs op de vrijmarkt 's avonds zielig zouden achterblijven. Een bankstel en een oud keukenblok en dan heeft ze alle meubels opgenoemd. Op de bank ligt een dik zwart boekwerk; een bijbel, gokt ze. Ze kan het niet goed zien, het is donker in zijn huis, dat die naam amper verdient. Het is er wel heerlijk koel, in tegenstelling tot buiten, waar het nog steeds aanvoelde alsof het over de dertig graden is.

Of hij zelf kookt weet ze niet, maar zijn tomatensoep vormt een groot contrast met het armoedige interieur. Het rode goedje is verrukkelijk.

'Wil je het me vertellen?' vraagt hij.

Ze neemt hem inschattend op.

'Een toerist die ook weer geen toerist is, maar wel in een kerk moet overnachten bij gebrek aan een slaapplaats? Je bent

ergens voor weggelopen, in een onbedachtzaam ogenblik ge-
vlucht... of vergis ik me in de blik in je ogen, die ik niet anders kan omschrijven dan als vertwijfeld?'

Hij slurpt. Waar geluiden van loszittende gebitten en malende kaken haar vreselijk kunnen irriteren, heeft dit een knus-
heid waardoor ze zich op haar gemak voelt, ondanks de bijna
ineenstortende huisraad. Niet alleen de soep, maar ook de van-
zelfsprekendheid waarmee hij haar uitnodigde en haar eten geeft,
maakt haar warm vanbinnen. Hoeveel heeft een mens nodig om
gelukkig te zijn?

Deze man leeft waarschijnlijk meer in zijn kerk dan hier. Het
zou haar in ieder geval niet verwonderen. Voor een Italiaan is
hij erg bescheiden in zijn gebaren en woorden.

'Ik had al lang weer in Nederland moeten zijn, en als ik netjes in het vliegtuig was blijven zitten had ik nu in mijn eigen
bed geslapen. Maar ik moest weer zo nodig eigenwijs zijn.'

'Dat kan een te benijden eigenschap zijn.'

'In de juiste dosering, zeker.'

'Waarom vertrok je niet?'

'Het is een nogal lang verhaal.'

'Er is toch niets bijzonders op tv en ik slaap nooit meer dan
drie uren per nacht. Een van de weinige voordelen van de ouderdom. Wil je nog soep?'

Ze knikt. 'Graag.'

Hij heeft niet eens een tv! Of zou hij stiekem nog een andere kamer hebben, een ultramoderne, met flatscreen en design-
spullen? Ze gelooft er niets van.

34

Toen ze naar zijn huis toe liepen schoot de gedachte door haar hoofd dat ze iets had gemist. Iets wat wel degelijk van belang is. En nu kan ze er niet meer bij komen. Hoe harder ze graaft en denkt, hoe verder de herinnering zich lijkt terug te trekken. Het is om gek van te worden. Was het iets wat Antonio zei, dat haar op die gedachte bracht? Ze denkt eraan, terwijl ze hem haar verhaal van de afgelopen dagen vertelt. Of hij alles begrijpt van haar gebrekkige Italiaans, dat meer een mix is van Engels en Nederlands waar Italiaanse woorden doorheen sluipen, weet ze niet, maar het lucht op om te vertellen. De dode man in het kasteel, haar wantrouwen tegen Tarantini, haar angst in Ruiterbeeks appartement en zijn doodsmak. Ze vertelt hem zelfs over haar moeders euthanasievraag, waarbij ze fiks commentaar verwacht van de ongetwijfeld zeer katholieke Antonio. Hij loert een moment over zijn dikke brillenglazen bij het verboden woord, daarna slurpt hij onverstoorbaar verder. Als ze is uitverteld, is het restant van haar tweede kop soep lauw geworden.

'Heeft u geen oordeel over de vraag van mijn moeder?' wil ze weten. 'Of over mijn zwijgen over wat me in dat appartement is overkomen?'

'Ach kind, wat zal ik zeggen. Michelangelo was homofiel en zijn beelden worden volop bewonderd, zelfs door de rooms-katholieken. Er staat een beroemd beeldhouwwerk van hem in de Sint-Pietersbasiliek in Rome. Ik bedoel maar.'

'De *Pietà*.'

'Exact.'

'En dus… wat niet weet, wat niet deert?'

'Als iets vanuit liefde wordt gedaan, dan zou niemand het oordeel van de kerk moeten vrezen, dat is het. Wil je nieuwe soep?' vraagt hij.

'Nee, dank u. Het was erg lekker.'

'En voedzaam. Voel je je iets beter, met een gevulde maag en een gelucht hart?'

'Veel beter.'

'Een kleine moeite kan soms het verschil maken. Je mag hier slapen, als je wilt. Ik heb een bescheiden kamertje met een bed, hiernaast, dan ga ik op de bank. Maar eerst doen we iets aan de spijsvertering.'

Hij pakt een fles grappa uit de kast. 'Een gezond en natuurlijk slaapmutsje,' zegt hij. 'Niets is belangrijker dan de uren die je slaapt ook daadwerkelijk goed en zorgeloos uit te rusten. Er roert zich nog iets in je ziel, ik merk het aan je onrust. Weglopen is slechts een tijdelijke oplossing, dat weet je allang. Vertrouw op jezelf, zou ik willen zeggen. Je bent er sterk genoeg voor. Sterker dan je zelf denkt.'

Ze proosten zonder woorden.

Een moment heeft ze de behoefte om het hem te vertellen, maar het lukt haar niet. Ze kan het niet, net zomin als ze er iets over tegen haar moeder kan zeggen, of haar vader. Meer moed heeft ze nodig, maar ze weet niet of ze die heeft. Ze moet erover praten als ze haar leven opnieuw wil oppakken.

Antonio heeft gelijk. Weglopen is een tijdelijke oplossing. En een slechte. Ze zal ermee ophouden, wat de consequenties ook zijn. De eerste teug grappa vindt brandend zijn weg in haar slokdarm, en net als ze een tweede wil nemen, schiet haar iets te binnen. Iets wat Ruiterbeek zei. Hij had Di Gennaro's dossier thuis. Ja. Hij zei het toen ze bij zijn auto stonden; hij had ook die map met de gegevens van zijn zus onder zijn arm. Di Gennaro's dood in dat kasteel, Tarantini loog daarover en oom Alex in eerste instantie ook. Haar oom legde het later uit en pa ook, maar toch. Ruiterbeek had dat dossier in huis, wat tegen alle regels in is. Dan moet daar iets mee aan de hand zijn, en dat zou passen bij de leugens. Er is meer aan de hand dan zomaar een patiënt die is overleden. Dat moet wel, anders zouden ze haar niet bedreigen. Er is iets in dat kasteel, dat klopt ook met haar wantrouwen tegen Tarantini. Misschien zijn er fouten gemaakt, daar, zijn er meer patiënten overleden, en is ook Ruiterbeeks zus in dat kasteel geweest en overleden. De bewijzen daarvoor moet ze in die dossiers kunnen vinden. Ze moet naar Ruiterbeeks appartement. Ineens weet ze ook wat ze heeft gemist. Het was het moment dat Antonio haar vond, in die kerk. Hij zei iets over je veilig voelen in Gods woning, en dat God de sleutel is tot je ziel.

'Ik hoef niet bij u te slapen. Ik weet opeens waar ik terechtkan.'

'Niet achter het altaar?'

'Niet achter het altaar,' zegt ze. 'Maar ik... ik durf niet alleen over straat. Wilt u met mij meelopen? Het is niet ver.'

'Natuurlijk. Ook al had je het niet gevraagd, ik laat geen mooie dames alleen de nacht in lopen, zelfs niet onder Gods oog.'

'Als ik nog eens in de buurt ben op zondag, kom ik uw mis bezoeken.'

'Mijn mis?'

'U houdt toch wel diensten in die kerk?'

'Ah, ik begrijp het, je denkt dat ik priester ben. *Scuzi,* ik ben slechts de conciërge van de kerk.'

Een moment is ze te verbouwereerd om iets te zeggen. Daarna kan ze zichzelf wel voor haar kop slaan. 'Het spijt me. Ik dacht...'

'Het geeft niets,' zegt hij, terwijl hij zijn hand op haar arm legt. 'Ik beschouw het als een compliment.'

Wat maakt het inderdaad uit. Het enige wat een flinke deuk heeft opgelopen, is het vertrouwen in haar eigen intuïtie. Alsof ze daar ooit mee in het *Guiness Book of Records* zou zijn gekomen...

Ze staat op en geeft hem een zoen op zijn wang. 'De kerk mag blij met u zijn.'

'Andersom geldt hetzelfde.'

Het is halftwee. Florence zucht voelbaar onder de zwoele nacht en slechts een enkeling heeft zijn bed nog niet opgezocht. Met een lichte onrust in haar lijf loopt ze door de straten, haar koffer achter zich aan zeulend. Zelfs met Antonio erbij voelt ze zich onveilig. Misschien komt het door zijn iele gestalte. Ongewild spookt oom Alex' waarschuwing door haar gedachten. Drugsbendes, zakkenrollers, dodelijke slachtoffers... Florence is, meent ze, niet de stad voor grootschalige criminaliteit, en kent geen echte achterbuurten, in tegenstelling tot bijvoorbeeld Napels. Maar nu ze hier zo lopen... Enkele keren kijkt ze wantrouwend achterom, denkt voetstappen te horen, donkere silhouetten te zien.

'Maak je niet bezorgd, Anne, het is een rustige nacht,' zegt Antonio.

Ze glimlacht, nerveus, en hoe dichter ze Ruiterbeeks appartement naderen, hoe trager ze gaat lopen. Volledig idioot, dit idee om nu naar die plek toe te gaan. Ze zal er niet naar binnen durven. Antonio heeft haar zonder dat hij het wist op een idee gebracht. Een idee dat zo voor de hand lag, dat ze het niet zag. Als het meezit ligt op het kozijn van Ruiterbeeks toegangsdeur dat wat er ook bij de andere twee heren van het team ligt: de sleutel. Maar... kan ze daar naar binnen gaan, daar waar ze herinnerd zal worden aan haar doodsangst, en aan Ruiterbeeks lijk op de straatstenen? En, wat ook niet geheel onbelangrijk is: hoe komt ze het gebouw binnen? Iedereen ligt natuurlijk te slapen. Ze peinst, zichzelf vervloekend dat ze daar niet eerder aan heeft gedacht, terwijl ze haar voetstappen telt om haar gedachten onder controle te houden. Ze slaan eindelijk links af, de Via dei Servi in. Zonder toeristen en reclameborden nu een kale straat, waar de hoge panden op dit late uur door de oranjegekleurde straatlantaarns in een spookachtig licht worden gezet.

'Ik ben er bijna,' zegt ze dan, enigszins opgelucht als ze een agent voor de ingang van nummer 49 ziet staan.

'Dat is mooi. Ga dan in vrede, mijn kind.' Hij legt een hand op haar arm. 'Ik moet het je misschien niet zeggen, maar ik ben bang dat de hitte de aftocht voorlopig nog niet zal blazen. Zul je voorzichtig zijn en in de schaduw blijven?'

Hij kijkt haar daarbij zo indringend aan dat ze zeker weet dat zijn goedbedoelde advies niets met het weer te maken heeft.

Ze moet zich inhouden om de agent niet in de armen te vallen. Zijn aanwezigheid is ongetwijfeld een gevolg van Ruiterbeeks dood, de gedachte daaraan bezorgt haar onmiddellijk weer rillingen, maar ze is dolblij met het gevoel van veiligheid. Ze praat zichzelf moed in voor ze hem aanspreekt. Weglopen is slechts een tijdelijke oplossing, dat wist ze allang. Zelfs Antonio heeft het nu gezegd. 'Goedenavond,' zegt ze. 'Politie voor de deur? Er is toch niets ernstigs gebeurd?'

'Dat ligt eraan... Wie bent u, signora?'

'Eh, ik ben Anne Donati, de dochter van professor Filippo Donati.' Ze wijst op het naamplaatje. 'We wonen op nummer 49C, ziet u wel?'

Hij kijkt haar sceptisch aan. 'U bent geen Italiaanse.'

'Half. Spreekt u Engels?'

'Een beetje.'

'Mijn vader is Italiaan, mijn moeder is Nederlandse, begrijpt u? Wat is er nou gebeurd?'

Zijn blik lijkt nu meer bezorgd. 'Kent u een meneer Ruiterbeek? Hij woonde hier ook.'

'Van naam, ja, en ik heb wel eens een praatje met hem gemaakt.'

'Hij heeft vanmiddag een ongeluk gehad.'

'Een ongeluk? In zijn appartement?'

'Nee, signora.'

'Een ongeluk. En dan moet u de wacht houden?'

'Ik kan u niet meer vertellen, *scuzi*. Maar een laatste collega van het sporenonderzoek is daarnet vertrokken. Hij vroeg mij hier te wachten tot twee uur, ik weet het niet, misschien voor het geval ze iets waren vergeten.'

Dus dan is er in ieder geval niemand meer aanwezig in Ruiterbeeks appartement. 'Heeft u een sleutel van het gebouw?'

'*Sì*, ja, waarom?'

'Mijn vader is op reis, en ik ben net met drie uur vertraging vanuit Rome op het vliegveld aangekomen. Ik heb wel de sleutel van ons appartement, maar niet van de voordeur hier. Stom; vergeten. Wilt u de deur voor me opendoen? Ik vind het zo vervelend om Alberto wakker te maken.'

'Alberto?'

'Alberto Predieri, onze buurman op nummer D. Ik mocht hem wakker bellen, heeft hij gezegd, maar ik weet zeker dat hij nu slaapt.' De agent oogt welwillend, maar tegelijk lijkt hij te twijfelen of de deur openmaken toegestaan is. Ze toont hem haar mobiele telefoon en kijkt hem smekend aan. 'Moet ik hem echt wakker bellen?'

'Natuurlijk niet, signora.' Hij buigt lichtjes, terwijl hij een sleutel tevoorschijn haalt. 'Ik maak de deur graag open voor een mooie dame en ik wil het niet op mijn geweten hebben dat ik mensen in dit gebouw wakker maak.'

Een sporenonderzoek na een ongeluk, ja, ja. Zou de agent er echt van uitgaan dat ze dat gelooft? Nou ja. Hij is niet voor niets van de *vigili urbani*, de gemeentelijke verkeerspolitie. Zijn hersens zijn geprogrammeerd op foutparkeerders, niet op nachtelijke fraudezaakjes en zeker niet op recherchewerk, vermoedt ze. Het kan haar niet schelen, ze is opgelucht dat ze het gebouw is binnengekomen. Hoewel, op de vijfde verdieping, bij nummer 49J, aarzelt ze. De doodse stilte in het gebouw voelt unheimisch. Sterker dan je zelf denkt, zei Antonio. Ze strekt haar arm en graait boven het kozijn. De sleutel ligt er. Even later staat ze besluiteloos midden in de kamer van het appartement. Eén ding weet ze wel. Waar ze vannacht verder ook mag belanden, haar koffer blijft hier, ze is het geratel van die wieltjes op de klinkers meer dan beu.

Haar blik dwaalt af naar de verwarming, de plek waar ze doodsangsten heeft uitgestaan en waar ze Ruiterbeeks nerveuze stem hoorde. Waar ze meende dood te zullen gaan. Talmend loopt ze naar de radiator en gaat zitten, drukt haar rug ertegenaan. Ze sluit haar ogen. Er komt niets in haar op, behalve het besef dat haar maag zich omdraait. Het enige wat haar helder voor de geest staat is dat hij praatte over hoe hij met haar vader in Florence terechtkwam. Dat hij de overstap naar Italië voor zijn zus maakte, met name, en dat ze haar vader zijn werk moest laten doen.

Ze checkt de inhoud van zijn koelkast. Een paar stukken kaas, tomaten, eieren, een courgette, meer groenten en een meloen in de onderste lade. Een halfvolle fles witte wijn, flessen frisdrank. Ze schenkt een glas cola in en drinkt het meteen leeg. Hopelijk helpt de cola te voorkomen dat de vermoeidheid het wint van haar wil om te weten. Als ze de kasten langs struint voelt ze zich een inbreker, in de pure zin van het woord, maar ook in Ruiterbeeks privacy. Zijn broeken, ondergoed, bankafschriften, brieven, ze wil het allemaal niet zien maar ze ontkomt er niet aan. Tot ze een kast lostrekt, die het ritme van haar hart opzweept. Een grijze map, met daarop de naam Christine Ruiterbeek. En daarnaast een tweede map, waarop Di Gennaro's naam prijkt. Alsof ze van glas zijn gemaakt, zo voorzichtig legt ze de dossiers op de salontafel. Ze opent het eerste, en krijgt kippenvel als ze Di Gennaro's dode gezicht herkent, en op een tweede foto een totaal ander beeld van hem ziet; een lachende, zongebruinde man.

Het begrijpen van de Italiaanse woorden gaat haar niet erg goed af en de medische termen zijn grotendeels abracadabra voor haar. Ze betrapt zichzelf erop dat haar ogen af en toe dichtvallen, terwijl ze wegzakt in de dikke kussens van de driezitsbank. Maar ze wil niet slapen op deze onheilsplek. Ze controleert of ze de deur op slot heeft gedaan en schenkt een tweede glas cola in.

35

Een plotselinge schreeuw doet haar overeind vliegen en ze is ineens klaarwakker. Kletsnat, en met een stijve, pijnlijke nek. Langzaam beseft ze waar ze is, dat ze zich met grote moeite heeft losgerukt uit haar nachtmerrie en dat het haar eigen stem was die ze zojuist hoorde. Beduusd kijkt ze om zich heen. Het vuur en de ratten kwamen dichterbij. Tot ze haar te pakken zullen nemen en zij zal verschrompelen? Zullen de stemmen dan ophouden? Het kostte haar meer moeite dan de vorige keer om zichzelf wakker te schreeuwen. Een van de ratten hield de loop van een pistool tegen haar hoofd, vlak voor ze overeind kwam.

Aan het schamele licht te zien dat door de kieren tussen de gordijnen komt, is het nog vroeg in de ochtend. Ze vocht ertegen maar is dus toch in slaap gevallen, met haar kleren aan op de bank.

Ruiterbeeks appartement, de kerk, het gesprek. De herinneringen komen terug. De soep, de milde woorden over euthanasie, de priester die zich ontpopte als conciërge. De dossiers.

Ze is doorweekt en heeft behoefte aan een douche. Als ze dat heeft gedaan poetst en flost ze haar tanden zo nauwkeurig, dat ze zeker weet dat ze de vergeten schoonmaakbeurt van gisteravond heeft gecompenseerd.

Een knoop in haar maag belet haar te eten, het enige waar ze zich aan waagt is een kop koffie. Het ligt aan deze plek. Deze ruimte, waarin Ruiterbeeks geest ronddoolt. Het vroege zonlicht schijnt helder op het papier, maar het maakt de ellenlange zinnen in Di Gennaro's dossier niet begrijpelijker. Ze schuift het van zich af. De droom achtervolgt haar, het verkrampte gevoel in haar maag verdwijnt niet. Even de balkondeur open, niet naar beneden kijken. Ze zuigt de frisse lucht in haar longen. Hoewel, fris... zelfs op dit redelijk vroege uur voelt ze al hoe beklemmend de warmte is. Het zou vanmiddag wel eens richting de veertig graden kunnen gaan. In de verte begeven de eerste toeristen zich alweer richting de Duomo. Ze zou bijna vergeten hoe mooi het licht is in Florence. Vooral in de ochtend is dat bijzonder, zo ontzettend anders en vele malen meer imponerend dan in Amsterdam, dat het haar melancholiek maakt. Op een ander moment zou ze zin hebben om met papier en houtskool de stad te vereeuwigen. Ze is jaloers op een type als Michelangelo, die al op jonge leeftijd een uitzonderlijk talent bleek. Het moet fantastisch zijn om indrukwekkende kunstwerken te kunnen maken in een stad als Florence. Het moet ook geweldig zijn om een talent te bezitten dat elke twijfel over de toekomst overbodig maakt.

Ze sluit de stad buiten en doet een nieuwe poging in Di Gennaro's dossier. Ze streept enkele woorden aan die ze niet begrijpt, en vindt een woordenboek Italiaans-Nederlands in Ruiterbeeks boekenkast. Wat ze niet hoeft op te zoeken, is de ziekte zelf. Het Italiaanse *sclerosi multipla* is duidelijk. Di Gennaro is gestorven aan een hartaanval, staat op het officiële document, precies zoals oom Alex heeft verteld. Een *attacco di cuore*, ook daar heeft ze geen vertaling voor nodig. Andere medische termen zoekt ze op, maar ze vindt niets wat haar belangstelling wekt. Haar vaders handtekening onder de overlijdensakte. Een natuurlijke dood. De andere formulieren, over

Ruiterbeeks zus, laten eenzelfde beeld zien. Overzichten van het ziektebeeld, keurig ingevulde statussen en overlijdensakten. Ze zijn allebei zestig plus. Di Gennaro is 1 augustus overleden, om 20.20 uur. Hij is dus inderdaad afgelopen zaterdagavond in het kasteel overleden. Ze leest elke zin zorgvuldig en vindt niets verontrustends. Ook al is het een vreemd idee dat er iemand stierf terwijl ze feest zaten te vieren in het kasteel. Er is geen enkele reden tot wantrouwen. Di Gennaro wilde net zomin in het ziekenhuis zijn als Tarantini's zus, en het team gunde hem een mooie dood, tussen de wijnranken en olijfbomen. Aanzienlijk aangenamer vertoeven dan in het ziekenhuis, waar een patiënt blij mag zijn wanneer er naar hem wordt omgekeken. Als ze de verhalen mag geloven is een patiënt vrijwel ten dode opgeschreven als er geen familie is die voor hem zorgt. De vraag blijft wat Ruiterbeek haar wilde laten zien, ze begrijpt er niets van.

Het loopt tegen de middag. Ze kan, ze wil hier niet blijven, ze had hier niet eens naartoe gewild. Zal ze teruggaan naar haar ouders, doen alsof ze bezorgd was en het eerste vliegtuig met bestemming Florence weer heeft gepakt? Ze zien er haar vast voor aan zoiets te doen. Ze eet een kwart van de meloen op omdat ze het idee heeft dat ze haar maag moet vullen om haar lijf tot rust te brengen.

Ze zet haar telefoon aan en belt haar buurvrouw. Meneer Jansen is in blakende gezondheid, meldt ze, en of ze het niet naar haar zin heeft, dat ze zo vaak belt? 'Je doet alsof je een maand weg bent. Is er iets aan de hand daar? Ik hoef het niet te weten hoor, maar over meneer Jansen en mij hoef je je echt geen zorgen te maken. Wij zijn samen net een stel dat al veertig jaar is getrouwd. Meneer geniet, en ik zorg voor het huishouden. En tussendoor kibbelen we heel wat af.'

Ze liegt en zegt dat ze geniet van haar vakantie en dat ze geen genoeg krijgt van Florence, beëindigt het gesprek en besluit Di

Gennaro's gegevens nog een laatste keer kritisch door te spitten om te kijken of ze iets heeft gemist.

Met tegenzin eet ze nog een stuk meloen. Ze dwingt zichzelf tot nauwkeurigheid, zoals ze die met haar lijken altijd probleemloos weet te hanteren. Ze mist haar werk. Ze mist de concentratie waarmee ze dode wenkbrauwen kan borstelen of donkere huid kan camoufleren. Misschien moet ze Phil Collins' *In the Air Tonight* opzetten, zodat ze zich ook hier met volle aandacht kan richten op wat ze moet doen. Alleen, ze durft te wedden dat Collins niet in Ruiterbeeks muziekcollectie voorkomt.

Na een tijdje veegt ze het dossier geïrriteerd van tafel. Het is afgelopen, ze stopt ermee, het wordt tijd dat ze dit van zich af gaat zetten. Ze zou naar haar moeder willen gaan en zeggen dat ze de komende dagen voor haar zal zorgen. Ze zou willen vergeten wat er gisteren is gebeurd, wat er de afgelopen dagen is gebeurd, en samen met Stefanie willen proberen haar over te halen om haar vaders behandeling te omhelzen. Ze zou willen helpen. Masseren, lichttherapie, wat dan ook. Ze zou daar willen zijn in plaats van hier. Maar het kan niet. Ze kan niet terug, niet weglopen, niet meer.

Als ze de map van de grond raapt, piept er een geel notitieblaadje uit, dat blijkt vastgeplakt aan een vel papier waarop, concludeert ze even later, onder meer het overzicht staat genoteerd van medicatie die is toegediend. Het vel zat verstopt achter een losse flap achterin, stom dat ze daar niet achter heeft gekeken. Het onduidelijke handschrift op het gele kladblaadje dat eraan vast is geplakt, is van Ruiterbeek. Ze herkent de slordige 's' van het cryptoantwoord, dat hij voor haar opschreef. Haar hartslag versnelt.

Ceduto al virus, leest ze. Bezweken aan het virus. En een pijltje waarachter staat dat er overleg nodig is. Dat is alles. Bezweken aan het virus. Is de doodsoorzaak 'hartaanval' onjuist, of in ieder geval onvolledig? Is dat de officiële versie, en moet die andere geheim blijven?

Ze worstelt zich nogmaals door alle papieren heen, en verdiept zich zelfs in cijfers en statistieken die haar kennis te boven gaan. Het enige wat ze uiteindelijk nog ontdekt is dat Di Gennaro pas de laatste dag pijnmedicatie heeft gekregen en ze vraagt zich af hoe de man het zo lang zonder heeft gered. Haar moeder zou zonder al lang het dak van het penthouse hebben geschreeuwd. Geen verdere informatie, maar evengoed: bezweken aan het virus.

Zie je wel. Zie je wel. Zie je wel. Op elke 'zie' bonkt haar hart zo luid, dat ze het meent te horen.

Bezweken aan een virus. Daarover heeft oom Alex niets gezegd. Pa ook niet. Was er bij haar vaders lezing niet een gast die het over een virus had? Deze informatie moet essentieel zijn, Ruiterbeek wilde haar de dossiers laten zien. Tarantini de minister. Hij dwingt haar vader en oom Alex gegevens te manipuleren. Dat is het. Hij is verantwoordelijk, hij moet succes oogsten. Hij moet natuurlijk ook weer verantwoording afleggen. Aan Berlusconi? Wordt haar grap over Tarantini als maffioso ineens pijnlijke waarheid? Als dat zo is, dan moet ze het eerste vliegtuig pakken richting Nederland. Dit is geen wespennest, dit is een kamikazeactie.

36

Ze wil weg uit Ruiterbeeks appartement, uit de benauwende lucht ontsnappen voor ze doordraait en Ruiterbeek achterna springt. Ze stopt de twee dossiers in haar koffer en verstopt die in de gangkast. Ze plakt de sleutel boven het deurkozijn en constateert dat de uniformen vandaag belangrijker zaken te doen hebben dan een leeg appartement bewaken. Als ze de entree van het appartementencomplex uit wil lopen valt haar oog op de postbus van 49C. Er steekt een stuk krant uit, ze kijkt om zich heen om te controleren of er niemand in aantocht is en prutst het dagblad uit de box.

Even later installeert ze zich in een beschut hoekje van een terras, dat op genoeg afstand van de drukbezochte Duomo ligt. Ze bladert plaatjes kijkend door de krant. Als ze het met haar lekenverstand goed heeft begrepen, zorgt een virus ervoor dat de medicatie op de juiste plekken terechtkomt. Ze probeert zich te herinneren wat haar vaders gast na afloop van de presentatie vroeg over dat virus, en wat hij antwoordde. De zoon van die gast was arts, dat herinnert ze zich. Waarom herinnert ze zich dingen die er niet toe doen? Berlusconi staat ook weer paginagroot in de krant. Een mediarel, begrijpt ze uit de kopteksten. Iets over waarheidsgetrouw weergeven van feiten.

De waarheid. Oom Alex heeft niet de hele waarheid verteld, toen hij bekende dat Di Gennaro afgelopen zaterdag stierf, noch haar vader. Ze wilden haar doen geloven dat ze spoken ziet. Tarantini ontkende dat er een dode lag in die kasteel- kamer, maar haar oom ook. Pa gaf het toe, en maakte haar dui- delijk dat waar gewerkt wordt, nu eenmaal spaanders vallen. Tarantini loog, oom Alex ook. Later vertelde haar oom haar op- nieuw niet de hele waarheid, want er is overduidelijk meer aan de hand met Di Gennaro's dood. Oom Alex. De oom die haar oom niet is, die ze altijd voor honderd procent vertrouwde. Er gaan mensen dood die aan de onderzoeken deelnemen. Twee MS-patiënten die ver heen waren, volgens de geleerden, en die anders ook snel zouden sterven. Er zullen vast nog meer pa- tiënten zijn voor wie de behandeling te laat kwam. Nou en? Ze deden vrijwillig mee, maar wie pakt er niet een laatste stro- halm als de dood het enige alternatief is? Ze rekent af en ver- laat het terras. Haar moeder. Ze is ook voor haar moeder geble- ven, ma is zelfs de reden dat ze hier is gekomen, ze moet terug en met haar praten. Nu ze zo ver is gekomen, wil ze niet on- verrichter zake terug. Ze zal haar moeder vertellen waarom ze zo slecht slaapt, ze zal opbiechten waarom ze nachtmerries heeft en haar baan aan een zijden draadje hangt. Niet meer weglo- pen, heeft ze zich voorgenomen, wat de gevolgen ook zijn. Ver- trouw op jezelf, zei Antonio. Je bent er sterk genoeg voor. Ster- ker dan je zelf denkt. Kan ze dat geloven? Het moet. Ze moet het zeker weten, het verstoppertje spelen is afgelopen. Als ze…

'Watch out!' schreeuwt iemand. Dan pas hoort ze het lawaai van paardenhoeven, van stemmen ook. Ze voelt hoe ze naar achteren wordt getrokken. Een koets flitst rakelings voor haar langs. Vaag is ze zich bewust van verschrikte gezichten.

Ze zakt in elkaar. Wat is er? Waar is ze?

Iemand helpt, ze voelt een arm om haar schouders. Ze hoort woorden die niet tot haar doordringen. Ze trilt, ze heeft geen controle over haar lichaam. Verdwaasd kijkt ze om zich heen. Een paar mensen zitten gehurkt naast haar. Ze wil opstaan, ze moet weg.

'Even rustig aan, jongedame. Alle kleur is uit je gezicht verdwenen.'

Een paar vriendelijke, lichtgrijze ogen, sterke armen, ze helpen haar op een stoel. Ze krijgt een glas water voorgehouden. Verkoelend water.

'Het moet de hitte zijn,' hoort ze een stem zeggen, die hoort bij de vriendelijke ogen.

Na twee glazen water lukt het haar eindelijk om te zeggen dat ze zich beter voelt. Ze bedankt voor de hulp, verontschuldigt zich voor de overlast, pakt haar krant en loopt zo zelfverzekerd mogelijk weg.

Op een piepklein terras waar slechts een oudere man zit, probeert ze haar gedachten te ordenen. Ze steekt een sigaret op en volgt met haar ogen een gezin met twee kinderen. De jongste, een meisje met rode krullen, zit op vaders schouders en praat honderduit. Het stemt haar weemoedig. Zo kan ze niet door. Ze voelt zich achtervolgd, bedreigd, het is allerminst vreemd dat ze de controle verliest. Maar er komt een moment dat er niemand schreeuwt, als ze in gedachten een straat oversteekt.

Ze bladert afwezig door de krant, en bladert terug. Zag ze nu net... Jazeker. Haar vaders hoofd, klein afgebeeld, met een kort artikel. Zijn persconferentie wordt aangekondigd, maakt ze op uit de datum die erbij staat vermeld. Aanstaande vrijdag, in de Biblioteca Nazionale. Pers is welkom. Ze staan aan de vooravond van wat een doorbraak zal betekenen in de behandeling van patiënten die lijden aan de ziekte *sclerosi multipla*. 'Florence, wat heet, de wereld zal op zijn grondvesten schudden', zo wordt haar vader geciteerd, als ze het goed heeft. De laatste alinea van het berichtje, waarin wordt gemeld dat minister Tarantini vanmiddag op diezelfde locatie enkele internationale geneeskundehotemetoten zal ontvangen, trekt haar aandacht. Dat is het. Tarantini. Ze ademt diep in, zich vaag bewust van het angstaanjagende voornemen dat zich aan haar opdringt. Hij moet op de hoogte zijn geweest van wat er zondag op dat kasteel speelde. Hij is de baas, hij zorgt dat pa en oom Alex hun onderzoeken kunnen doen. Haar oom heeft in opdracht van hem gelogen, zijn auto stond maandag bij het ziekenhuis. De antwoorden liggen bij hem. Dat moet. Alleen, hoe krijgt ze het voor elkaar, rondom een officieel internationaal bezoek, een minister onder vier ogen te spreken? Het moet lukken, ook al jaagt het idee haar angst aan.

Op wankele benen verlaat ze het terras. Ze heeft trek, de knoop in haar maag is verdwenen en ze besluit de vriend van afgelopen nacht te bedanken voor zijn hulp. Daarna zal ze proberen of ze bij de Biblioteca Nazionale binnenkomt.

Bij een onbeduidend zaakje halverwege de San Lorenzo koopt ze een stuk pizza, waarna ze zo goed als blut is, en daarna loopt ze naar de kerk. Hij is er, gelukkig. En met de pizza is ze aan het goede adres, getuige Antonio's twinkelende ogen. *'Bella signora,'* zegt hij. 'Dat is alleraardigst van je.'

De conciërge veegt de vloer van de kerk.

'Zal ik dat voor u afmaken?'

'Dat is fijn, mijn kind. Dan zorg ik voor een kop koffie.'

In eerste instantie lijkt de bezembeurt haar zeer overbodig, de vloer oogt om van te eten, maar als ze eenmaal bezig is, komt ze op dat oordeel terug. Snoeppapiertjes, stofnesten, een enkele knoop en, warempel, ook nog een muntstuk van vijftig eurocent. Dat gooit ze in een bakje met water, waarin ze meer muntstukken bespeurt. Zou ze nu een wens mogen doen? In de kerk heeft ze vast dubbel zoveel kans dat die uitkomt, of geldt dat alleen voor gelovigen?

Op een van de houten kerkbanken verorberen ze het stuk pizza, dat hij in tweeën heeft gedeeld.

'Je ziet er vermoeid uit,' zegt hij, met een bezorgde blik. 'Ben je wel op de goede weg?'

Ze vertelt hem dat ze minister Tarantini wil confronteren met een leugen. 'Hij is vanmiddag in de Biblioteca Nazionale, en ik moet hem spreken, ook al ben ik doodsbang.'

Hij denkt na, terwijl hij op de laatste hap van zijn stuk pizza kauwt. 'Wil je dat ik met je meega?'

Ze schudt haar hoofd. 'Het gaat niet om de fysieke confrontatie. Er zullen genoeg mensen aanwezig zijn; dan zal hij me echt niets aandoen. Nee, ik ben bang voor wat ik te weten zal komen. Gisteren heb ik u verteld over die patiënt, die overleed in het kasteel. Intussen heb ik iets gelezen, ik heb zijn dossier ingezien, en ik weet dat er mensen opnieuw tegen me hebben gelogen. Mijn vader, mijn oom, u weet wel, de collega van mijn vader. En dus ook die minister, met zijn mooie praatjes over truffels. Toen ze daar in dat kasteel pasta zaten te eten en vrolijk waren, ging er boven onze hoofden iemand dood. Ze wilden me doen geloven dat hij een natuurlijke dood was gestorven, maar dat liegen ze. Er is iets met de behandeling misgegaan. Het heeft te maken met een virus. Mijn vaders collega is niet uit zichzelf gesprongen, daar geloof ik niets van, en dat pistool tegen mijn slaap voel ik nog steeds.'

'En je verdenkt onze minister, Umberto Tarantini.'

'Hij moet ervan hebben geweten, hij is de baas, het gebeurde onder zijn dak. En anders... anders... daar wil ik niet aan denken...'

'Familie moet elkaar helpen, en beschermen.'

'Ja,' fluistert ze. 'Maar intussen durf ik niet eens naar huis. Naar mijn ouders' appartement, bedoel ik. Daar woont oom Alex ook.'

'Weet je zeker dat je alleen naar de Biblioteca wilt gaan?'

226

'Nee. Maar ik doe het wel.'

'Sterker dan je denkt,' knikt hij. 'Ik meende het. Je bent sterker dan je denkt.'

Ze hoopt dat hij gelijk heeft.

37

Inmiddels maak ik me ernstig zorgen over Cees, en over zijn on-derzoek. Hij laat weinig los over zijn problemen, maar ik ben bang dat er iets vreselijk mis zal gaan.

En Anne op het vliegtuig naar Nederland...

Ik ben niet alleen bang, ik weet zeker dat er iets misgaat. Ik probeer er zo min mogelijk aan te denken, erover praten doen we al helemaal niet. Cees is geconcentreerder dan ooit, hij heeft al zijn aandacht en energie nodig om de laatste puntjes op de i te zetten, zoals hij het noemt, voordat het vrijdag is.

Ik bespeur de spanning in zijn lijf, en tegelijkertijd zijn kracht. Als Cees te maken heeft met tegenslag is hij op zijn best, is hij meer gefocust dan ooit om die te overwinnen.

Zijn doorzettingsvermogen is, als ze het mij vragen, vooral op zijn jeugd terug te voeren. De laatste tijd denk ik ook daar veel aan, aan de oorlog, bedoel ik. Al weer verleden tijd. Voor hem voltooid, voor mij minder.

Cees' vader zat in het verzet, was een oorlogsheld, en Cees heeft me wel eens verteld dat de Tweede Wereldoorlog ook of juist na '45 erg aanwezig was in zijn familie. Cees, geboren in die oorlog, leerde al jong dat hij moest vechten voor zijn eigen hach-je. Hij leerde ook hoe oneerlijk het leven kan zijn, en dat hij geen tijd mocht verspillen aan onbelangrijke zaken. Ik denk wel eens

dat hij gebukt ging onder het heroïsme van zijn vader, dat hij daar-
om die gedrevenheid in zich heeft, maar de enkele keer dat ik
daar iets van zei, deed hij mijn suggestie af als nonsens. Bij Cees
hadden ze onderduikers in huis, en zijn vader zat in het verzet. Hij
is op een gegeven moment verraden, werd verhoord en zelfs ge-
marteld door de nazi's, waarna hij is ontsnapt aan een zekere
dood en zich enkele maanden heeft schuilgehouden in een bos,
levend van wat de natuur hem kon bieden. Tot aan zijn dood heeft
hij elk jaar meegelopen in het defilé; kin omhoog, borst vooruit.

Bij mij was het anders. Heel anders. Mijn ouders waren Joods
en hebben het grootste geluk van de wereld gehad dat ze in het
oosten van Nederland ergens werden verstopt waar ze niet
werden gevonden, in tegenstelling tot sommige familieleden. Ze
moeten weken, maanden, jaren in doodsangst hebben gezeten,
maar ze hebben er nooit over kunnen of willen praten. Als het
woord 'oorlog' viel, was het alsof er ineens een muur van stilte
en verdriet werd opgetrokken. Ik had hun verhalen graag willen
horen. Ik had willen begrijpen wat er achter hun diepe zorgrim-
pels schuilging. Het maakte me vroeger erg onzeker, en ik wenste
duizendmaal dat ik er iets aan kon doen, dat ik kon helpen.

Cees en ik praten er samen tot mijn spijt ook vrijwel nooit over,
over dat al dan niet voltooid verleden. Ik heb echter wel de in-
druk dat Cees het achter zich heeft gelaten, maar dan ook echt,
dat het hem op geen enkele manier meer bezighoudt. Hij heeft
alleen dat doorzettingsvermogen eraan overgehouden. Hij heeft
het positieve eruit kunnen halen.

Enerzijds boezemt hij me angst in, als ik hem zo meer dan ge-
dreven zie, zo gefocust. Anderzijds ben ik vreselijk jaloers op
hem in die hoedanigheid. Stiekem wens ik dat hij die kracht voor
mij zou bewaren, dat hij naast me zou komen liggen, 's nachts,
zodat ik in zijn armen kon liggen, warm en beschermd. Waar-
schijnlijk zou ik geen oog dichtdoen.

38

Op het moment dat Anne voor de Biblioteca staat, voelt ze zich geïmponeerd door het statige gebouw met de zuilen naast de ingang. Een toren links, een rechts; symmetrie in haar zuiverste vorm. In tuinen vindt ze het onnatuurlijk kitsch, maar bij gebouwen houdt ze ervan, het maakt ze evenwichtig. Ze loopt naar binnen, zich erover verbazend dat er geen bewaking is. Haar aarzelende voetstappen klinken hard en hol op de stenen vloer van de hal. Ze is er nooit binnen geweest en heeft dus zelfs nooit Galileo's koepel bewonderd. Ze heeft niets met bibliotheken en het enige wat ze van deze weet is dat er zich nog niet zo heel lang geleden een ramp heeft voltrokken, toen de Arno, die hier vlak achterlangs loopt, overstroomde. Geen slimme plek voor een bibliotheek, bij nader inzien. Op een bord staat met krijt zijn naam geschreven, TARANTINI, met een pijl eronder. Het schijnt dat ze boeken die waterschade hebben opgelopen bevriezen, om ze vervolgens met een eigenaardig goedje te ontdooien, waarbij het ijs wordt getransformeerd in waterdamp; water in gasvorm, zonder tussenkomst van een vloeibare toestand die de papiervezels zou beschadigen. Voor de deur, waarachter hij blijkbaar zijn lezing geeft, staan alsnog twee breedgeschouderde lijfwachten met gekrulde snoertjes in hun vierkante nekken. Vroeg of laat moet hij door die deur komen. Ze gaat op een bankje zitten, en wacht, onrustig balancerend op haar ene, dan weer haar andere bil. Familie moet elkaar helpen, en beschermen, zei Antonio. Ze onderdrukt de ingeving om op te staan en weg te lopen. Als even later de deur opengaat staat ze op. Na enkele heren die voorbijlopen, ziet ze hem, omringd door mensen en enkele lijfwachten. Ze voelt de zenuwen door haar keel gieren als ze een stap vooruit zet. Hij ziet haar, kijkt haar aan en herkent haar. Ze bespeurt het in zijn blik, zijn wenkbrauwen die verbaasd omhooggaan.

'Meneer Tarantini, ik wil, ik móét u iets vragen,' bekent ze.

'Waar gaat het over?'

'Dat kan ik u misschien beter onder vier ogen vertellen.'

'Ik moet naar een vergadering,' zegt Tarantini. 'Het spijt me.' Hij loopt met ferme passen weg.

'Wacht! Alstublieft. Het is ontzettend belangrijk, het gaat om meneer Di Gennaro.'

Hij stopt, en draait zich om. 'Wat?'

Ze loopt op hem toe, bang dat haar benen het elk moment kunnen begeven. 'Afgelopen zaterdag is de heer Di Gennaro overleden in uw kasteel,' fluistert ze. Hij aarzelt, ziet ze. 'Om twintig uur twintig.'

'Hoe weet jij daarvan?'

'Het stond in zijn dossier.'

'Ssjt. Geen woord meer,' zegt hij, kortaf.

Tarantini roept iets, zijn blik is ineens donker. Ze verstaat hem niet en voor ze het goed en wel beseft en ook maar iets kan doen, grijpt een van de lijfwachten haar arm.

'Stop,' schreeuwt ze, 'dit kunt u niet zomaar…'

Ze krimpt ineen onder de druk van zijn hand. Ze gilt, en meteen wordt haar mond bedekt door een hand. Ze merkt dat haar voeten de grond niet meer raken en voelt een arm van staal om haar middel.

Hij sleept haar simpelweg mee. De onmacht maakt haar woedend, en angstig.

Ze schopt, grijpt om zich heen, ze wil dat benauwde gevoel niet meer, nooit meer. Laat me los, laat me los! Ze probeert tevergeefs te schreeuwen, zich los te rukken en hem te bijten. Hij is te sterk.

'Neem haar mee,' hoort ze Tarantini zeggen.

Waarheen? Wat gaat hij met haar doen? Hoe heeft ze zo dom kunnen zijn om dit in haar eentje te willen? Waarom heeft ze Antonio's aanbod niet geaccepteerd om haar te helpen? Tarantini is een wolf in schaapskleren.

Inmiddels heeft de tweede lijfwacht haar andere arm gepakt, en tussen hen in ondergaat ze lijdzaam haar lot. Tegenwerken is zinloos. Ze is helemaal niet sterk, en zeker niet sterker dan ze denkt. Ze zijn buiten, en ze ziet de auto. De grote zwarte met de getinte ramen. Tarantini's auto.

Waar zullen ze haar naartoe brengen? Wat is hij van plan?

Een van de lijfwachten opent het portier, de andere helpt haar kalm maar dwingend om achter in Tarantini's auto te stappen. Ze protesteert niet, omdat degene die haar helpt in te stappen dreigt haar mond opnieuw te zullen bedekken. Ondanks haar angst is ze opgelucht. Geen pistool. De deur sluit met een opvallend zacht geluid. Ze verwacht dat de lijfwachten voorin zullen instappen, maar dat gebeurt niet. In plaats daarvan verschijnt Tarantini naast haar op de achterbank. Gehaast, opgewonden. Hij kijkt haar aan en lijkt te schrikken van haar blik. 'Je hoeft niet bang te zijn, toe, alsjeblieft, kijk me niet aan alsof ik een monster ben.'

'Waar brengt u me naartoe?'

'Nergens. Wees niet bang. Ik vreesde dat je daarbinnen over… eh… iets zou gaan zeggen, waar al die mensen bij waren, en daarom raakte ik in paniek, begrijp je?'

Ze slaakt een zucht van verlichting en veegt haar klamme

handen af aan haar broek. 'Ik wilde… Het gaat om die man. Di Gennaro. Ik heb het dossier gezien, en in zijn overlijdensakte stonden de datum, plaats en tijd. Zaterdagavond, te Rufina. Mijn vaders handtekening staat eronder.'

'Je hebt gelijk.'

Ze had alles verwacht. Een sneller ritje naar haar ouders' appartement dan ze ooit heeft meegemaakt, een uiteenzetting over geldtekorten in Italiaanse ziekenhuizen, excuses voor een fout in de behandeling die verborgen moest blijven voor het ziekenhuispersoneel, tot een maffiadreiging toe. Maar niet dit. 'Hoe bedoelt u?' is haar haperende en allerminst intelligente reactie.

'De heer Di Gennaro is die avond in mijn kasteel daadwerkelijk overleden en het spijt me dat je daar getuige van bent geweest.'

'Waarom heeft u er dan over gelogen?'

'Daar kan ik helaas geen mededelingen over doen.'

'Waarom niet?'

'Dat is in het belang van de geneeskunde.'

'Volgens oom Alex, ik bedoel Alexander, en mijn vader was hij slechts een patiënt die niet in het ziekenhuis wilde sterven. Maar dat geloof ik niet. Ze liegen, of ze vertellen me niet alles. Ik wil het nu weten. Is er iets misgegaan tijdens de behandeling?'

'Hoe kom je daarbij?' Hij lijkt oprecht verbaasd.

'Omdat er een notitie in zijn dossier staat, van een van mijn vaders collega's, die dat suggereert.' Haar nervositeit ebt weg, maakt plaats voor de wil om te weten.

'Het is een onbegrijpelijke tragedie,' zegt Tarantini. 'Een waardevolle specialist die zich zo heeft ingezet voor dit onderzoek, en nu maakt hij de grootse finale niet mee.'

'U doelt op Ruiterbeek.'

'Uiteraard.'

'Ik was erbij, in dat appartement. Hij is niet gesprongen, hij werd daartoe gedwongen, of hij is geduwd. Even later kreeg ik een pistool tegen mijn hoofd gedrukt.'

'Wat?'

'Ik verzin het niet!'

'Nee, scuzi, signora, dat wil ik ook niet suggereren, maar ik schrik ervan.'

Weet hij er dan niets van? Kan dat waar zijn? Maar hoe... Wat dan... Ze is ineens volledig de kluts kwijt, met stomheid geslagen. Tranen prikken achter haar ogen.

Tarantini geeft haar een flesje water. Dankbaar neemt ze een slok. Hij biedt haar ook een zakdoek aan. Een helderwitte, smetteloze zakdoek met een monogram erop waarin ze de letters UT herkent. Ze glimlacht, en ademt diep in. 'Die heb ik niet nodig. Het spijt me, maar ik heb vannacht amper geslapen, en na die... die bedreiging...'

'Ik begrijp het, je hoeft je niet te verontschuldigen. Maar ik zweer je dat ik niets weet van een pistool, en ik weet ook niets meer over Ruiterbeeks dood dan dat hij zelfmoord heeft gepleegd.'

Even verzitten, haar broek kleeft aan haar achterste op de leren bekleding. Diep ademhalen. Nu ze zo ver is, moet ze doorzetten. 'Wat is er nou misgegaan tijdens de behandeling?'

Tarantini glimlacht. Het is een ontwapenende glimlach en ze gelooft hem als hij zegt dat hij geen benul heeft van de inhoudelijke behandelingen of van een mogelijk virus. 'Alleen als het gaat om mijn zus,' zegt hij, 'mijn tweelingzus, dan kan ik iets zinnigs vertellen over deze ziekte. Maar waar de heren zich mee bezighouden, daarvan heb ik slechts een globaal idee.'

'Uw zus wordt niet door mijn vader en zijn team behandeld?'

'Nee, ze is net als je moeder in een te ver stadium om de behandeling aan te kunnen; het ontbreekt haar aan kracht. Helaas.' Zijn stem klinkt ineens minder overtuigd.

'Ik wil het weten,' zegt ze.

'Wat wil je weten?'

'De reden dat u heeft gelogen over Di Gennaro.'

'Waarom ben je daar zo op gefocust?'

'Ik wil eindelijk de waarheid weten. Van iedereen. Ik wil geen leugens meer.'

'En als ik zwijg?'

'Dan stap ik naar de politie.' Ze steekt haar kin zo zelfverzekerd mogelijk in de lucht en vouwt haar armen over elkaar, in een poging haar voornemen kracht bij te zetten.

Hij kijkt haar schattend aan, alsof hij overweegt of ze te vertrouwen is. 'Heb je wel eens aan een carrière in de politiek gedacht?' vraagt hij. 'Je bent een ongeleid projectiel, maar wel eentje met potentie. Ik herken iets van mijzelf in je, jaren geleden, toen ik op de barricaden klom voor een betere wereld. Ik geloof in je oprechtheid en waardeer je doorzettingsvermogen, wat dat betreft ben je echt een dochter van je vader. Ik vertrouw je. Maar één ding. Je moet me beloven dat wat we hier bespreken, tussen ons blijft. Anders kan ik niet alleen mijn ministerspost vergeten, dan zal ook de geldkraan worden dichtgedraaid. Het zou het einde betekenen van alle onderzoek naar MS en andere ziekten, zoals kanker, die we meer dan wat dan ook ter wereld zo haten en willen kunnen genezen. Geloof me, geen woord hiervan is overdreven.'

Ze twijfelt. Wat als het iets is waarover ze, als ze naar haar geweten luistert, haar mond niet zou willen of kunnen dichthouden? Zijn ministersbaan staat op het spel, evenals miljoenen onderzoeksgeld. Wat wil hij haar in godsnaam vertellen? Ineens weet ze niet zeker of ze het wel wil weten. Ze herinnert zich dat ze zichzelf heeft beloofd niet meer weg te lopen. 'Ik zweer het,' zegt ze, en ze hoopt dat het overtuigend genoeg klinkt.

Hij zwijgt even, gaat verzitten, schuift dichterbij. 'Je bent er misschien van op de hoogte dat de voorzieningen in de Italiaanse ziekenhuizen niet optimaal zijn. We hebben een slecht functionerend zorgsysteem en te weinig personeel. Ik doe mijn best daar verandering in te brengen, maar het is moeilijk en kost tijd.' Hij praat met zachte stem, alsof hij bang is dat er ergens afluisterapparatuur is geïnstalleerd. 'Het begon met een vriend van me, een paar jaar geleden, die met kanker zijn laatste maanden in dat ziekenhuis moest doorbrengen. Ik kwam er af en toe om de vorderingen in het onderzoek met je vader door te nemen, en dan bezocht ik Emilio. Hij had geen familie, en het deed me pijn als ik zag hoe hij wegkwijnde. Mijn zus was toen al ziek en bij ons ingetrokken. Mijn vrouw verzorgde haar en langzamerhand kregen we steeds meer ziekenhuisfaciliteiten thuis. Op een dag lag Emilio in het ziekenhuis in zijn eigen braaksel. Na een halfuur was er nog geen spoor van enige hulp te bekennen en toen was voor mij de maat vol. We doen er alles aan, begrijp je, om de zorg te verbeteren, maar Italië kampt met tal van problemen. We hebben niet voor niets ontelbare vrouwen uit het voormalige Oostblok als verpleegsters en schoonmaaksters. Maar ik dwaal af. Ik nam mijn vriend Emilio mee naar ons huis, en ofschoon hij lichamelijk aftakelde, werd hij weer de oude, in alles geïnteresseerde vriend die ik vroeger kende.' Tarantini drukt een binnenkomend telefoongesprek weg. 'Zegt de naam Eluana Englaro je iets?'

Ze knikt. 'We hebben het verhaal in Nederland ook kunnen volgen.' Dus daar gaat dit over. Euthanasie. Het onderwerp dat in dit land niet bij naam mag worden genoemd.

'Emilio ging een stap verder, enkele stappen verder. Hij was geenszins comateus, hij wilde eruit stappen voordat de pijn ondraaglijk zou worden en hij zijn laatste maanden gedoemd zou zijn als een kasplantje te vegeteren tot hij zou stikken. Na lang wikken en wegen heb ik aan zijn wens voldaan, eenvoudigweg omdat ik zag hoe onmenselijk zijn lijden was, en sindsdien zijn er in mijn huis nog enkele gevallen geweest.'

'Onder wie Di Gennaro.'

'Sì. Di Gennaro werd behandeld door je vaders team, maar zijn ziekte was in een te vergevorderd stadium voor een succesvolle behandeling.'

'Dus u weet niets over problemen met een virus?'

'Nee. Ik weet dat hij het ziekenhuis per se niet in wilde, maar in plaats daarvan zijn eigen einde, zonder nodeloos lijden, wenste. Je vader en Alexander hebben die wens ingewilligd. Helaas verslechterde zijn situatie net op een ongelukkige dag, afgelopen zaterdag, en was er geen andere mogelijkheid dan hem die avond eh, te helpen. Je vader tekende een overlijdensakte en zorgde dat het stoffelijk overschot terug werd gebracht naar het ziekenhuis en via het patiëntenbestand in de normale afwikkelingsprocedure meeging, zodat niemand argwaan kreeg.'

'Mijn, mijn vader is ontzettend tegen... tegen deze werkwijze.'

'Naar buiten toe, jazeker. Uiteraard houden we de schijn op dat we ons strikt aan alle regels houden. Ik hoop dat je nu begrijpt waarom ik je zaterdag de waarheid niet kon vertellen, en waarom ik me zojuist doodschrok, toen ik dacht dat je dit daarbinnen wilde vertellen, zo hard dat iedereen om ons heen kon meeluisteren.'

'En, en uw zus?'

'Sorry, dat is persoonlijk.'

'Maar ze heeft met mijn moeder gepraat, afgelopen zondag.'

'Je denkt dat...' hij schudt zijn hoofd, 'nee, mijn tweelingzus is zeer gelovig, ze zou dat nooit willen. Ik zou het ook niet kunnen. Mijn zus weigert het ziekenhuis opnieuw in te gaan en ik hoop dat ik niet genoodzaakt word tegen haar wens in te handelen.' Hij schuift het klepje van de asbak dicht, met een kort, geïrriteerd gebaar. 'Een rotziekte, dat is het.'

Het is stil. En nu?

Alsof hij haar gedachten kan raden, kijkt hij op zijn horloge. 'Ik moet verder. Een middag vol vergaderingen. Wil jij ze van me overnemen?'

'Ja hoor, geen punt.' Ze doet een poging tot glimlachen, terwijl ze probeert te bevatten wat hij haar zojuist heeft verteld.

Hij biedt haar een lift aan. 'Het is het minste wat ik voor je kan doen,' zegt hij.

'Wilt u me bij het ziekenhuis afzetten?'

'Natuurlijk. Een moment.'

Even later keert hij terug en schuift weer naast haar op de achterbank. Onmiddellijk daarna gaat het portier aan de voorkant open, en een chauffeur stapt in. Tarantini geeft hem opdracht langs het ziekenhuis te rijden. 'Begrijp ik uit je woorden, of meer uit wat je niet zegt, dat je moeder denkt over, eh... je begrijpt wel waar ik op doel...?'

Ze probeert andere gedachten even opzij te zetten en vertelt hem dat ze een tweestrijd met zichzelf voert. En dat ze bang is dat als ze weigert, haar moeder zelf iets zal ondernemen, waarbij ze allerlei doemscenario's kan bedenken.

De rest van de korte tijd die de rit in beslag neemt is hij vooral druk met een telefoongesprek, maar dat vindt ze niet erg, integendeel. Ze voelt zich verward en ze wil nadenken over de betekenis van de woorden van deze minister. Als hij de waarheid spreekt, en dat gelooft ze, wat is dan de consequentie daarvan? Er overheerst één gevoel: ze móét haar vader spreken.

De auto stopt. 'Bedankt voor uw tijd,' zegt ze. Ze geeft hem een hand. 'En ook voor uw openheid.'

'Doe je moeder de groeten,' zegt hij, terwijl ze uitstapt. 'Ik wens je sterkte. Je bent een dappere vrouw.' Hij laat het raampje met getint glas naar beneden zoeven, zet zijn zonnebril op en een seconde flitst toch het beeld van een maffiabaas door haar hoofd. 'Het spijt me dat ik je zo bruut liet behandelen. Vergeef me, alsjeblieft. Als je nog iets wilt weten, vraag het me gewoon, je vader heeft mijn telefoonnummer, akkoord?'

'Dat is goed.' Een maffiabaas? Ze kan zich niet meer voorstellen dat ze enkele malen met die gedachte heeft gespeeld.

39

Bij het ziekenhuis treuzelt ze. Op het moment dat ze met ferme pas naar binnen beent, steekt ze haar neus zelfverzekerd omhoog, in de overtuiging dat ze moet weten hoe het zit met haar moeder en dat ze er bovendien recht op heeft om het te weten. Tussen de versleten ziekenhuismuren realiseert ze zich dat in hun eigen kikkerlandje een overgrote meerderheid zelf wil beschikken over eigen leven en dood, en dat het bij hen redelijk ingeburgerd is dat een ondraaglijk lijdend mens zijn of haar eigen dood verkiest, al moet er een arts aan te pas komen. Sommige mensen willen zelfs de wet veranderd zien, zodat hulp bij zelfdoding niet meer strafbaar is. Allemaal prachtig, maar zelfs al zou het hier in Italië legaal zijn... En dus loopt ze het ziekenhuis weer uit, is ze te schijterig voor welk antwoord dan ook. Misschien twijfelt ze nog wel meer omdat oom Alex ook in het ziekenhuis zal zijn. Als Tarantini de waarheid sprak, en voorlopig is ze geneigd hem te geloven, dan moet haar oom degene zijn geweest die het pistool tegen haar slaap heeft gedrukt. Ze kan het niet geloven, ze wil het niet geloven, maar ze heeft geen keuze en wil er voorlopig niet verder over nadenken.

Ze ijsbeert, steekt een sigaret op en inhaleert diep, alsof ze daarmee aan wijsheid wint. Tot een ambulance met zwaailicht haar aandacht afleidt. Vlak voor haar neus worden de deuren van de wagen geopend en er wordt een brancard uit gerold waarop een oudere dame ligt. Ze heeft een kunststof kapje op haar gezicht. Alsof het gehaaste clubje een zuigende werking heeft, laat ze zich meevoeren, het ziekenhuis in, zichzelf geruststellend met de gedachte dat ze zich elk moment kan omdraaien. Tot ze Brunelleschi aan de muur bespeurt. Ze is zich vaag bewust van de koude rillingen als ze de zware deur van het laboratorium moeizaam opent en de ruimte binnengaat.

Haar vader is er. Hij ziet en hoort haar kennelijk niet, want hij kijkt niet op. Gebogen over een tafel tuurt hij door de lens van een microscoop. Wat zou hij bestuderen? Spierweefsel? Een virus? Voor zover dat zichtbaar is; ze heeft geen idee.

'Dag pa.' Ze blijft aarzelend bij de ingang staan.

Hij draait zich om, en kijkt haar aan alsof ze een geest uit de fles is. 'Anne-Claire? Wat doe jij hier?'

'Ik ben niet gegaan,' bekent ze. 'Het spijt me, van... van alles. Ik wil nog steeds graag ma een tijdje helpen, ik maak me zorgen om haar.' Die zin had ze ingestudeerd en zodra ze hem heeft uitgesproken, weet ze niet meer wat ze verder moet zeggen. Ze loopt naar hem toe, terwijl ze probeert zijn gemoedstoestand te peilen. Is hij boos? Verbaasd? 'Ik weet alles.'

'Wat?'

Schrikt hij? 'Ik weet alles,' herhaalt ze.

'Wat bedoel je, alles? Wees duidelijker, Anne-Claire.'

'Van de euthanasie in het kasteel.'

'Sssjt! Zeg dat woord hier niet hardop.'

'Sorry.'

'Hoe weet je het?'

'Ik heb Tarantini gesproken.'

'Je hebt hem gesproken?'

Ze knikt. 'Ik voel me niet zo goed, kan ik even gaan zitten?'

Hij zet een stoel naast de zijne, en een moment heeft ze het idee dat hij niet kwaad is, eerder bespeurt ze een soort opluchting in zijn blik. Ze hoopt het. 'Ben je niet boos?'

'Waarom? Ik moet bekennen dat ik ons plotselinge afscheid op het vliegveld vervelend vond. Je moeder was ook erg teleurgesteld.'

Ze voelt zich ineens ietsje lichter.

'Waar heb je Tarantini gesproken?' wil hij weten.

'Hij was in de nationale bibliotheek voor een of andere bijeenkomst. Ik heb hem opgewacht.' Dat ze vervolgens de bibliotheek uit werd gesleurd laat ze weg. 'Ik wilde weten waarom hij tegen mij had gelogen, toen ik hem zei dat ik een dode in zijn kasteel had gezien.'

'Dat hadden we je toch uitgelegd?'

'Jawel, maar ik dacht... Ruiterbeek wilde me aan de telefoon iets duidelijk maken, kort daarna overleed hij. Ik weet het niet, ik voelde gewoon dat er meer aan de hand was. En ik dacht dat Tarantini er meer van wist, omdat hij tegen me had gelogen, en omdat het in zijn kasteel gebeurde.'

'Mijn Einstein,' zegt hij.

'Ik wou dat je me niet zo noemde. Ik ben niet zo slim.'

'Einstein nam nooit zomaar iets voor waarheid aan, en dat is een goede eigenschap.' Hij wrijft met een hand over zijn kin. 'Althans meestal. Waar ben je vannacht geweest?'

'Eh, ik ben per ongeluk in Ruiterbeeks appartement in slaap gevallen. Op de bank.'

'In Frits' appartement? Hoe ben je daar binnengekomen?'

Ze legt hem uit dat ze van de sleutelafspraak op de hoogte is. 'Ik, ik... Waarom heb je me niet gevraagd wat er in Ruiterbeeks appartement is gebeurd? Je wist toch dat ik daarbij was, toen hij... Tenminste, je zei dat je wist wat er was gebeurd.'

'Lieve kind, toen je die lift uit kwam zag je eruit alsof je geen idee had waar je was of zelfs wíé je was, en ik had al gezien welke ramp zich had voltrokken. Maar buiten dat, ik zag de dood bij wijze van spreken in je ogen.'

'Ik heb het aan niemand verteld, maar kort voordat Ruiterbeek sprong, was ik een tijdje vastgebonden in zijn kamer. Pa, heb jij een onvoorwaardelijk vertrouwen in oom Alex?'

'Alexander? Hoe bedoel je?'

'Ik heb een pistool tegen mijn hoofd gehad. Ik weet niet wie het was, maar zijn stem kwam me ergens bekend voor, Tarantini weet er niets van en...'

'Wacht even. Een pistool? Anne-Claire! Een pistool, weet je dat zeker? Maar... kan het Frits zelf niet zijn geweest? Hij was eenzaam en labiel, Anne-Claire. Ik vermoed dat hij bang was dat je hem van het springen zou afhouden en je daarom heeft vastgebonden tot hij genoeg moed had verzameld. Je dus zelfs heeft bedreigd. Wat een waanzin, maar het is de enige verklaring die lijkt te passen. Hoe dom kan iemand zijn? Heeft hij niets tegen je gezegd?'

'Jawel, hij heeft me van alles verteld.'

'Kwam hij verstandig en reëel op je over?'

'Niet echt.'

'Geen wonder dat je overstuur bent geweest,' zegt hij.

'Maar ik heb er nóg een stem gehoord. Er was iemand bij Ruiterbeek in de kamer.'

'Nog iemand?'

'Ja, iemand die ik moet kennen. Ik weet niet wie het was, want zijn stem klonk erg gedempt, of vervormd, maar ik weet zeker dat ik hem moet kennen.'

Haar vader is ontdaan. 'Ik begrijp immuunsystemen en weet hoe ik de verspreiding van cellen kan remmen, maar dit...'

'Ik dacht dus eerst dat het Tarantini was, maar ik geloofde hem toen hij zei dat hij nergens van weet.'

'En dus moet het Alexander zijn? Denk je dat werkelijk? Vind je dat zelf ook niet een uiterst discutabele conclusie?' De rimpels in haar vaders hoofd lijken nog dieper dan voorheen. Doet ze er wel goed aan om hem hiermee op te zadelen? Hij moet verder met zijn onderzoek... Haar vader slaat een arm om haar heen. 'We zullen samen met hem praten, akkoord? Er móét een andere verklaring zijn, denk je ook niet? Iets wat we op dit moment allebei niet zien?'

Ze knikt, en doet verwoede pogingen haar tranen te bedwingen. Tranen van opluchting, vooral, omdat ze diep vanbinnen heeft getwijfeld aan haar vader. Dat zal ze hem nooit, nooit kunnen vertellen. Een andere verklaring, ja, mag dat? Zou dat kunnen? De verleiding is groot om te blijven zitten, veilig in haar vaders armen, maar dan maakt ze zich los uit zijn omhelzing. 'Bij Ruiterbeek heb ik Di Gennaro's dossier ingekeken. Er was iets met een virus, waaraan hij is overleden, ik bedoel, voordat je hem...'

'Heb jij in een dossier zitten neuzen? Anne-Claire, dat is onvergeeflijk. Die dossiers horen in mijn lab, en nergens anders!'

'Ik dacht dat Ruiterbeek juist wilde dat ik het ontdekte.' Even is ze bang dat hij kwaad wordt, maar in plaats daarvan haalt hij met een vermoeid gebaar een hand door zijn haar. 'Pa, wat was er precies met die patiënt aan de hand?'

'Wat kan ik ervan zeggen,' verzucht haar vader. 'Gemiddeld een paar honderd patiënten volgen onze behandeling, en daarvan is een flink percentage in een vergevorderd stadium. Net als Di Gennaro, die een ondraaglijk einde niet wilde afwachten.'

'Volgens Tarantini heb je Di Gennaro zaterdagavond zelf, eh, geholpen.'

'Dat hebben we hem verteld.'

Ze bespeurt zijn twijfel. 'Maar?'

'De waarheid is dat onze behandeling bij hem onvoldoende aansloeg. Bij een enkele patiënt gebeurt dat. Anne-Claire, als dit naar buiten komt, dan is al mijn werk voor niets geweest en zijn miljoenen MS-patiënten ten dode opgeschreven, terwijl wij ze binnenkort kunnen helpen. Het leek ons verstandiger om dit zelfs niet aan Tarantini te vertellen. Ik ben moe, zo moe, maar ik voel dat ik er vlakbij ben, het móét lukken. Ik wil het, het moet, ook voor je moeder. Je moeder, begrijp je? Ik móét haar overhalen mijn behandeling te gaan volgen, voor het te laat is.'

Ze kijkt hem aan. Zwijgt, aarzelt. Al weer een geheim.

'Onze patiënten maken zelf hun keuze. Wij laten ze zien hoe onze behandeling in haar werk gaat, en tonen geen mooier plaatje dan de realiteit. En dat betekent dat de dood op de loer kan liggen. Tot onze behandeling helemaal honderd procent uitgekiend en uitgebalanceerd is. Mensen kiezen voor hoop, liever dan voor een zekere dood en onmenselijk lijden.'

'Vertel je die patiënten wat de risico's van je behandeling zijn?'

'Anne-Claire, ik probeer mensen te helpen. Wat moet ik zeggen tegen een zieke die zich hier aan een laatste strohalm wil vastklampen?'

'Ik zag dat Di Gennaro pas de laatste dag pijnmedicatie heeft gekregen. Doen jullie dat altijd? Hoe houden ze dat vol?'

'In principe geven we geen enkele pijnmedicatie. Wij hanteren andere pijnbestrijding. Massage, en bewegingstherapieën. Pijnmedicatie heeft namelijk een negatieve invloed op het succes van de behandeling.'

'Vroeg een van je gasten afgelopen zondag ook niet iets over dat virus?'

Zijn wenkbrauwen fronsen. 'Waarom vraag je dat?'

'Ruiterbeek had er een aantekening van gemaakt in het dossier. Was dat geen risico waar die bezoeker van je lezing ook op wilde wijzen? Dat de één gevoeliger is voor een virus dan de ander en dat een hartaanval dan een risico is?'

Ze bereidt zich voor op een reprimande, maar dan schudt hij zijn hoofd. 'Je draaft door, Einstein. Natuurlijk zijn we er nog niet, gaat er wel eens iets mis, het heet niet voor niets onderzoek. Maar Di Gennaro was opgegeven, we hebben zijn einde slechts zo aangenaam mogelijk willen maken, en zijn hartaanval was onverwacht en afschuwelijk. Ben je nu klaar met je kruisverhoor? Ik dacht dat je trots was op je vader.'

'Dat ben ik ook.'

'Onderzoek brengt altijd risico's met zich mee. Maar nu, met deze doorbraak, kan ik het onderzoeksniveau ontstijgen. Vijfennegentig procent kans op genezing, Anne-Claire, dat ruikt naar honderd. En nu dit lukt, zal er meer geld voor onderzoek beschikbaar komen, overal ter wereld. We leveren het bewijs dat het zinvol is, en met voldoende middelen zullen ergens, door andere onderzoekers, succesvolle behandelingen voor andere ziekten gecreëerd worden. We zullen in de toekomst kanker kunnen genezen, hartziekten…'

Ze bespeurt ineens de twinkeling in zijn ogen en voelt zijn passie. Voor haar gevoel stapt hij makkelijk over het risico van de behandeling heen. Ook al kiezen patiënten zelf voor een behandeling, gaat niet iedereen naar een arts in de hoop op beterschap? En wie is zij in vredesnaam om hierover iets zinnigs te zeggen?

'Ik zal je naar huis brengen,' zegt hij.

Ze verzamelt moed. Nu doorzetten. 'Ik moet nog iets weten.' De vertrouwelijke sfeer die er tussen hen hangt, doet haar bijna haar afkeer voor deze ruimte vergeten.

'Waar heb ik mijn autosleutels gelaten?'

'Pa?'

Hij kijkt op.

'Wat ik zei over die eh, in het kasteel… Weet je of ma, ik bedoel, heeft ze het erover gehad?'

'Je moeder?' Hij fronst zijn wenkbrauwen, waardoor ze zijn ogen overschaduwen. 'Anne-Claire,' hij wrijft met een vermoeid gebaar over zijn gezicht, 'ik begrijp het. Ik begrijp je bezorgdheid. Het is verboden, en daarom moeten we het woord hier niet in onze mond nemen. We voldoen aan een incidenteel verzoek, en daar blijft het bij. We kunnen ons het risico niet permitteren dat dit op enige manier naar buiten komt, begrijp je? Het zou al ons werk tenietdoen. En je moeder?' Hij schudt zijn hoofd. 'Hoe zou ik dat ooit kunnen, mijn eigen vrouw, jullie moeder! Ik wil genezen, niet doden, en dat geldt zeker voor diegenen van wie ik het meeste houd, begrijp je?'

'Ja,' zegt ze. 'Ik begrijp je zelfs heel erg goed.' Een zucht van verlichting ontsnapt uit haar keel. Ze zou haar vader willen omhelzen, uit dankbaarheid dat hij een grote last van haar schouders heeft genomen. Had ze hem haar dilemma maar eerder voorgelegd.

'Kom, ik breng je weg, je leidt me te veel af, ik zit midden in een belangrijke test. We vertellen je moeder dat we je terugkomst samen hebben bekokstoofd, akkoord? Je collega is terug, zullen we het daarop houden?'

Ze knikt. 'Ik heb, ik ben zo bang dat...'

'Het is goed,' zegt hij, terwijl hij de sleutels uit zijn jasje vist. 'En doe iets aan je haren, je ziet eruit alsof je in een kermisattractie hebt gezeten.'

Haar beste kans om haar moeders zwangerschap ter sprake te brengen mislukt, ze voelt het nog eerder dan dat haar vader opstaat. Ze krijgt de woorden niet over haar lippen. In plaats daarvan knoopt ze haar haren achter op haar hoofd vast. Wat zei Tarantini, vond hij haar dapper? En Antonio vond haar sterk? Wat een lachertje. En ergens is ze iets vergeten. Ze weet het zeker, het wil haar niet te binnen schieten maar ze is ervan overtuigd dat het iets met Ruiterbeek te maken heeft.

Haar vader heeft haar afgezet bij het penthouse en de deur voor haar geopend. Ze kijkt om. Hij is nog niet weggereden. Hij is vast bang dat ze plotseling weer van gedachten verandert. Ze laat de lift komen. Eenmaal omhoog zoevend, beseft ze dat haar koffer nog in Ruiterbeeks appartement staat. Hoe redt ze zich daaruit, als ze zonder koffer ineens voor haar moeders neus staat? Op de derde verdieping gaan de liftdeuren open. Ze drukt de 0 in en de lift zoeft gehoorzaam naar beneden. Haar hoofd suist. Wat is het toch dat haar dwarszit? Is het dat ze haar kans bij pa voorbij heeft laten gaan, of is het wat hij heeft gezegd over euthanasie… Zijn zelfverzekerde uitspraken over de patiënten, daar voelt ze zich ongemakkelijk bij, maar op een andere manier. Buiten dat is er iets wat ze heeft gemist. Er borrelt iets onder de oppervlakte van haar geheugen en ze kan het niet pakken.

In de hete straten van Florence is het druk en de slenterende mensen irriteren haar. Ze wurmt zich door de toeristenstroom heen, tot ze voor het appartementencomplex aan de Via dei Servi staat. Geen politie, geen sleutel, en waarschijnlijk alle geleerde heren hard aan het werk. En nu? Op de gok drukt ze op alle tien knoppen. Het alternatief is haar moeder wijsmaken dat haar koffer zoek is geraakt op het vliegveld; dat had ze bij nader inzien ook meteen kunnen bedenken. Tot haar verbazing klinkt ineens de zoemer. Ze hoort een stem, gaat vlug naar binnen en pakt de lift. Op de vijfde etage is het doodstil. Even later staat ze binnen.

Met klamme handen opent ze de balkondeuren, en na een aarzeling stapt ze toch naar buiten. Buiten wijst niets meer op Ruiterbeeks tragische dood, zelfs geen sporen meer van de bloedvlek. Hij wilde haar iets duidelijk maken; zijn kladbriefje in het dossier, zijn val. Haar vader heeft uitgelegd wat de risico's van de onderzoeken zijn; patiënten maken hun eigen keuze en ze gelooft hem als hij zegt dat patiënten in een vergevorderd stadium nu eenmaal een verhoogd risico lopen om te sterven. Wat moet hij dan, ze de deur wijzen? Wat moet ze met haar resterende twijfel? Niets. Als er een onderzoek volgt, als er aandacht aan wordt geschonken, zal dat negatieve gevolgen hebben voor het onderzoek naar MS. Misschien zullen ze ontdekken waar Tarantini zijn kasteel voor gebruikt. Het enige wat ze heeft is een vaag vermoeden; ze heeft geen enkel bewijs dat Ruiterbeeks dood geen zelfmoord is geweest, behalve haar eigen herinneringen, hier, terwijl ze vastgebonden was, en een pistool tegen haar slaap kreeg. Terwijl de vreemdste gedachten door haar hoofd spookten, ze misschien zelfs bijna gek werd. Het is woensdag. Overmorgen is haar vaders persconferentie en ze zal de laatste zijn die er verantwoordelijk voor is dat er in de toekomst niet meer geld gaat vrijkomen voor medisch onderzoek.

Bijna zes uur. Straks is haar vader nog eerder thuis dan zij. Het gesprek met haar vader heeft haar goedgedaan. Ze is meer ontspannen, zelfs nu ze opnieuw in de kamer staat waar ze doodsangsten heeft uitgestaan. Haar maag rammelt en ze hoopt dat Stefanie veel eten heeft gemaakt. Als ze in gedachten het beeld van Ruiterbeeks lichaam terughaalt, hoe hij daarbeneden lag, wil het haar nog steeds niet te binnen schieten wat ze heeft gemist. Het geeft zich niet gewonnen en daarvoor moet ze er wellicht afstand van nemen. Resoluut sluit ze de deuren, pakt haar koffer en verlaat Ruiterbeeks appartement. Ze moet nodig naar huis.

40

'Anne?' Haar moeder had niet verbaasder kunnen kijken, maar vlak daarna breekt de lach door op haar gezicht. 'Je bent terug!'

'Ik maakte me zorgen.' Dat is niet eens een leugen. 'Mijn collega meldde zich vanmorgen beter en toen heb ik de eerste vlucht terug genomen.'

'Fijn,' zegt haar moeder, terwijl ze haar armen uitstrekt. 'Kom, geef me een zoen. Het is aardig dat je je belofte nakomt om een zieke collega toch te vervangen, ook al heb je een week vrij.'

'Nou ja...'

'Eigenwijs, maar eerlijk.' Ma lijkt opgewekt, en al haar gedachten over euthanasie lijken ineens bijna abstract. 'Ik had het er vanmorgen nog over met Stefanie. Ik herinnerde me dat je ooit eens thuiskwam met die schildpad. Weet je dat nog?'

Ze knikt.

'Je was altijd al een strijder tegen onrecht. Je trok die dingen aan, zocht ze op, of ze kwamen op je weg.' Haar moeder glimlacht.

Stefanie komt de kamer binnen en kijkt zo mogelijk nog verbaasder dan haar moeder. 'Wat doe jij hier?'

'Mijn collega meldde zich vanmorgen beter en ik heb de eerste vlucht terug gepakt die ik kon boeken.'

Stefanie geeft haar een zoen. 'Dat is fijn. Heel fijn.' Ze grijnst. 'Maar had je nou niet even iets anders aan kunnen trekken?'

Ze hoopt dat haar lach niet al te gekunsteld overkomt. Ma ziet er goed uit. Erg goed, zelfs. Ze is uit bed, in een zomerse jurk met vrolijke kleuren, en als ze de rolstoel wegdenkt zou ze haar gezond kunnen fantaseren. 'Heeft Stefanie je pretpillen gegeven?' vraagt ze. 'Je ziet er zo… zo ontzettend niet als patiënt uit.'

Haar moeder glimlacht. 'Ik heb een goede dag.'

'We gaan eten,' zegt Stefanie.

'Ik heb honger voor tien,' zegt ze.

'Dat komt dan goed uit, ik heb pasta voor een heel weeshuis.'

Ze geeft haar zus spontaan een zoen op beide wangen. 'Hè, ik ben blij dat ik terug ben gekomen. Sorry, zus, dat ik je in de steek liet.' Ze verjaagt de beelden van Ruiterbeek uit haar hoofd. Ze wil zich niet bedreigd voelen, tegelijkertijd gaat haar blik om de haverklap naar de deur.

Als haar vader halverwege het diner aanschuift, zou een niets-vermoedende toeschouwer een heuse familie aan tafel kunnen zien, waarbij ogenschijnlijk alleen de moeder uit de toon valt met haar beker pap. Ze had honger, maar als ze een hap neemt voelt ze de prop in haar keel en moet ze hoesten. Op haar moeders verzoek verzint ze een paar crypto's. Niet vergeten om niet te eten, negen letters? Onthouden. Ma moedigt haar opnieuw aan er een in te sturen naar een krant en raadt er eentje; geen heffing op speelgoed, zes letters. Tolvrij. Haar vader vertelt over de ophanden zijnde persconferentie.

'Word je niet nerveus bij het vooruitzicht van camera's en journalisten?' vraagt Stefanie. 'Je staat op het punt wereldnieuws te worden.'

'Ik hoop het,' zegt hij. 'Want dat betekent wereldwijd aandacht voor MS.'

'Ik bid voor alle MS-patiënten over de hele wereld,' zegt haar moeder. 'Dat ze baat mogen hebben bij je ontdekking.'

'Ik wil jou ermee helpen,' zegt haar vader. 'Daar is het ooit om begonnen, en dat wil ik nog steeds.'

'Zal ik Vivaldi voor jullie opzetten?' biedt Stefanie aan.

'Straks,' zegt haar moeder. 'Nu heb ik genoeg aan jullie.'

Ze realiseert zich hoe zeldzaam deze ogenblikken in de toekomst zullen zijn. Deze avond wil ze geloven in hen, als familie, al houdt ze zichzelf voor de gek; ze heeft heus wel gezien hoeveel pillen ma slikt. Ze wil het niet toegeven, maar ze heeft het benauwder dan ooit in dit appartement. Ze probeert de afgelopen dagen van zich af te zetten en te genieten van het moment. Ze wil het koesteren en zo lang mogelijk rekken, het maakt haar week, warm en koud tegelijk.

Na het eten wast ze met Stefanie samen af, terwijl hun ouders op het dakterras koffiedrinken en alsnog van Vivaldi genieten. Als ze het laatste bord droog in de kast heeft weggezet zegt ze tegen haar zus dat ze een bad wil nemen.

'Stop je kleren er dan meteen bij in,' zegt Stefanie. 'Ik heb gisteren ook al een broek van je in de was gedaan, dat ding stonk een uur in de wind.'

'Er zit niets schoons meer in de koffer. Ik ben als een kip zonder kop op het vliegtuig gestapt.'

'Geef me die vuile kleren dan ook maar,' zegt Stefanie. 'Ik moet toch een van ma's jurken wassen, en dan doe ik alles daarna meteen in de droger.'

'Dat is fijn. Ik zal ze even voor je pakken.'

Even later ligt ze in het hete water met Orwells *1984*, een boek dat ze zojuist uit haar vaders kast heeft gegrist. Het lukt haar niet om zich te concentreren op het verhaal, en Winston Smith is al drie keer het Victorie-flatgebouw binnengeglipt om te ontkomen aan de gemene wind, als ze een kort klopje op de deur hoort.

'Anne, mag ik binnenkomen?'

'Ja, waarom niet?'

'Nou ja, zelfs Floor eist af en toe al privacy als ze haar toilet maakt,' zegt Stefanie. 'Je kleding zit in de droger, dus die kun je zo weer aan, als je wilt. Die andere broek van je is trouwens ook al droog, dus je kunt kiezen. Ik wilde alleen vragen of je straks met me meegaat, de stad in; ik zit al twee dagen hier opgesloten.'

'Natuurlijk ga ik met je mee. Zeg, wat ziet ma er goed uit; als dat jouw verdienste is, hulde!'

'Dat kan ik van jou niet zeggen, Anne. Sorry hoor, je ziet er vreselijk uit en als ik eerlijk ben, geloof ik niet dat een bad daar iets aan verandert. Je huid ziet eruit alsof je een week in een container hebt gewoond... Wil je wat crème van me?'

Crème? Wat ze nodig heeft is drie dagen slaap zonder nachtmerries en zeker geen van het balkon gestorte lichamen en wapens op haar netvlies. 'Doe maar,' zegt ze, welwillend. 'Maar dan moet jij smeren.'

'Ik? Ach, waarom ook niet.'

Even later strijkt Stefanie met haar zachte vingers koele crème uit een vreselijk duur uitziend potje op haar huid. 'Ik zal je gezichtshuid masseren, dat is echt geen overbodige luxe.'

'Mmm.' Ze heeft haar ogen gesloten; het werkt ontspannend, ze moet het toegeven.

'Wat heb je daar zitten?'

'Huh?' Ze opent haar ogen, die prompt beginnen te prikken door badschuim of Stefanies crème. Met één oog gesloten pakt ze een handdoek, wrijft in haar ogen en kijkt dan haar zus aan. 'Wat is er?'

'Die rode striemen aan de binnenkant van je polsen,' wijst Stefanie aan. 'Is een lijk van je kwaad geworden dat je hem de foute kleding aantrok?' Haar zus lacht, maar dan betrekt haar gezicht.

'Eh...'

'Wat heb je uitgevreten, Anne den Hartogh?'

Ze overweegt net of ze iets van de afgelopen dagen zal vertellen, en hoeveel, als haar plotseling te binnen schiet wat haar de hele tijd is ontgaan. Rund dat ze er rondloopt!

41

Stefanie merkt dat de ontspanning in haar zusjes lichaam acuut verdwijnt. De donkere ogen, wijd open, lijken door haar heen te staren. Het lijkt alsof er iets te strak om haar polsen heeft gezeten, te zien aan de donkerrode, hier en daar blauwe striemen. 'Anne? Wat is er aan de hand met je? Wat heb je in godsnaam gedaan, waar ben je geweest?'

'Ik, ik had ook nog iets van de tape op mijn wangen…'

'Tape?' Ze begrijpt er niets van. 'Wat is er dan gebeurd?' Annes huid leeft op onder haar handen. Vroeger wilde ze schoonheids-specialiste worden, tot ze de schoonheid meer zag in gezondheid vanbinnen. Die voldoening moest vele malen groter zijn dan wenkbrauwen epileren of vochtinbrengende crèmes adviseren. Dat neemt niet weg dat ze het graag doet, dit vertroetelen. 'Anne? Waar zit je met je gedachten?' Ze klopt met haar vingertoppen op Annes wangen, en dan lijkt haar zusje terug in de realiteit te komen. 'Wat is er met je?'

'Niets, sorry, ik dacht aan, eh, iets raars.'

'Aan wat dan?'

'Niets. Het is niet belangrijk en ik wil het er niet over hebben.'

Dus ze wil er niets over kwijt. Ook goed, ze wil het niet eens weten. Anne en haar eeuwig geopende kast vol commotie. 'Blijf dan maar liggen. Je huid knapt met de minuut op. Is het water nog heet genoeg?'

Anne knikt.

De afgelopen dagen die ze met haar moeder heeft doorgebracht, overwegend in alle rust, is ze tot nieuwe inzichten gekomen. Het was de Italiaanse film op tv die haar deed beseffen dat ze de stokken waarop ze krampachtig probeert alle borden draaiende te houden, uiteindelijk zal moeten loslaten. Het is onmogelijk, op den duur, om het vol te houden zonder dat ze er zelf aan onderdoor gaat. Ineens was ze daarvan overtuigd. Het verhaal over het ruziënde echtpaar eindigde dramatisch; de man stierf door een auto-ongeluk, net nadat hij had besloten terug te gaan naar zijn vrouw, omdat hij erachter was gekomen dat hij meer van haar hield dan van de vrijheid die hij dacht nodig te hebben. Ze vond het triest dat de weduwe achterbleef in de veronderstelling dat ze zijn liefde had verloren, zonder de wetenschap dat hij tot inkeer was gekomen, en dat terwijl ze haar hele leven zo van hem had gehouden. De vrouw rouwde, verbitterd en eenzaam, tot ze uiteindelijk de dood verwelkomde als een oude vriend. Pas als ze aan haar sterfbed bezoek krijgt van een vrouw die haar man kende, hoort ze zijn ware verhaal.

Tranen met tuiten. In een melancholieke stemming belde ze Lodewijk. Hij was thuis, deed de boekhouding. De kinderen vermaakten zich uitstekend op het kamp, en zelfs Floor was over haar aanvankelijk heimwee heen en wilde langer blijven dan de geplande week. Ze wist dat Lodewijk dat niet zei om haar gerust te stellen, want Floor had 's middags tegen haar precies hetzelfde gezegd.

'Hoe is het met je?' had ze gevraagd.

'Eenzaam werkend,' antwoordde hij. 'Ik mis je.'

'Ik jou ook.'

Ze hadden het over een paar villa's gehad die te koop zouden komen in Bloemendaal, en dat Lodewijk druk lobbyde om de verkoop ervan binnen te halen.

'Ik hou van je,' zei ze zo ineens, terwijl hij over iets praatte wat met zijn werk te maken had, ze hoorde niet eens wat het was.

'Ik ook van jou.'

Het klonk ietwat aarzelend, en de reactie 'ik ook van jou' is altijd eenvoudiger, maar ze wilde geen zout op geen enkele slak. 'Heb je nagedacht over, over je weet wel...'

'Heb je je bedacht? O, lieverd, je weet niet half hoe gelukkig je me daarmee maakt. Ik slaap er slecht van, als ik eraan denk dat we elkaar amper meer zien. En voor Wouter en Floor...'

'Ik ga het doen,' onderbrak ze hem.

Eerst praatte hij gewoon door, maar toen ze het zinnetje herhaalde, luider, werd het stil aan de andere kant van de lijn. Dure telefoonminuten tikten weg.

'Ik weet niet hoe we het eens kunnen worden,' zei ze, 'en ik hoop echt dat we een compromis kunnen vinden, maar dit is wat ik wil, Lodewijk.'

'Hè? Wat?'

'Ik hou geen huid over, Stefanie, moet die crème erin gebrand worden?'

'O, sorry, ik zal ermee ophouden. Het heeft je goedgedaan, Anne, je hebt je kleur weer terug.'

Ze ruimt op, wast haar handen, draalt in de badkamer. Een deel van haar verlangt ernaar om te praten over wat haar zo dwarszit. De ruzie met Lodewijk, vooral, nadat ze hem had verteld dat ze haar plan wilde doorzetten.

'Je hebt het me beloofd, Stefanie,' wierp hij haar voor de voeten. 'Jij zou voor de kinderen zorgen.'

'Die discussie hebben we al gevoerd. Ik zorg al jaren voor ze, met heel veel plezier, en ze redden zich best, ze gaan hele dagen naar school.'

Wat zou ze doen als hij haar voor de keuze stelt? Huwelijk of carrière?

'Maar dat werk van jou beperkt zich niet tot de schooluren, dat weet ik nu al. Eerst één kind, even later een tweede. De geschiedenis herhaalt zich.'

'Oude koeien.' Ze vond het vervelend dat hij daarover begon; haar gedrag destijds verdiende inderdaad geen schoonheidsprijs.

'Die ik was vergeten en die jij nu zelf uit de sloot haalt.'

'Mensen veranderen, Lodewijk, ze ontwikkelen zich, dat is waar het leven over gaat. Nieuw verworven inzichten toepassen, wijzer worden met de jaren.' Ze hoopt dat haar stem zelfverzekerder klinkt dan ze zich voelt.

'Geitenwollensokkentaal. Het komt er straks gewoon op neer dat jij de weekenden weg bent, en ik voortdurend met de kinderen naar Ponypark Slagharen of weet ik wat voor Walibi-ongein onderweg ben. En waarvoor? Alleen omdat jij je zo nodig op ándere kinderen wilt richten dan op die van jezelf.'

Ze was kwaad geworden, of nee, niet eens kwaad, eerder verdrietig. Ze hoorde hem zuchten. 'Het spijt me,' zei ze.

'Mij ook. Luister, als je vrijdag thuiskomt trekken we een flesje bubbels open,' zei hij, 'dan ben je zo blij dat je me weer ziet, dat je het huis niet eens meer uit wilt.'

Ze waardeerde zijn poging de bijna tastbare spanning te doorbreken. Nee, nu niet toegeven. 'Wat als ik doorzet?'

Het aantal ruzies in hun vijftienjarig huwelijk was op één hand te tellen en beperkte zich grotendeels tot de eerste jaren, voordat de kinderen kwamen. Maar nu? Lodewijk noemde het woord niet, en zij ook niet, maar voor het eerst flitste de gedachte aan een scheiding door haar hoofd. Toen ze het gesprek beëindigden waren haar handen klam.

De bordjes dreigden te gaan vallen, en ze wist niet of ze die moest opvangen.

'Hoe is het eigenlijk met Lodewijk?'
 'Sorry?'
 'Je zit te dromen, zuslief.'
 'Alsof jij vanavond zo goed bij de les bent.'
 'Droom je van hem? Of van Floor, en Wouter? Mis je ze?'
 'Eigenlijk niet zo goed.'
 'Wat, niet zo goed?'
 'Je vroeg toch hoe het met Lodewijk gaat? Met Lodewijk en mij?'
 'En dan antwoord jij "niet zo goed"? Wat zeg je me nou, jullie zijn het schoolvoorbeeld voor de ganse Bloemendaalse bevolking als het gaat om een succesvol gezin.'
 'Ach, hou op.'

Haar zusje houdt zowaar haar mond en dompelt zichzelf onder in het zich traag oplossende badschuim. Waarna ze proestend boven water komt en opstaat. 'Ik verschrompel en het water wordt lauw.' Anne slaat een badjas om haar lijf. Wat is ze tenger, deze jonge, gezonde kopie van moeder. 'We hebben onenigheid.' Net een meisje, met haar bijna jongensachtige vormen. Hoe kan ze toch zo aantrekkelijk zijn in al haar ongekunsteldheid, met haar uiterlijk dat het midden houdt tussen een zigeuner en een Indiaanse?

'Wat zeg je me nou?'

Terwijl ze toekijkt hoe haar zusje haar lange haren droogwrijft, vertelt ze over haar plannen, en dat Lodewijk het daar niet mee eens is. 'Maar ik wil straks niet doodgaan denkend aan wat ik allemaal niet heb gedaan.'

'Jij alsnog je oude droom achterna, Stefanie, wat goed van je. Wedden dat je, als je de smaak eenmaal te pakken hebt, gaat doorstuderen? Misschien word je uiteindelijk toch nog kinderarts. Dat wilde je toch worden, voordat je Lodewijk leerde kennen?'

'Ik heb de baan nog niet,' sputtert ze.

'Nee, maar als jij ergens aan begint, dan twijfel ik er niet aan of je haalt het einde ook,' zegt Anne.

'Ik moet eerst Lodewijk nog overtuigen,' zegt ze. 'Of me dat lukt?'

'Natuurlijk lukt jou dat, jij kunt alles. Gefeliciteerd met deze stap, en als je oppas nodig hebt, dan bel je maar.'

'Dank je,' zegt ze. 'Ik zal eraan denken. Geldt je aanbod ook als ik straks in een flatje bij jou in de buurt terechtkom?'

'Wat? Jij en Lodewijk uit elkaar? In geen honderd jaar. Iedereen gaat tegenwoordig maar uit elkaar! Je laat het hoor, jullie zijn mijn grote voorbeeld. Je houdt toch van hem?'

'Ja.'

'Nou dan.'

'Zo simpel ligt het niet.'

'Dan zorg je maar dat het zo simpel wordt.'

'Jij hebt makkelijk praten! Waarom ben jij nog niet getrouwd, woon je nog niet samen?'

'Dat is anders.'

'Hoezo?'

'Jezus, Stefanie, ik ben altijd bang dat ik fouten maak, vooral als iemand me op de vingers kijkt. En ik doe wel stoer, maar het gevolg is dat ik verstijf als ik belangrijke beslissingen moet nemen. Ik ben niet voor niets zo vaak gezakt voor examens. Maar ik had het idee dat ik alles zo'n beetje op een rij heb. Tot ma me die vraag stelde, vorige maand. Sindsdien heb ik last van nachtmerries. Ik droom over vroeger, ach, dat heb ik je verteld. Maar ik droom ook over ratten. Van die enge zwarte monsters. Dode ratten. En je was erbij, zondagmiddag, toen ik bijna onder die auto liep. Het overkwam me zelfs nog een keer. Alles komt weer boven, en... en...'

Anne lijkt haar tranen amper te kunnen bedwingen. Ze legt een hand op haar zusjes arm. 'Rustig nou. Waar komt die angst vandaan, denk je? Je zei wel eens iets over pa, maar die pushte ons echt niet om in zijn voetsporen te treden. Ik dacht dat je die absurde gedachte inmiddels allang was vergeten.'

'Hij was afstandelijk. Ik ben bang dat...'

'Nee, hij werkte hard. Daar heb jij als kind misschien meer van gemerkt. Toen ik klein was, was hij vaker thuis. Maar hé, je mag rustig meer vertrouwen hebben in jezelf. Ik weet het ook allemaal niet hoor, maar wees niet bezorgd dat je de enige bent met zo hier en daar een probleempje. Ik zit in een spagaat. Ik wil er graag toe doen, voor mijn medemens, speciaal voor kinderen, maar als me dat mijn huwelijk kost...'

'Natuurlijk niet, Lodewijk trekt heus wel bij, hij moet wennen aan het idee. Hij is nu eenmaal van de tradities en van afspraak is afspraak.'

'Voorlopig wil ik eerst voor ma zorgen. Als het even kan probeer ik haar mee naar Nederland te krijgen, en daarna ga ik aan de slag.'

'Ik kleed me gauw aan, en dan gaan we de stad in. Weg hier. Strak plan.'

42

De' Medici, dat was een familie die tot de verbeelding spreekt, denkt Stefanie, terwijl ze langs het Palazzo Medici-Riccardi lopen. Met vorsten, hertogen en zelfs pausen. Ze had graag in de renaissancetijd geleefd. Ze ziet het wel voor zich, flaneren door Florence, gekleed in een prachtige wijd uitlopende jurk, of rondgereden worden in een chique koets, door zes statig stappende paarden getrokken. Maar ja. In die tijd was er natuurlijk ook kommer en kwel. Als gewaardeerd Medici-familielid ziet ze het wel zitten, maar wat als ze als de vrouw van Piero was geboren? Piero, die met zijn gezin de stad uit werd gejaagd, omdat hij vernederende vredesvoorstellen had aanvaard van een Franse koning die Toscane was binnengevallen? Gruwelijk, een gezin dat verstoten wordt van huis en haard, en – nog erger – van de familie.

'Vallen we hier zo ergens neer?' vraagt Anne.

'Ik loop liever een stukje door, naar de Piazza della Repubblica. Daar zitten de chiquere terrasjes.'

'Wat jij wil.'

Anne lijkt afwezig.

'Hier gaan we zitten,' beslist Stefanie.

'Hier? Dit lijkt me een vreselijk dure tent.'

'Ssjt!' Ze glimlacht tegen een ober die langsloopt.

'Ze verstaan toch geen Nederlands.' Haar zusje toont demonstratief vier lege broekzakken. 'Ik ben helemaal blut.'

'Heb jij je driehonderd euro van pa ook al uitgegeven?'

'Nee, maar wat daarvan over is heb ik achtergelaten op mijn slaapkamer, toen ik gisterochtend wegging.'

Het maakt haar niet uit. Haar driehonderd euro is opgegaan aan cadeautjes voor de kinderen, aan schoenen voor Lodewijk en een paar topjes voor zichzelf, maar haar creditcard zal uitkomst bieden. Zal ze beginnen met een fles Dom Pérignon? Laat ze ook nog wat kaviaar serveren. Ze voelt zich opstandig. Ze wil weer studeren, ze wil doen wat ze altijd heeft willen doen. Het stemmetje in haar hoofd dat waarschuwt dat ze dan misschien de luxe vaarwel kan zeggen, kan de pot op. De glamour en luxe kunnen haar niet schelen, hebben nooit indruk gemaakt, zelfs niet in die eerste succesjaren. Al kan ze volop genieten van al het moois, dat is niet waar het in het leven om draait. Anders wordt het als ze straks haar kinderen vaarwel kan zeggen.

'Vind je het eng?' vraagt Anne.

'Wat?'

'Je veilige leventje op het spel zetten.'

'Ik vind het doodeng.'

Een ober brengt de kaart. Ze doet het. Ze bestelt een Pérignon Rose uit 1998. Kost een fortuin, ze zal het Anne maar niet zeggen, die durft dan niet eens een glas te drinken. Of ze zet de fles uit baldadigheid aan haar mond. Daar heeft ze zelf ook zin in, misschien moet ze iets meer Anne in haar systeem laten stromen. Ze proosten op het leven en drinken. Zwijgend. Goh, echt wat je noemt een gezellig uitje van twee zussen. Ze vult de glazen bij en begint de alcohol te voelen. Ze moet oppassen, tijdens het diner heeft ze ook al wijn gedronken. Meer Anne in haar systeem? Dan niet haar euthanasiegedachten, alsjeblieft. Misschien moet ze... 'Waar we het over hebben gehad,' zegt ze, 'over ma, weet je, ik heb er serieus over nagedacht, maar ik zou het nooit kunnen.'

'Ik wil het ook niet,' antwoordt haar zusje.

Haar mond valt open.

'Heb ik ooit gezegd dat ik het wel zou kunnen? Alsof het mij niet zoveel zou uitmaken, ik zie het je denken. Ik met mijn lijken. Het is toevallig ook mijn moeder hoor.'

'Wind je niet op, ik ben alleen verbaasd omdat je vóór leek, toen we bij Il Bargello lunchten, en zeker ook daarna, 's avonds, toen je ma naar bed had geholpen. Maar goed, ik heb het er met haar over gehad en ze had er spijt van dat ze het ter sprake heeft gebracht.'

'Dat zei ze ook tegen mij,' zegt Anne. 'Alleen ik geloofde haar niet, eigenlijk nog steeds niet. Maar pa wil het ook niet en dus is het van de baan. Hoe zou ik hem ooit nog kunnen aankijken, als ik, als ik... Hij zou me erom haten, denk je niet?'

Daar heeft ze geen antwoord op, en ze zwijgt. Ze drinken hun champagne, kijkend naar de voorbij slenterende bonte verzameling toeristen. Maar ook steeds meer Italianen vullen het straatbeeld.

'Zeg, wat is dit voor lekker sapje?' vraagt Anne, als ze haar lege glas op tafel zet. 'Of liever, wat wás het?'

'Pinot noir en chardonnay, perfect in balans.'

'Je hebt smaak, zus, doen we er nog eentje?'

'Nou...'

'Ik betaal je terug.'

Ze grinnikt. 'Goed hoor. Soms moet je dingen gewoon doen.'

Anne kijkt haar verbaasd aan. 'Dat jij dat nou zegt...'

'Sta je daarvan te kijken? Het zal wel. Maar weet je, ondanks de donderwolken boven mijn huwelijk ben ik zó blij dat ik het heb gezegd. Dat hij het nu weet.'

'Het helpt inderdaad om je hart te luchten,' zegt Anne. 'Goed van je. Zeg, weet je waar ik ben geweest?'

'Op het kasteel?'

'Bijna goed.'

Ze luistert met stijgende verbazing naar Annes verhaal, slechts onderbroken door de ober, die met veel egards de tweede fles champagne serveert. Anne vertelt over de dode in het kasteel, die er wel degelijk geweest schijnt te zijn, over Ruiterbeeks val, de dossiers, en haar doodsangsten. 'Allemachtig! Vandaar die...' Ze wijst naar Annes polsen.

Haar zusje knikt.

'Wie heeft je dat aangedaan?'

'Eh, je moet me niet aanvliegen, maar ik dacht eerst aan pa.'

'Aan pá? Anne!'

'Maar nu geloof ik dat het oom Alex moet zijn geweest. Hij heeft al een paar keer tegen me gelogen. Wat vind jij eigenlijk van hem? Je hebt toch zaterdag ook een tijd met hem gepraat?'

'Ja. En hij kwam met pa mee voor de lunch, gisteren. Ik weet het niet. Pa zei, toen Alexander even naar het toilet was, dat ze binnenkort ieder hun eigen weg zouden gaan, omdat het werk er hier bijna op zit, en hij verwacht veel te zullen reizen. Ik dacht nog, hoe wil hij dat dan doen met ma?'

'Ja, en?'

'Wat, en?'

'We hadden het over oom Alex.'

'Rustig maar.'

'Vertel!'

'Wat ik opvallend vond is dat pa van onderwerp veranderde toen Alexander terugkwam.'

Anne leunt naar voren. 'O ja? Waarom was dat, denk je? Zou pa hem op de een of andere manier niet vertrouwen?'

'Die twee kennen elkaar al zo lang, ik zou niet weten waarom. Maar nu ik erover nadenk, ik vond pa gespannen, tijdens die lunch. Hij schoot uit zijn slof toen ze het over ma hadden.

Ik dacht op dat moment dat het alleen te maken had met ma's ziekte.'

'Stel nou dat… stel dat oom Alex roet in het eten gooit? Dat hij onderzoeken saboteert, omdat hij zelf met de eer wil strijken?'

'Dat lijkt me vergezocht.'

'Maar niet onmogelijk.'

'Ik heb Alexander altijd integer en aardig gevonden, maar jij kent hem beter dan ik. Hoe het ook zij, wil jij je er in vredesnaam niet mee bemoeien? Je hebt geluk gehad, Anne, deze keer. Beloof me dat je je erbuiten houdt.'

'Ik beloof het.'

Of Anne zich daaraan zal houden waagt ze te betwijfelen. Ze vraagt het haar zusje nogmaals, maar ze hoort haar vraag niet. Haar zusje lijkt haar hart nu helemaal te willen luchten, en voor ze er iets aan kan doen hebben ze het al weer over euthanasie. Het bederft de smaak van haar champagne. Anne vertelt over Tarantini's bemoeienis ermee, en die van hun vader. Hun vader, die begrip zou hebben voor euthanasie?

'Had jij verwacht dat hij daar in beginsel niet zo negatief tegenover zou staan?' vraagt Anne.

Ze schudt haar hoofd. 'Pa is er fel tegen. Hij moest ook niets hebben van die Schellekens, die voorzitter van de Stichting Vrijwillig Leven, die volgens hem de artsencode schond. Een stap verder en de huishoudster zou haar baas een handje helpen als die gestrest van zijn werk kwam, zei hij, toen hij het nieuws in de krant las dat die man voldaan had aan een euthanasieverzoek.'

'Pa heeft toegegeven dat ze enkele patiënten hebben geholpen.'

'En net zei je nog dat hij het niet wilde.'

'Niet bij ma, nee, dat is toch heel iets anders? Een patiënt, of je eigen vrouw?'

'Het zal wel. Kunnen we het over iets anders hebben?'

Halverwege de tweede fles vertelt Anne opnieuw over haar nachtmerries. Over de harige ratten met verkoolde ogen en rare stemmen. Typisch weer Anne. Ze kan er niet naar luisteren en laat de details langs zich heen glijden.

'Ik verbeeld het me echt niet, en ik word er 's nachts zwetend van wakker.'

Dan heeft ze er genoeg van. 'Anne, denk nou eens na. De hele dag tussen die lijken, dat is vragen om dit soort kronkels in je geest. En dan dat balsemen... ik heb je toch al zo vaak gezegd dat je iets anders moet gaan doen. Waarom ga je de zorg niet in, gewoon, in een ziekenhuis, patiënten verzorgen, blij zijn als er een naar huis mag, daar heb je toch voor geleerd? Er is een chronisch tekort aan personeel in die sector. Of ga met die cryptogrammen aan de slag. En dan ga je eens uitkijken naar een leuk huisje, een lieve vriend...'

'Stefanie, doe niet zo degelijk.'

'En waarom niet? Wat is er mis met mijn huisje, boompje, beestje?'

'Daar is op zich niets mis mee, maar je doet alsof dat alleen het ware geluk kan brengen. Een huis en een tuin, kinderen... Terwijl, als ik het bij jullie zie, al die oppervlakkigheid – botox, neptieten...'

'Daar doe ik niet aan!'

'Nee, maar die vriendinnen van je wel. Het gaat alleen maar over uiterlijk. Als ik ook maar het minste over mijn werk vertel, dan draaien ze zich met hun neus in de lucht om. Nou, ik zal je vertellen, als die siliconen ontploffen en de dames erbij, dan zullen ze wat blij zijn met iemand die ze er netjes bij legt, in de kist.'

'Anne!'

'Het is toch zo? Ik hou toevallig van mijn werk, mag ik? Dat van die vrienden van jullie, het is allemaal show.'

'Alsof jij het allemaal zo goed weet. Dat vergeet je trouwens ook, ik voed twee kinderen op. Dat is heus niet zo eenvoudig.'

'Ik beweer helemaal niet dat ik het allemaal goed weet. Maar die opvoeding, als je erbij kunt gaan werken, en studeren?'

'Wel potver... Anne, nu moet je ophouden hoor.'

'Jij zit mijn leven toch ook af te zeiken?'

'Zeiken. Alleen dat woord al.'

Ze schrikt als Anne de fles met een klap op tafel zet. 'Snap je het dan niet? Ik heb, ik wil gewoon...'

'Weet je wat ik had gewild? Een fijne week samen, als familie, daar had ik me op verheugd!'

'Fijn en familie past niet bij ons, Stefanie, word wakker. Dat heeft het nooit gedaan, en dat zal ook nooit het geval worden. Fijne familie.'

'O? O ja? En door wie komt dat dan wel, hè? Wie begint er nu weer over allerlei enge dingen? Zelfs als ik de duurste champagne laat aanrukken, weet jij uiteindelijk de boel weer te verzieken. Zelf de sfeer verpesten met je aandachttrekkerij, en dan anderen de schuld geven. Dat was vroeger ook al zo. Weet je... weet je wanneer wij een fijne familie waren? Toen jij er nog niet was!'

Ze ziet Annes gezicht verbleken. Plotseling vliegt haar zusje overeind, waarbij ze de tafel omstoot, kijkt haar met een lege blik aan, en rent weg.

Het lawaai van brekend glas op de stenen maakt haar in één klap nuchter. 'Anne!'

Een ober snelt naar haar tafel en ze excuseert zich voor de schade. Hij is niet boos, lijkt eerder bezorgd. 'Heeft u zich bezeerd?' vraagt hij.

'Nee,' zegt ze. 'Kan ik snel betalen?'

43

Totaal verbijsterd, zonder enig besef waar ze naartoe gaat, rent
Anne weg. Ze wil niet nadenken, ze wil weg, weg, ze wil verdwijnen, oplossen in de nacht. Pas als haar longen uit haar lijf
dreigen te barsten blijft ze stilstaan om te kijken waar ze is.
Ze moet zelfs de Ponte Vecchio over zijn gerend, zonder dat
ze het in de gaten heeft gehad, want ze merkt, hijgend, dat ze
aan de andere kant van de Arno is beland. Haar kleren zijn
kletsnat van het zweet. Ze loopt terug naar de rivier. Hangend over de brede, stenen afscheiding tussen de Arno en het
voetpad dat erlangs loopt, volgt ze de stroom van het water. Af
en toe hoort ze stemmen van Italianen, die zich lijken op te
winden over van alles, maar ze zouden net zo goed over het
weer kunnen praten. Ze klinken altijd alsof ze over een zaak van
leven en dood discussiëren. Leven en dood. En dan, in een opwelling, galmt haar stem over het water. 'Néééé!' Ze balt haar
handen tot vuisten, krimpt in elkaar en merkt dat haar
schreeuw afzwakt tot een bitter gejammer. Vaag is ze zich bewust van passanten, een enkele vraagt of ze hulp nodig heeft.
Ze schudt haar hoofd. Laat me alleen, zou ze willen zeggen,
maar er komt geen geluid meer uit haar keel. Als haar hartslag
rustiger is wandelt ze de oude brug weer over, terug het oude
centrum in. De brug is doods zonder de glitter van het goud

in de winkeltjes. Zelfs Stefanie vond die sieraden te. Stefanie. *Weet je wanneer wij een fijne familie waren? Toen jij er nog niet was.*

Voor de hoofdingang van haar ouders' appartement beseft ze het gemis van een sleutel. En haar afkeer om naar binnen te gaan zorgt voor een wee gevoel in haar maag. Maar als haar donkerste vermoeden waarheid blijkt, dan kan ze niet anders dan naar binnen gaan; daar moeten haar antwoorden liggen. Als oom Alex de boel inderdaad saboteert, dan moet ze haar vader waarschuwen. Ze wil het weten. Ze wil het haar oom horen zeggen, en ze wil vooral dat hij haar recht aankijkt en toegeeft dat hij heeft gelogen, en meer nog, dat hij haar doodsangsten heeft laten uitstaan. Ze haalt diep adem, recht haar schouders en drukt op de knop bij A. van den Heuvel.

'Ja?'

'Ik ben het, Anne.'

De zoemer klinkt. Ze laat de lift voor wat die is en rent naar boven, hij staat al in de deuropening. In zijn ochtendjas. 'Wat zie je er verhit uit, kom, ik schenk een glas water voor je in.'

'Ik wil geen water.'

'Iets anders?'

'Nee. Ik wil je iets vragen.'

'Ga zitten.'

Oom Alex doet alsof het de normaalste zaak van de wereld is dat ze hier op een onmogelijk tijdstip bezweet binnenvalt. Ze neemt aan dat het dik na middernacht is en aan zijn verwarde haardos te zien lag hij al te slapen. De oom die haar oom niet is, die er altijd voor haar was. Een verrader? Terwijl ze met Stefanie champagne dronk, zelfs toen ze de stad door rende, verdween de gedachte geen moment uit haar hoofd. 'Ik weet wat er is gebeurd.' Haar stem klinkt onvast. 'Met Di Gennaro, bedoel ik. Heeft mijn vader het je verteld?'

Hij knikt.

'Dan weet je ook dat hij me niet alles heeft verteld. Wat is er met Ruiterbeek gebeurd? Beledig me niet door te beweren dat hij zelf is gesprongen. Wie heeft dat pistool tegen mijn hoofd gedrukt?'

Vanaf het moment dat Stefanie haar wees op de rode striemen aan de binnenkant van haar polsen, heeft ze zich vreselijk moeten beheersen. Het liefst was ze keihard naar haar vader gerend om hem te vragen waarom hij heeft gelogen. Hij heeft haar in de lift opgevangen, bij Ruiterbeeks appartement. Hij zou de striemen gezien moeten hebben, en bovendien pulkte ze voor ze in bad ging nog restjes tape van haar gezicht. Toen hij met het washandje over haar gezicht wreef, kunnen die hem niet zijn ontgaan. Maar daarna besefte ze dat haar oom het ook heeft gezien. Hij kwam later zijn appartement binnen en trof haar daar aan. Hij deed alsof hij niets in de gaten had, net als pa. Hij heeft het geweten. Geweten van haar doodsangst daarboven, bij Ruiterbeek.

Hij kijkt niet op als hij het zegt. 'Ik.'

'Wát?'

'Ik heb Frits bedreigd. Ik heb tegen hem gezegd dat ik niet anders kon, dat hij zijn mond moest houden en als hij dat niet wilde… Ik heb een pistool tegen zijn hoofd gedrukt en hij sprong. Ik schrok me wezenloos, ik dacht dat hij als een angsthaas alles zou accepteren wat ik hem zou vragen, met dat pistool als dreigement. Maar hij… hij sprong. Hij sprong, zo ineens, er was geen houden aan.'

Gesuis in haar oren.

'Ik heb het proces alleen versneld, Anne. Hij had er hoe dan ook zelf een einde aan gemaakt. Hij was ten einde raad. Zijn zus was dood en wij wilden hem niet meer in het team, dus zou zijn riante salaris plotseling wegvallen; hij trok het niet meer.'

Ze kan het niet geloven. 'Waarom?'

'Frits wilde het lichaam van zijn zus meenemen naar Nederland en dat zou betekenen dat ze de doodsoorzaak zouden vaststellen.'

'Ze wilde toch geen euthanasie?'

'Nee. De vrouw is bezweken aan een virusinfectie, daar komt het simpelweg gezegd op neer. We vermoedden dat Frits in de gaten had dat we kampten met een tegenslag, en dat hij bewijs daarvoor wilde hebben.'

Ruiterbeek vermoord, ja, vermoord, zie je wel. Hij is gesprongen, maar met een kogel in zijn lijf als alternatief. Ze heeft het vermoed, gevreesd, en diep vanbinnen misschien zelfs geweten. Niet meer weglopen, wat de consequenties ook zijn. 'En pa keurde dat goed?'

'Ik heb hem verteld dat het een ongeluk was. En dat jij net op het foute moment binnenkwam, dat ik geen keuze had dan je tijdelijk uit te schakelen. Je vader is zo gefocust op die doorbraak, Anne, en hij wil je moeder redden, de tijd dringt.'

'En het pistool?'

'Het was niet geladen, Anne, maar ik moest je duidelijk maken dat je je er niet mee mocht bemoeien. Ik zag geen andere uitweg dan ook jou een niet mis te verstane waarschuwing te geven.'

Ze schuift haar handen onder haar benen in een poging ze op te laten houden met trillen. Ze heeft het niet willen zien, niet willen aanvaarden. Oom Alex. Ze wil het nog steeds niet geloven. 'Gold hetzelfde in het kasteel, die zaterdag tijdens dat feestje?'

Hij knikt. 'Je bent maar een paar minuten buiten westen geweest, ik ben bij je gebleven.'

'Je praatte Italiaans tegen me.'

'Zodat ik aannemelijk kon maken dat een van de verplegers je uit die kamer had verwijderd.'

Het klinkt logisch. Hij was bij haar toen ze onder aan die trap bijkwam. Ze had het meteen moeten weten, het in zijn ogen moeten zien, daar kent ze hem toch lang genoeg voor? Goed genoeg, toch? Ze kijkt hem polsend aan. Ze kent hem blijkbaar helemaal niet. Maar nu wil ze antwoorden. Geen leugens meer, ze wil alles weten. 'Hoe zit het nou met dat virus?'

'Onze medicijnen worden met behulp van een virus op de juiste plek gebracht,' legt hij uit. Zijn stem klinkt mat. 'Je vader meende in eerste instantie het perfecte virus daarvoor te hebben ontdekt, maar nu blijkt dat het niet in alle gevallen goed gaat. Sommige patiënten zijn overgevoelig voor het virus, ze krijgen koorts, lichaamsfuncties vallen uit en uiteindelijk bezwijken ze. We zetten alles op alles om te ontdekken waar het fout gaat.'

Ze concentreert zich op zijn woorden, tegelijkertijd spookt het gesprek met Stefanie door haar hoofd. Is het waar, wat ze tegen Stefanie heeft geopperd? Saboteert hij het onderzoek? Dan liegt hij nu. 'Om… om hoeveel patiënten gaat het dan?'

'Een klein percentage, maar zelfs dat is ontoelaatbaar als we hiermee naar buiten komen.'

Ze probeert tot zich door te laten dringen wat hij zegt. 'En pa? Moeten jullie dit onderzoek niet stoppen?'

'Hij kan de oplossing vinden, dat weet hij zeker.'

'Waarom zijn jullie er zo vroeg mee naar de media gestapt? Had je niet kunnen wachten tot alles helemaal perfect was?'

'Na de eerste successen waren we ervan overtuigd dat we de behandeling naar onze hand konden zetten, dat we alles onder controle hadden, en vergeet niet, de druk is groot. Er wordt al jarenlang zoveel geld in het onderzoek gepompt, dat aansprekende resultaten niet meer te lang op zich mogen laten wachten. Dan gaat de bevolking protesteren, zal het verspild belastinggeld noemen, en dat betekent bij volgende verkiezingen een ramp voor de geneeskunde.'

'Is het niet zo dat je bang bent om straks alleen door te moeten? Dat mijn vader je niet meer nodig heeft?'

'Wat?'

Ze ziet hoe hij schrikt, en ze wil het niet geloven, maar ze kan niet anders dan concluderen dat hij zo reageert omdat ze gelijk heeft. 'Pa gaat het laboratorium hier in Florence verlaten, hij heeft het aan Stefanie verteld. Omdat hij de wereld over zal moeten om zijn kennis over te brengen.'

'Waarom... waarom denk je dat ik bang ben dat ik alleen door zou moeten?'

'Omdat jullie al eeuwen samenwerken. Je hebt altijd achter pa aan gerend, meegelift op zijn succes. Is het waar?'

'Als, eh, als je vader me straks niet meer nodig heeft, dan... dan kan ik daar niets aan doen.'

Hij liegt. Het is niet wat hij wil, dat weet ze zeker.

44

Verward. Met stomheid geslagen. Ze vraagt zich af wie ze tegen-over zich heeft, of haar oom niet ongemerkt is getransformeerd in een klant voor de psychiatrie. Het dringt langzaam tot haar door wat de consequenties zijn van zijn bekentenis.

Hij haalt een doosje pijptabak tevoorschijn, en met gebrui-kelijke precisie stopt hij zijn pijp. Ze herinnert zich de vorige keer dat ze zo zaten, en hij zijn pijp stopte. Toen was ze onder-weg naar Ruiterbeek. Toevallig, dat hij op datzelfde moment naar de lift kwam. Ineens schieten haar meer zogenaamd toe-vallige momenten te binnen. Dat hij het lab binnenkwam net toen ze in haar vaders kantoor zat. Dat hij opdook toen Ruiter-beek haar in de auto iets wilde vertellen.

'Je hebt me in de gaten gehouden,' zegt ze.

Ze vertrouwde hem. Altijd, volledig en blindelings. En nu? Zijn nerveuze gebaren zeggen genoeg. Het is waar. 'Ruiterbeek wilde aan mij opbiechten wat hem dwarszat. Je raadde me die zaterdagavond na onze terugkomst uit Rufina zelf aan om hem te vragen of ik mogelijk een patiënt van jullie had gezien in dat kasteel. Maar dat deed je alleen omdat je toen al wist dat je zou voorkomen dat hij me ooit echt iets zou kunnen vertellen. Je wilde mijn vertrouwen weer winnen, na mijn argwaan in het kasteel. Waar of niet?'

Hij zwijgt. Rook ontneemt haar het zicht op de blik in zijn ogen. Ze heeft echter geen antwoord nodig, het past precies en zijn ontkenning zou haar beledigen. 'Waarom liet je me dan met hem praten, in het lab?'

'Ik luisterde Frits af. Microfoontjes in het lab, in zijn woning. Daarom wist ik ook dat je naar hem toe wilde. De enige misrekening was dat ik plotseling werd opgehouden door een spoedgeval, toen jullie elkaar spraken in het lab, anders had ik je al eerder bij hem weggehaald. Ik was er zeker van dat ik net op tijd bij zijn auto was. Als je de waarheid had gehoord, was je me op dat moment aangevlogen, maar toen ik hoorde dat je naar hem toe zou gaan, realiseerde ik me dat ik actie moest ondernemen. Je had een serieuzere waarschuwing nodig.'

Eindelijk heeft ze haar antwoorden, alleen ontbreekt de bijbehorende tevredenheid. Ze had liever een klap op haar hoofd waardoor ze buiten westen zou raken. Alles liever dan dit. Woede, weerstand, ongeloof. Die gevoelens in combinatie met oom Alex, het past niet. Ze heeft de neiging hem aan te vliegen, terwijl ze ook in zijn armen zou willen schuilen. Hij is zo vertrouwd. Ze denkt aan hun gezamenlijke vreugdekreten als ze dezelfde vallende ster hadden gezien, 's nachts in het gras liggend, terwijl haar vader en moeder dachten dat ze al lang in bed lag. Moet ze bang worden voor deze man, die misschien wel meer een vader voor haar is geweest dan pa? Ruiterbeek dood, door zijn schuld. Oom Alex, een laffe moordenaar. Haar maag komt in opstand. Ze haast zich naar het toilet, en is er net op tijd. Als ze denkt dat het over is, komt er opnieuw een golf ellende naar buiten. Koud zweet op haar huid, ze rilt. Het duurt lang voor haar lichaam rustiger wordt. Ze kijkt in de spiegel. Een verhit gezicht, met rode vlekken. Oom Alex. Nee, niet hij. Wel, hij is het wel. Is hij ook degene die ze in haar nachtmerries ziet? Met een natte handdoek koelt ze haar gezicht, hopend dat het eenzelfde effect heeft op haar lijf. Een patiënt dood. Ruiterbeek dood, zijn zus dood.

Wat als hij haar zo meteen de keel dichtknijpt? Opnieuw een pistool tegen haar slaap zet en het niet bij een waarschuwing laat? Het was haar laatste, zei hij, daar in Ruiterbeeks appartement. Ze is een naïeve dwaas, dat ze hem heeft verteld dat ze hem doorheeft. Ze overweegt de deur uit te vluchten en verwerpt het idee. Ze steekt een nagelschaartje in een van haar broekzakken en recht haar rug. Behoedzaam steekt ze haar neus om de deur van de woonkamer. Hij zit nog op de bank, een rookpluim zweeft boven zijn hoofd, waaiert uit.

'Mag ik een glas water?'

'Natuurlijk. Zal ik het voor je pakken?'

Ze knikt.

Ze volgt hem vanuit haar ooghoeken, zittend op de bank, haar hand als een vuist om haar geïmproviseerde wapen. Eén foute beweging en ze zal toesteken. In zijn oog. Geen genade. Hij heeft haar verdomme bijna vermoord. Hij geeft haar het glas en wil naast haar gaan zitten. Ze schuift abrupt van hem weg.

'Anne, ik begrijp dat dit rauw op je dak komt, maar ergens moet je het hebben geweten. Het spijt me dat ik je dit moet vertellen en ik beloof je bij dezen dat ik mezelf vrijdagmiddag bij de politie ga aangeven. Maar wil je alsjeblieft je vader zijn werk laten afmaken? Hij gaat het redden, zegt hij, hij is zelfs nu in het laboratorium, hij werkt als een paard om op tijd te zijn, zodat vrijdag de wereld kan juichen, zodat we alle MS-patiënten hoop kunnen geven. Ik smeek het je. Hij is er zo dichtbij.'

Toneelspeler. Zie hem zitten, hij meent er niets van, hij is degene die haar vaders werk saboteert. Het schrikken was zo goed als een bekentenis, hij stotterde niet voor niets. Waarom vraagt hij dit van haar? Heeft hij tijd nodig om de eer naar zichzelf toe te trekken, of om haar vader ook uit te schakelen? Nadenken.

Ze moet nadenken, dingen op een rijtje zetten, orde brengen in de chaos. 'Dat is goed. Ik ben erg moe, ik wil naar bed.'

'Natuurlijk.'

Hij wil haar een zoen geven, maar ze wendt haar gezicht af en deinst achteruit. Er verschijnt een glimlach op zijn gezicht, maar zijn ogen doen niet mee. 'Het is vreselijk en het spijt me dat je dit moet meemaken.' Hij steekt zijn hand naar haar uit.

De tranen komen alsof ze te lang hebben moeten wachten en nu allemaal hun kans schoon zien. Hij wil haar omarmen, maar ze duwt hem weg. 'Weg,' zegt ze. 'Raak me niet aan!' Ze zakt neer in de bank, omdat haar benen haar niet willen dragen.

Hij doet wat ze zegt, loopt even weg en komt terug, geeft haar een zakdoek. Al weer een helderwitte zakdoek onder haar neus. Ze dwingt zichzelf om weer op te staan. Hij wil haar helpen, ze weert hem af. 'Ik wil niet dat je… dat je me aanraakt.'

'Lieve Anne, je denkt toch niet dat ik jou iets aan zou doen?'

'Je hebt me vastgebonden, iets in mijn mond gestopt, tape eroverheen geplakt. Ik was bang dat ik zou stikken. Je hebt me bedreigd met een pistool. Ik dacht dat mijn laatste seconden wegtikten in die hel!'

'Ik hield je continu in de gaten. Ik zou jou nooit een haar krenken, dat zweer ik je met de hand op mijn hart.'

Ze bespeurt de genegenheid in zijn woorden, en wil zijn geruststellende woorden geloven. 'Wat ga je de politie vertellen?'

'Dat Frits en ik ruzie hebben gehad en ik hem heb bedreigd. Mijn plan was om mezelf aan te geven zodra je vader zijn persconferentie heeft gehouden, dat moet je van me aannemen.'

'Dus je hebt het voor pa gedaan?'

'Nee…' Hij aarzelt. 'Voor alle MS-patiënten ter wereld en de mensen die deze vreselijke ziekte nog zullen krijgen. En voor je moeder. Ik hoopte zo dat we haar nog konden overhalen zich te laten behandelen.'

Natuurlijk. Dat is het. De hang naar succes past niet bij hem, maar dit wel. 'Je houdt van ma.'

Ze bespeurt opnieuw aarzeling bij hem. Ze heeft gelijk!

'Zoals ik ook van jou houd. Vergeef me, alsjeblieft, ik was wellicht blind, maar ik meende en meen oprecht dat als we de kans hebben om MS uit te roeien, we die met beide handen moeten aangrijpen.'

Wat stom dat ze het niet in de gaten had. Hij wil geen einde aan de samenwerking met haar vader, omdat die samenwerking hem ook bij haar moeder in de buurt houdt. Blind is ze geweest, stekeblind.

Op haar tenen sluipt ze haar ouders' appartement binnen. Ze wil haar moeder niet wakker maken en ze wil zeker Stefanie niet spreken. Zachtjes gluurt ze bij haar vaders slaapkamer naar binnen en constateert dat oom Alex gelijk had, zijn kamer is leeg.

Ze rookt een sigaret op haar kamer, uit het raam hangend. Oom Alex. Een leugenaar, een bedrieger. Een moordenaar! Hoe is het in godsnaam mogelijk. Ze staart naar de heldere hemel, die ze met haar minitelescoop prachtig in beeld heeft. De maan is zo goed als vol en ze ziet zelfs het stralenstelsel rond Tycho, de heldere maankrater. Ze heeft nooit geweten dat hij zo goed kon liegen. Maar ze wist wel dat hij een goed acteur had kunnen worden. Hoe heeft ze het niet kunnen zien? Jammer dat ze altijd tegen dezelfde kant van het zilverwitte wonder aan kijkt, ze zou graag de achterkant eens zien, om bijvoorbeeld met eigen ogen Mare Orientale te bewonderen, een van de grootste inslagbekkens. Het is onvoorstelbaar dat de temperaturen op de maan tussen de min honderdzeventig 's nachts en plus honderd overdag variëren. Zonder lucht en dus zonder geluid, een kale, levenloze wereld, het tastbare resultaat van een titanenbotsing. In een opwelling gooit ze de telescoop uit het raam.

Enkele seconden later valt het apparaat te pletter op de straat. Even verstijft ze. Wat als haar moeder hierdoor wakker wordt? Maar het blijft stil.

Ze hoopt dat oom Alex nog wakker is, twee verdiepingen lager. Als hij zijn slaapkamerraam open heeft moet hij het gehoord hebben. Net goed. Haar oom, het zou wat. Niets wil ze meer van hem. Dit kan ze hem niet vergeven. Nooit.

Een moment wenst ze dat ze van dit hele circus niets had geweten. Dat ze kon ruilen met Stefanie.

Hij heeft tegen haar gelogen! Oom Alex, nee, Alexander, die met ogenschijnlijk gemak deed alsof hij niets wist van Di Gennaro, die zaterdagavond in het kasteel verdorie overleed. Misschien heeft hij de man zelfs een handje geholpen, net zoals hij Ruiterbeek heeft geholpen. Ze neemt nu niets meer aan. Hoe heeft hij dit kunnen doen? Ruiterbeek laten springen, en dan doodnuchter doen alsof hij van niets wist. Alexander, gevoelig en inlevend. En oprecht, dacht ze.

Ze moet hem tegenhouden. Wie weet wat hij nu zal ondernemen, om zijn doel alsnog te bereiken.

Weet je wanneer wij een fijne familie waren? Toen jij er nog niet was.

45

Uiteindelijk is ze toch in slaap gevallen. Was ze maar wakker gebleven. De stemmen in haar nachtmerrie zijn dwingender dan ooit, en ze vliegt schreeuwend overeind. Met Stefanie naast haar bed. De verschrikte ogen doen haar aanvankelijk vergeten dat ze kwaad op haar zus is.

'Gaat het?' vraagt Stefanie.

Ze knikt. 'Het was maar een droom.'

'Anne, sorry van gisteravond.'

Sorry? Waarvoor? Langzaam komt alles terug. De vernielde telescoop, Alexander, en voor die tijd de woorden van Stefanie. Die 's nachts door haar hoofd bleven malen. Ze vlucht de badkamer in. Ze wil Stefanie niet zien en nog veel minder horen wat ze te zeggen heeft.

Vier croissantjes grist ze van de ontbijttafel. Daarna kust ze haar moeder, een excuus mompelend dat ze haar vader had beloofd eten te brengen, en loopt de deur uit, doof voor mogelijk protest of eventuele vragen. Ze laat de lift zakken tot de eerste verdieping. Voor zijn deur begrijpt ze haar beweegredenen niet, ze wil hem nooit meer zien, en stapt de lift weer in. Als ze bij de voordeur is hoort ze de lift opnieuw. Of vergist ze zich? Stefanie zal het hopelijk niet in haar hoofd halen achter haar aan te komen.

Eenmaal buiten slaat de hitte haar tegemoet. Laat je vader zijn werk afmaken, zei Alexander. Zou hij dat menen? Alexander een regelrechte leugenaar. Moordenaar. Is ze echt zo naïef geweest, dat ze dit niet heeft gezien? Ja, nee, of in ieder geval niet alleen. Alexander haalde vroeger feiten en fictie al veelvuldig door elkaar. Als hij een verhaal voorlas over buitenaards leven, dan geloofde hij erin, althans, zo kwam hij over. Hij kon het haar doen geloven, dat in ieder geval. En hij fantaseerde toch ook altijd over zijn Franse voorvaderen? Terwijl haar vader haar ooit influisterde dat Alexander geboren en getogen Brabander is, en van oorsprong geen 'du Montagne' heet, zoals hij zelf graag wilde doen geloven. Ze haast zich, tot het ziekenhuis in de steigers voor haar opdoemt.

Het is druk in de gangen. Stemmen en voetstappen echoën in de holle ruimte, en niemand lijkt op haar te letten, niemand vraagt haar wat ze komt doen. Ze gelooft dat ze niet eens bezoekuren hebben, iedereen komt en gaat wanneer hij wil om een ziek familielid te verzorgen.

Als ze de deur van haar vaders laboratorium opent, hoort ze harde stemmen. Nee, niet die van Alexander. Zo zacht mogelijk gaat ze naar binnen, omdat ze niet wil storen. In eerste instantie ziet ze niemand. Voorzichtig sluit ze de zware deur achter zich en schuifelt een paar passen naar rechts. Het is even stil, ze hoort Vivaldi's *Vier Jaargetijden* – ze meent zelfs de zomer – en dan schreeuwt er ineens iemand. Moet ze helpen? Meteen daarna hoort ze haar vaders stem. Als versteend blijft ze staan.

De papieren zak met croissants valt uit haar hand. Vaag registreert ze het wit vanuit haar ooghoeken, dat een bescheiden plof veroorzaakt op de vloer. Ze opent haar mond om iets te zeggen, maar er komt geen geluid uit. Bewegingloos slaat ze een tafereel gade dat haar keel dichtsnoert. Alle bloed lijkt uit haar hoofd weg te trekken, en het kost haar moeite overeind te blijven. Ze voelt zich alsof ze zojuist een gruwelijke klap tegen haar hoofd heeft gekregen. Alleen is dat niet zo. Het is erger, veel erger.

Een nachtmerrie die geen nachtmerrie is. Het zijn beelden van het meest realistische soort.

Een man ligt op een stalen tafel, kronkelend en schreeuwend; het lawaai gaat haar door merg en been. Het aller-, allerergste realiseert ze zich daarna, als het schreeuwen van de man verstomt. Ze wil het niet zien, maar er is geen ontkomen aan.

Ze kent dit. Ze kent die blik in haar vaders ogen, die bitterkoude, onaangedane blik. Ze heeft het nooit aan iemand verteld, omdat ze altijd heeft gedacht dat pa toen zo kwaad op háár werd, in het lab. Vivaldi's muziek. Haar vaders blik, zoals ook nu... Hij was kwaad. Zo kwaad. Op háár, dacht ze. Ze moest het vergeten, wilde het vergeten. Alleen, dat lukte niet, en nu weet ze waarom. Haar vaders koude blik gericht op apparatuur, terwijl onder zijn handen iemand sterft. De nachtmerrie.

De ijskoude blik. Ze heeft het mis gehad, ze heeft het vreselijk mis gehad. Ze zakt door haar knieën. Langzaam glijdt ze langs de muur naar de grond en ze slaat haar armen om haar benen. Koud, ze heeft het stervenskoud.

De patiënt is inmiddels stil. Doodstil. Ze hoort haar vader vloeken.

Met een kracht waarvan ze niet weet waar die vandaan komt hijst ze zichzelf omhoog. Ze wil iets zeggen, maar er komt alleen een schor, onverstaanbaar krassend geluid uit haar keel. Ze hoest, en probeert het opnieuw. 'Pa?'

Nu pas lijkt hij haar te zien. 'Anne-Claire? Wat is er in godsnaam nu weer aan de hand? Ik heb geen tijd, ik moet een zaak regelen.'

'Een zaak?'

'Er is zojuist een patiënt van me overleden, zoals je ziet. Een tragische gebeurtenis die ik je graag had willen besparen...'

'Een… een tragische…'

'Wat stotter je nou! Een tragedie, ja. Dat is het, als een van mijn patiënten sterft. Maar ik moet mijn hoofd erbij houden, dat begrijp je.'

'Dit… dit is wat ik als kind ook heb gezien, toen ik per ongeluk bij je in de auto ben gekropen en je volgde, het lab in. Je moet het nog weten.' Het kan niet waar zijn. 'Ik, ik wist het nog. Dat ik met Pluto binnenkwam, dat ik je bewonderde in je witte jas.' Het mag niet waar zijn, maar het is wel zo. 'Dit… dit wist ik niet meer. Ik dacht dat je kwaad was omdat ik je stiekem was gevolgd, of omdat ik je stoorde, maar het ging om jou. Je verloor een patiënt, en dat maakte je woedend. Niet verdrietig, maar woedend, omdat het een stap achteruit betekende op je weg naar onsterfelijkheid.'

'Wat? Wat klets je nou voor onzin? Je had hier niet moeten zijn. Heb ik je niet gezegd dat je moet ophouden met je nieuwsgierige neus in mijn zaken te steken? Als je niet luistert, kan je dat soms slecht bekomen, dat heb je ook al eerder ervaren.'

Nee. Nee! O god.

Zijn harde woorden snijden door haar ziel, ze heeft de neiging weg te kruipen, het goed te maken. Haar briljante vader, aan de vooravond van internationale roem… Ze registreert zijn handelingen, alsof ze naar een film kijkt. Het laken dat hij over het lijk legt. Routineus, gedecideerd. Een ander gevoel dringt zich aan haar op. Een gevoel dat opheldering eist, de waarheid en niets dan de waarheid wil. En een afschuwelijk, onomkeerbaar besef.

Bevend loopt ze in zijn richting. 'Me slecht bekomen? Zoals bij Ruiterbeek, bedoel je? Alexander heeft me verteld wat hij heeft gedaan. Alleen, hij was het niet, jij was het. Je was niet eens verbaasd over de striemen op mijn polsen, en je veegde zonder enige verbazing restjes tape van mijn gezicht. Je wens om patiënten te genezen… dat je het doet voor alle zieken…

het is allemaal een leugen! Je doet het voor jezelf, en niemand anders,' fluistert ze.

'Onzin! En nu weg, ik moet door.'

Ze houdt zich aan een tafel vast om overeind te blijven. 'Dat kan toch niet? Nee, pa, dat kan niet. Je moet die persconferentie afzeggen.' Ze overhandigt hem zijn telefoon. 'Alsjeblieft. Het kan zo niet verder.'

Haar woorden lijken niet tot hem door te dringen.

'Kom, Anne-Claire, zo is het genoeg geweest. Ik moet aan het werk. Belangrijk werk, dat begrijp jij niet.' Hij schuift de telefoon van zich af.

'Belangrijker voor jou dan voor de patiënten. Je hebt een pistool tegen mijn hoofd gedrukt. Ik dacht dat ik dood zou gaan. Hoe kon je?'

'Je moet gaan.'

'Nee.' Ze staat te trillen op haar benen. 'Als jij niet belt, dan moet ik het doen.' Net als ze naar de telefoon wil reiken maait hij in een plotselinge beweging met zijn armen over de tafels. 'Ik wil dat je gaat, ik moet aan het werk,' zegt hij, met een wilde blik in zijn ogen.

Van schrik deinst ze terug, waarbij ze op het nippertje rondvliegend glas ontwijkt. De telefoon valt op de grond uiteen in stukken. Een klein onderdeel rolt weg, alsof het wil vluchten.

En dan beëindigt hij in één snoeiharde, respectloze zwaai de zomer van Vivaldi's *Vier Jaargetijden*. 'Scheer je weg! Nu!'

Het einde van de gehaaste violen zou geruststellend moeten zijn, maar het tegendeel is waar. Met het wegsterven van de strijkers in presto verdwijnt het beetje moed dat ze zichzelf had ingesproken als een ijsklontje in de hete zomerzon. Haar benen voelen inmiddels aan als elastiek en ze is bang dat ze valt, dat ze in elkaar stort.

'Mijn persconferentie afblazen, wat mankeert jou?'

Heeft ze zojuist gezegd dat hij zijn persconferentie moet afzeggen?

Hij richt zijn blik op haar. 'Mijn dag. De dag waar ik zo lang voor heb gewerkt!'

Alsof ze iets inferieurs is wat verwijderd moet worden. Afval.

Ineens wil ze niets liever dan hier weg. 'Als je niet naar me wilt luisteren, ga ik wel weg. Maar ik moet het aan iemand gaan vertellen, pa, ik... ik kan dit niet stilhouden.' Ze moet deze ruimte uit. Ze wordt onpasselijk van de onaangename lucht, die haar doet denken aan dode ratten; als ze ergens niet aan wil denken is het aan haar nachtmerrie.

De laatste passen richting deur rent ze, ondanks haar slappe benen. En dan slaat de schrik pas echt toe. Ze wil de deur openmaken, maar hoort, net als ze naar de klink wil grijpen, die bekende klik.

Ze kijkt naar hem, en hij houdt het apparaatje omhoog dat ze eerder bij zijn collega's zag. Hij heeft zichzelf opgesloten, en haar erbij.

'We moeten erover praten.' Zijn stem klinkt verhit.

Shit. Shit.

'Die persconferentie moet doorgaan. Luister naar je vader, Anne-Claire.'

'Nee!' Nee? Ze slikt een laatste spoor van haar drang tot kinderlijke gehoorzaamheid weg. 'Het is afgelopen. Ik kan je niet verder laten gaan. Het onderzoek moet stoppen. Doe de deur open.'

Hij kwakt de afstandsbediening tegen een muur. Het apparaatje valt op de grond, de batterij rolt eruit.

Haar vader grijpt haar bij een arm. 'Niet voordat je naar me luistert!' Zijn ogen boren zich in de hare. Hij eist haar aandacht.

Ze twijfelt even, en dan trekt ze haar arm los uit zijn greep. 'Ik moet niets meer, ik heb er genoeg van dat niemand me de waarheid vertelt! Ik wil antwoorden, pa.' Ze recht haar schouders, waardoor ze zich minder klein voelt ten opzichte van haar vader, en ademt diep in voor ze eindelijk, eindelijk die ene vraag stelt. 'Ik... ik wil weten of het waar is dat ma... dat ma MS heeft gekregen toen ze zwanger was van mij. Is dat zo?'

'Wat?'

'Is het waar?'

Hij kijkt, zwijgend, en dan ziet ze hoe zijn fronsen dieper worden. Hij lijkt haar vraag niet eens te horen. 'Ik moet mensen redden, Anne-Claire. Wil jij het op je geweten hebben dat alle MS-patiënten op deze wereld de hoop verliezen? Nou? Wil je dat?'

Nee. Ja. Hoezo, wat ik wil? 'Het is niet mijn schuld.' Ze gebaart om zich heen. 'Dit, dit is jouw verdienste, de jouwe alleen.'

Ze wil niet horen wat hij zegt, rukt zich los uit zijn handen en graait naar de afstandsbediening. Met trillende handen pakt ze het apparaatje op en constateert dat er stukjes afgebroken zijn.

Waar is de batterij gebleven?

Plotseling klinkt er glasgerinkel vlak bij haar. Ze schrikt, draait zich abrupt om. Wat...

Zijn uitbarsting komt plotseling en doet haar ineenkrimpen. 'Het is godgeklaagd. Mijn eigen dochter, mijn persconferentie afzeggen!'

Ze onderdrukt de neiging om weg te rennen. Niet meer weglopen. Ze kent haar vader niet terug in deze monsterlijke vorm, een angstaanjagende gedaante die alles binnen zijn bereik vernietigt. Niet weglopen. Niet meer. Dit oergevoel, deze razernij, moet vanuit het diepst van zijn ziel komen. Tegelijkertijd realiseert ze zich dat ze hem in geen enkele vorm echt kent of ooit heeft gekend.

46

Raar genoeg schreeuwt ze niet dat hij moet stoppen.

'Mijn dag, de belangrijkste dag van mijn leven!'

Ogenschijnlijk is ze de rust zelve.

'Hoe is het in godsnaam, in godsnaam mogelijk. Mijn levenswerk.'

Hoe harder hij tekeergaat, hoe kalmer zij wordt. Rechte schouders, kin naar voren. Maar in haar lijf stormt het.

'Al die jaren. Al die jaren…'

Hij gaat als een gek tekeer, hijgend als een oude stoomlocomotief. Straks krijgt hij nog een hartaanval en zakt hij hier voor haar ogen in elkaar. Aarzelend loopt ze op hem toe. 'Pa? Doe even rustig, oké?'

Vlak bij hem sist iets, lichtvonkjes springen op van de grond. Wat voor chemische rotzooi heeft hij hier allemaal verzameld?

Op enkele plekken in het lab bespeurt ze vlammen. Kleine, maar toch. Hoe snel verspreiden die zich, in een ruimte vol potjes waar doodskoppen in gele driehoeken op staan?

Ze schreeuwt boven zijn lawaai uit. 'We moeten hier weg, zie jij de batterij? Heb je er meer? Heb je nog een afstandsbediening voor de deur?'

Hij antwoordt niet, of zijn geluid wordt overstemd door brekend glas.

'Pa?'

Hij lijkt niet meer te beseffen dat ze er is, waar hij zelf is. Er gloeit een bezeten, afwezige blik in zijn ogen. Moet ze hem met kracht proberen te stoppen? Haar vijftig kilo tegen zijn weliswaar oudere, maar zeker één meter vijfennegentig lange, rond de tachtig kilo wegende pezige lijf, vol adrenaline? Zonder dat ze erover nadenkt werpt ze zich met alle kracht op hem. Hij valt. Ze voelt een pijnlijke steek in haar schouder als ze naast hem op de grond terechtkomt. Even is ze beduusd. Waar is hij?

Hij staat alweer. Zijn blik is anders, de woede is eruit. Hij maakt een vreselijk geluid. Een hysterische gil, vermengd met angst, terwijl hij met zijn schoenen probeert vlammen te doven. 'Help me!' schreeuwt hij. 'Vuur... help me het vuur te doven. De brandblusser... nee... in de hal...'

Ze trapt op de vlammen, terwijl ze vanuit haar ooghoeken ziet hoe haar vader probeert om de afstandsbediening te repareren. 'Schiet op,' zegt ze. 'Schiet nou toch op.' Steeds meer vuurhaarden, het gaat te snel, en ze schrikt van elke knal. Kleine ontploffingen. Ze rukt laden uit het bureau, wanhopig speurend naar een afstandsbediening voor de deur. Niets.

En dan ineens is er de klap. Een allesoverheersende, oorverdovende explosie zet de ruimte in een hels licht.

Haar lichaam lijkt uit elkaar te barsten. De druk in haar hoofd, op haar oren, is overweldigend en één kort moment voelt ze zich opgenomen worden, alsof een bovenaardse kracht haar optilt. Als een veer, die tot het uiterste gespannen is en wordt losgelaten. Om vrijwel direct daarna met een smak tegen iets hards te stoten en op de grond te belanden. Een gemeen felle pijnscheut flitst door haar rug.

Is dit echt? Zo niet, mag ze dan alsjeblieft gauw wakker worden? Ze durft zich niet te bewegen. Ze krijgt rare neigingen, om te gaan lachen, te gillen, en intussen doet ze niets. Veel vuur ziet ze nog steeds niet en even stelt haar dat gerust, maar ze constateert tegelijkertijd bezorgd dat er rookontwikkeling is. Zwarte, dikke rook, die haar doet hoesten. Ze ziet hem liggen. Na zijn uitbarsting vindt ze zijn stilte, nu, angstaanjagender. 'Pa?'

Geen reactie. Hij moet bewusteloos zijn geraakt, nadat hij net als zij door de klap op de grond is gesmakt. Vlak naast hem ligt de batterij. Haar weg hieruit. De angst in haar lijf breidt zich uit, als een kwaadaardig gezwel. Het verstikkende gevoel zat eerst alleen in haar hoofd, maar inmiddels verlamt het haar benen. Ook dit heeft ze teweeggebracht, het is haar schuld. Ze heeft er een puinhoop van gemaakt. Haar hele leven heeft ze niets anders gedaan dan ontwijken en weglopen. Weglopen, de kunst die ze als geen ander beheerst. De keren dat ze dat niet deed, veroorzaakte ze ongelukken en liet ze scherven achter. Als ze dat niet had gedaan... O, lieve hemel. Dit is groot, veel te groot. Ze moet iets doen. Het zweet breekt haar aan alle kanten uit. Ze is bang, doodsbang. Het is niet alleen de angst die haar lichaam verlamt, er is ook iets echt serieus mis in haar lijf waardoor ze zich bijna niet kan bewegen. Ze hoorde een *krak* toen ze tegen de muur aan smakte, een duidelijke krak, en dat geluid werd niet veroorzaakt door reageerbuisjes, meetinstrumenten of monsterflessen.

Ze hoorde zichzelf, het was haar rug, en haar linkerbeen ligt in een vreemde stand dubbelgevouwen onder haar billen. Het rare is dat het geen pijn doet. Deed het dat maar wel. Dat ze niets voelt, behalve die angst, verwart haar. Stank dringt door in haar neus en haar ogen prikken. Ze zou in een natte doek moeten ademhalen maar er ligt niets bruikbaars binnen handbereik. Niets. Ze kan niets doen. Geen kans meer om iets te herstellen van de puinhopen die ze heeft veroorzaakt. Ademhalen is pijnlijk, alsof ze een handvol spijkers heeft ingeslikt. Ze concentreert zich om niet te hoeven hoesten. Naar hem toe. Zijn kant op, dat rotding in elkaar zetten. Ze dwingt haar beenspieren in actie te komen, ze wil ze aanspannen, maar het heeft geen effect.

Rook, er is veel rook en nu ook vuur, dat gretig om zich heen likt en dichterbij komt.

Ze ziet hem niet meer, haar zicht is beperkt tot enkele meters, daarachter verdwijnt alles in een donkergrijs waas. Doods. Ze heeft hem in de gaten gehouden, en hij heeft niet meer bewogen. Is hij wel bewusteloos? Hij zal toch niet... Ze heeft naar hem willen roepen, willen schreeuwen, maar haar stem weigert. Wie weet is het allemaal tijdelijk, zoals een nare droom. Ze moet naar hem toe, en richt al haar aandacht op bewegen. Met haar handen betast ze haar benen. Ze knijpt erin en voelt niets, alleen warm vocht tussen haar benen.

Bewegen, kom. Ze wil, ze moet. Steunend op haar ellebogen sleept ze zich in zijn richting.

Hoort ze stemmen? Er volgt geen geruststellend beeld van te hulp schietende figuren, niemand komt binnen, het moet verbeelding zijn. De laboratoriumdeur en de wanden zijn brandwerend en zo dik dat er geen geluid doorheen zal komen. Een hysterische lach ontsnapt uit haar keel. Hoog, ze herkent haar eigen stem niet eens. Wat een lachertje, deze beschermende uitvinding. Met de deur op slot zit ze als een rat in de val.

De paar meter die ze moet overbruggen lijken uren te duren, ze sleept zichzelf met alle kracht die ze kan verzamelen over de vloer, die bezaaid ligt met rotzooi. Er druppelt bloed uit haar linker elleboog en ze neemt aan dat ze daar iets van moet voelen; als dat al zo is dringt het niet tot haar door. Ze is vlak bij hem, zijn ogen zijn gesloten. Zijn bril hangt aan één pootje aan zijn linkeroor, en ze zet het montuur weer op zijn vertrouwde plek, ook al ontbreekt het rechterglas. Ze legt haar hand op zijn keel. 'Pa?' Hij ziet asgrauw onder het zwart van de rook. Ze tikt tegen zijn wang.

Een beweging. Hij beweegt zijn oogleden.

'Pa?'

Hij opent zijn ogen.

'Zeg eens wat, toe...'

Hij hoest. 'Mijn Ein...stein,' zegt hij. 'Ik...' Er komt bloed uit zijn mond.

'We moeten hier weg.'

'Ik... ik...'

Zijn ogen draaien raar weg. Ze roept hem, en nogmaals, harder. Slaat hem op zijn borst, zonder enige respons.

Uitgeput geeft ze zich over aan de zwaartekracht, haar hoofd rustend op zijn borstkas. Ze voelt geen beweging, geen hartslag. Ze is geen arts, maar ze heeft lijken genoeg gezien en haar vader leeft nog. Dat moet. Ze houdt zichzelf voor de gek. Geen hartslag. Ze doet haar best om zichzelf overeind te hijsen, maar het lukt niet. Reanimeren kan ze vergeten. Waarom komt er niemand? Er moet toch ergens een alarm af zijn gegaan? De rookmelders hebben hun werk gedaan, maar nu hoort ze slechts het knisperen van brandend papier, afgewisseld met kleine explosies, die korte lichtflitsen veroorzaken.

Ze heeft haar vader vermoord. Onzin. Zij is niet degene die hier heeft rondgebanjerd als een prehistorisch monster in oma's servieskast. Hij heeft het zelf gedaan. Haar meenemend!

Niet waar. Het is haar schuld dat hij door het lint ging. Haar schuld, alleen de hare. Ze heeft weer eens niet nagedacht. Ze kwam hier om te praten, om iets te vragen, vooral.

Het voelt alsof iemand met naaldjes in haar ogen steekt. Van de rook? Of gaat ze janken als de eerste de beste stomme kleuter die liever iets anders had gekregen voor haar verjaardag?

Ze kon er niets aan doen... Het was... Het wordt zwart voor haar ogen.

In haar geheugen tast ze de afgelopen seconden, of minuten af. Ze is even weg geweest. Hoelang? Wat nou wit licht aan het einde van een tunnel, het leven dat in een flits aan haar voorbijtrekt... niets van dat alles. Het is gewoon afgelopen, haar lichaam zal verbranden. Zodra het iemand lukt de verdomd zware, brandwerende deur te forceren, zal er niets anders over zijn dan een verkoold lijk. Drie zelfs, als ze pa's patiënt meetelt. Identificatie op basis van gebitsgegevens, dat is wat resteert.

Ze hoest slijm op.

Met een verkoold lijk heeft ze nooit te maken in haar werk. Daar valt niets aan op te kalefateren, te balsemen of af te leggen. Ze heeft ze gezien, maar de enige optie daarna is: kist dicht en nooit meer opendoen. De stank krijgt ze nooit meer uit haar geheugen.

Wie zal haar straks vinden? Haar afvoeren?

Misschien is het wel beter zo. Weg van dit alles, dan hoeft ze zich nooit meer schuldig te voelen. Want, hé, geen twijfel aan, ze zullen haar de schuld geven. Die rotzooi? Die heeft zij gemaakt, wie anders. Wat kan het haar schelen, ze maakt het niet meer mee. Hij blijft de geleerde professor die op de grens balanceerde van onsterfelijkheid en dat is mooi.

Ze hoest. God, wat doet dat pijn. De rook... Ze herinnert zich de rook uit haar nachtmerrie. De stank, de ratten. Wat was het ook alweer, die harige beesten stonden voor schuldgevoel, toch? Haar grootste angst, dat ma's MS haar schuld is... en nu heeft ze nog steeds geen antwoord op de vraag waarvoor ze naar Florence kwam.

De dood. Ratten brengen de dood, dat was vroeger ook al zo. De pest. Buil en zo groot als sinaasappels. Heeft iets in haar onderbewuste haar willen waarschuwen voor de dood? Zijn dood. Haar dood? Ze zal toch wel eerst het bewustzijn verliezen, zoals daarnet, voordat ze stikt? Stikken schijnt de naarste manier te zijn om te sterven.

Plotseling realiseert ze zich dat ze het altijd mis heeft gehad, toen ze samen *The Wave* keken. Zij dacht dat haar vader haar die film wilde laten zien omdat de boodschap ervan was dat ze als individu haar verantwoordelijkheid moest kennen, en dat er niets mooiers was dan dat eigen individu zijn. Ha, ha, wat een grap. Nu begrijpt ze dat hij een andere zin uit de film niet voor niets citeerde. '*A few people get hurt along the way… So what?*' Hij had respect voor de man die het organiseerde, voor de figuur die het voor elkaar kreeg zoveel neuzen dezelfde, foute kant op te krijgen, en niet voor het individu.

Ma. Mammie, ze ziet haar. Ze lacht, zwaait naar haar vanuit het bed. Het lijf verzwakt, de spieren stram, maar haar ogen zo begripvol, zo vol liefde. Ze had er voor haar moeder willen zijn. Moeten zijn. Nu heeft ze het er nog niet met haar moeder over gehad, zie je wel, van uitstel komt afstel…

Ze lacht. Zwaait naar haar. Naar haar, niet naar hem. Ze had het willen weten.

Haar hoofd doet raar, en het is aardedonker om haar heen. Knipperen met haar ogen helpt niet. Ze steken. Doe ze maar dicht, alles komt goed. Het is warm, zomerse temperaturen, veel te warm. Waar is ze?

Haar vader komt naar haar toe, langzaam, wadend in een kabbelend riviertje, de zon warm in zijn gezicht, en hij omhelst haar. Ze hoeft niet bang te zijn, zegt hij, terwijl de damp uit het hete water omhoog kronkelt, hem in een waziger perspectief plaatst, een lichtblauwe aura zich om hem heen vormt. Zuiver, stralend.

Ineens begrijpt ze waarom ze rustiger werd toen hij in woede ontstak. Het had niets met haar te maken. Niets van wat hij deed en ooit heeft gedaan had met haar te maken. Ze hoeft het zichzelf niet aan te rekenen, ze hoeft zich niet schuldig te voelen, ze hoeft helemaal niets.

Wrang, dat ze zich dit nu pas realiseert, nu het er allemaal niet meer toe doet. Nee, het is mooi. Nooit meer dat schuldgevoel.

Haar ledematen, tenminste voor zover ze die voelt, zijn loodzwaar. Ze kan niet bewegen, ze kan niet weg. Het hoeft ook niet. Alles is vergankelijk, zelfs de mens. Juist de mens. De mens zal niet eens een rol van betekenis spelen in de toekomst van het heelal, zo kort zal hij aanwezig zijn op het podium van het universumtoneel. Zelfs als ze niet meerekenen hoe slecht ze met hun leefmilieu omgaan, dan nog is het zeker dat er in de evolutie van het leven op deze aardkloot vrijwel geen complexe levensvormen zijn geweest die het langer dan enkele tientallen miljoenen jaren konden uithouden.

Met haar ogen dicht, weg van hier, ziet de wereld er veel vrediger uit. Ze ligt in haar eigen bed, het raam open, en verliest zich in de sterrenhemel. Soms is het te bewolkt, meestal te licht, maar haar fantasie helpt altijd. Het eerste kwartier. Op de grens tussen het verlichte en het donkere deel van de maan komt de zon net op en ze ziet de schaduwen van de bergen en kraterranden. Het is zo adembenemend prachtig.

Even slapen. Ze legt haar hand op zijn hart. Het is goed zo.

Hij heeft zijn leven zelf beëindigd, zij niet.

Zij niet.

47

Mijn leven is veranderd in een farce. Of eigenlijk is het dat altijd al geweest, in ieder geval sinds ik Cees ken.

Het verjaarsfeest bij Tarantini? Ik beeldde me in dat ik genoot. Ik meende dat ik ontroerd raakte door Cees' speech, en dat ik kon genieten, puur omdat ik zag dat hij dat deed, maar ik hield mezelf voor de gek, en ik heb nooit anders gedaan. Dromen over samen naar de opera? Nog een farce, ik heb hem nooit durven vragen, omdat ik zeker wist dat hij me vierkant zou uitlachen en vervolgens uit zijn leven zou verjagen. Het begripvolle soort, zo ben ik nu eenmaal. Maar het breekt me op.

Als ik uit het raam keek van mijn appartement, en de schaarse bezoekers aan de botanische tuin observeerde? Dan dagdroomde ik dat ik Cees ook zijn eigen straat gunde, dat zijn passie een beloning verdiende die hem onsterfelijk zou maken. Het is niet voor niets dat ik moest huilen toen ik eraan dacht dat hij mijn enige grote liefde is. Alsof hij het ooit nog eens zou zien, zou weten, en me in zijn armen zou nemen om mijn liefde voor hem te beantwoorden. God, wat ben ik blind geweest. Een domme, oude man.

Ik heb me zelfs stilgehouden toen ik me realiseerde dat ik niet tegen Anne had moeten liegen. Ze verdiende die leugens niet. Zeker Anne niet, die vroeger ook altijd al zo intuïtief streed tegen onrecht. Ik voelde dat ik fout zat, maar ik heb het niet rechtgezet, al deed het me pijn.

Ik ben graag alleen, en het was beter geweest als ik mijn eigen weg had gezocht, in plaats van me zo vast te klampen aan een onmogelijke liefde, die slechts een afzakkertje bij me kwam halen als hij over zijn werk wilde praten. De sporadische momenten dat hij over zichzelf vertelde, bijvoorbeeld over het verzetsverleden van zijn vader, kan ik op de vingers van één hand tellen. Ik koesterde die momenten en wilde altijd graag meer van zijn jeugd weten, maar dat was geenszins wederzijds.

Vanaf het moment dat we de eerste woorden met elkaar wisselden – het ging over het studentencorps waarin hij zoveel tijd stak, ik weet het nog precies – heb ik Cees op een voetstuk gezet, en daarna heb ik me nooit meer enig moment afgevraagd of de sokkel kon wankelen, of afbrokkelen.

Het is onvergeeflijk. Ik heb het niet gezien, niet willen zien. In plaats daarvan heb ik blindelings vertrouwd op zijn kennis. Niemand is meer geëngageerd dan hij, het is zijn missie, zijn levenstaak om mensen te helpen. Dacht ik.

Ik heb gelogen tegen Anne, en zelfs nu nog hoop ik dat ze me heeft geloofd en dat ze hem geen vragen gaat stellen, omdat de tijd dringt. Geloof ik nog steeds dat het sprookje zal eindigen met 'en ze leefden nog lang en gelukkig'? Voor sprookjes ben ik al lang te oud.

Ik wil naar het laboratorium, maar ik word opgehouden door een patiënt in acute ademnood. Er is in dit godvergeten ziekenhuis geen fatsoenlijke verpleegster te vinden als je er eentje nodig hebt. 'Wacht u even, ik maak een injectie voor u klaar.' Ik ben Anne gevolgd. Even dacht ik dat ze bij me zou aanbellen, ik hoorde de lift stoppen toen ik de krant uit de postbus wilde gaan halen, maar ze kwam niet. Ik wist dat ze naar het lab zou gaan.

Ze gaat haar vader vertellen dat hij moet stoppen met het onderzoek, dacht ik onmiddellijk, tot er duidelijkheid is over wat er
mis is met het virus.

Ik denk dat ze me geloofde. Dat ik Ruiterbeek heb vermoord.
Juist het feit dat ze me geloofde, dat doet eigenlijk nog het meeste pijn.

'Dokter? Schiet u op? Ik krijg geen lucht…'

'Ja.' Ik laat een klein straaltje uit de injectienaald spuiten. 'Kijk
eens. Blijft u heel even zitten, en dan zult u onmiddellijk verlichting voelen. Weer kunnen ademhalen. Excuseert u mij, ik moet
me haasten.'

Ik laat de piepende patiënt achter. Onverantwoord, maar ik
maak me steeds ongeruster over Cees' ego in combinatie met
Annes hang naar de waarheid… Ik heb het nog nooit meegemaakt, maar als het er echt op aankomt, zouden ze elkaar wel
eens in de haren kunnen vliegen.

Pas nadat Frits was gesprongen, wist ik dat er echt iets vreselijks
aan de hand was. Tot die tijd ben ik er oprecht van overtuigd geweest dat alles onder controle was, dat alles goed zou komen.
Cees verzekerde me dat vele malen.

Goedgelovig. Volgzaam. En o, lieve hemel, wat ben ik naïef geweest. Als Anne hier is om Cees ervan te overtuigen dat hij het
onderzoek voorlopig moet afbreken, zal ik haar steunen.

En als Anne daar niet op aandringt, zal ik het hem duidelijk
maken. Het is niet anders. Ik moet mijn verantwoordelijkheid nu
echt nemen.

Waarom zit de laboratoriumdeur op slot? Op slot?

Ik haal de afstandsbediening met bevende handen uit mijn
broekzak. Klik. Zodra ik de deur open, deins ik geschrokken achteruit. Een zwarte muur van rook vult mijn blikveld.

Ik ben te laat. Veel te laat.

48

Afschuwelijk. Ze heeft er geen ander woord voor. Stefanie rijdt met haar vaders auto naar het vliegveld om Lodewijk en de kinderen op te halen. Wie had gedacht dat haar gezin hier zou komen, in plaats van dat zij morgen, volgens plan, weer naar huis zou gaan?

Ze heeft amper tijd gehad om na te denken over hun huwelijk, over haar voornemen te gaan werken, haar studie op te pakken. Alles is veranderd. Haar gezin schudt op zijn grondvesten en de familie ligt uit elkaar. In plaats van nagenieten van haar vaders vijfenzestigjarige verjaardag en haar moeder vertroetelen bladert ze in folders over grafkisten, moet ze praten met een begrafenisondernemer.

Als ze haar gedachten ook maar een moment loslaat, ziet ze direct dat naargeestige beeld weer voor zich, ruikt ze de misselijkmakende stank. Wie heeft in godsnaam bedacht dat familieleden elkaar officieel moeten identificeren?

Ze raakt geëmotioneerd als ze Wouter en Floor in haar armen houdt, hun vertrouwde geur eindelijk weer opsnuift. Lodewijk omhelst haar, zonder enige terughoudendheid. 'Ik heb je gemist,' zegt hij. Zijn arm om haar heen doet haar meer dan ze voor zichzelf wil toegeven en voor ze het in de gaten heeft stromen de tranen alweer over haar wangen. Ze geeft haar man de autosleutels. Gelukkig hoeft ze de auto niet opnieuw door het drukke stadsverkeer te manoeuvreren.

'Mam, mam, kijk, een Lamborghini,' roept Wouter. 'Wow, cool, hoe lang blijven we hier?'

'Sasha heeft pappies leren schoenen opgevreten,' zegt Floor. 'Is tante Anne er nou wel of niet?'

Lodewijk legt een hand op haar been. Ze beseft ineens dat ze haar haren in een staart heeft geknoopt, en dat haar rok flink is gekreukt. Had ze deze nou gisteren ook aan? 'Ik heb je gemist,' zegt ze, met een moeizame glimlach, 'en ik ben blij dat je zo snel kon komen. Het is een puinhoop en ik voel me volledig geradbraakt.'

Ze zal Lodewijk niet meteen overladen met informatie; bovendien weten de kinderen nog van niets. Hoe moet ze dit in vredesnaam gaan vertellen?

In haar ouders' appartement is het stil, vredig, alsof er niets is gebeurd. Ma slaapt, pa was immers toch al nooit thuis, en voor Anne gold dat hier de afgelopen week ook. Anne... Ze zucht. De stilte is allesbehalve vredig, ze hoeft zich geen illusies te maken. Alexander heeft haar alles verteld, en de schok van de waarheid over vaders onderzoek en zijn afgrijselijke aandeel daarin trilt nog steeds na in haar lijf. En of dat nog niet genoeg was, bleek ma het nieuws op de radio te horen toen Alexander bij haar was en ook tegenover haar kon hij niet liegen. Nu hij eenmaal zijn deken van bedrog heeft afgegooid, krijgt hij geen leugen meer over zijn lippen. Hij is kapot, een schim van zijn oude zelf.

Ma slaapt, ja, maar alleen dankzij een zware dosis kalmeringsmiddelen. Waar ma erin had berust als eerste van hen vieren te gaan...

Hoe heeft het toch in godsnaam zover kunnen komen?

Ze installeert Wouter en Floor in Annes kamer. Een extra matras erbij, wat kleren uitpakken, en ja, de tv mag aan.

'Wat gaan we morgen doen?' wil Wouter weten.

'Morgen? Eerst nu maar eens lekker slapen, jongeman, je doet al een uur lang niets anders dan gapen.'

Floor is al in diepe slaap. Ze legt de pluchen nijlpaardknuffel die ze uit haar eigen tas heeft gevist naast haar dochter op het kussen en streelt de zachte roze wang.

Als ze de kamer in komt, blijkt haar moeder wakker. Of ze is wakker geworden van hun komst. 'Ik red me verder,' zegt ze tegen Estella. 'Ga maar naar huis.'

Ze omhelst de verpleegster. De uren waarin zij dingen moest regelen, heeft de vrouw bij haar moeders bed gezeten; zorgend, troostend. Een gouden mens. De tranen prikken alweer achter haar ogen.

Met Lodewijk en ma overlegt ze wat er moet gebeuren. Eerste, voorzichtige woorden die over een toekomst gaan waarover haar moeder niet kan denken. Later is ze alleen met haar moeder, terwijl Lodewijk iets te eten regelt voor zijn knorrende maag. Ze herinnert zich niet eens of ze vandaag iets heeft gegeten, maar alleen al bij de gedachte aan eten wordt ze misselijk.

'Ik ben er voor je,' zegt ze, als ze haar moeders kussen recht legt en ma even haar ogen opent. Het is alsof haar moeder zelf ook de dood in de ogen heeft gekeken. De kans op enkele mooie laatste jaren met ma is veranderd in een weerzinwekkend vermoeden dat het misschien niet meer lang duurt voor ze ook afscheid van haar moet nemen.

'Ik wil ze zien,' zegt haar moeder.

'Dat ga ik regelen,' antwoordt ze.

Tegen middernacht laat ze zich volledig uitgeput op bed vallen. Eindelijk samen. Lodewijk neemt haar in zijn armen, streelt haar zoals ze het graag heeft, teder en langzaam, tot ze het niet meer uithoudt en elke vezel in haar lichaam om hem smeekt. Tussen tranen door voelt ze iets van haar energie in haar lijf terugstromen. 'Ik hou van je,' fluistert hij. 'Had ik je dat vandaag al verteld?'

Ze antwoordt met een kus, waarin ze al haar liefde legt.

'Ik denk dat ma straks mee terug wil naar Nederland,' zegt ze. 'Vind je het goed als we haar in huis nemen, tot ze in een verpleeghuis terechtkan?'

'Natuurlijk, dat weet je; je moeder is altijd welkom.'

Vader niet, denkt ze er automatisch achteraan. Ze lagen elkaar niet, ze weet het. Haar vader... Het is diep tragisch, zo vlak voor zijn grote succes alles vernield. Dat hij zo... Het is allemaal zo gruwelijk, zo onwerkelijk, dat ze nog steeds hoopt dat ze wakker wordt en blijkt dat ze alles heeft gedroomd.

En Anne...

'Stefanie, over ons...'

Ze drukt een lichte kus op zijn voorhoofd. 'Met ma erbij zal ik weinig tijd overhouden voor werk of studie. Dus ik stel het uit.'

'Ik wilde je zeggen dat ik alles goedvind. Als je maar bij me blijft. Ik heb me nog nooit zo eenzaam gevoeld als deze week.'

'Dat is lief, dank je wel. Misschien maak ik ooit gebruik van het aanbod.'

'Is je droom verdwenen?'

'Nee, maar ik heb gemerkt dat het leven van een arts ook niet altijd bevredigend is. Mijn... mijn vader was altijd op jacht naar genezing, bezig met wat hij wilde bereiken; ik wil voldoening halen uit het nu.' Als vanzelf komen de tranen. Opnieuw. Ze probeert zich in te houden, maar als Lodewijk haar stevig tegen zich aan drukt, is er alsnog geen houden aan.

49

Haar vader is dood.

Nu nog steeds kan Anne niet precies aangeven wanneer ze zich realiseerde dat ze leefde. Ze hebben haar verteld dat ze drie dagen van de wereld is geweest omdat, toen ze dreigde bij te komen, ze haar kunstmatig in een coma hebben gebracht. Ze moesten afwachten hoe haar rug het zou houden, ze vreesden voor een dwarslaesie. Het kan haar niet schelen. Zij is op tijd gered, maar voor haar vader was het te laat. Tot deze middag heeft ze extra zuurstof gekregen via een doorzichtig kapje. Ze heeft geen pijn dankzij morfine, volgens een zuster. Hij heeft het zelf beëindigd, niet zij. Dat herinnert ze zich. Vlak daarna werd alles zwart. Ze wil geen schuldgevoel meer, ze wil helemaal niets.

Het schijnt goed te komen met de longen. Zodra de zwellingen en vochtophopingen verdwijnen zal het benauwde gevoel ook verdwijnen; de longblaasjes zijn niet zo erg aangetast dat ze blijvende schade overhoudt. Haar linkerbeen, dat gebroken was, zal herstellen. De rug is een ander verhaal. De dokter wrijft slechts over zijn kale schedel als ze vraagt of het gevoel in haar benen terug zal komen. Ze voelt niets, geen jeuk, geen prikkel als de arts tegen de onderkant van haar voeten tikt.

Ze herinnert zich niets, helemaal niets van de dagen en nachten dat ze aan de beademing lag. Geen zwarte gaten of witte tunnels. Ze is leeg en ze heeft het continu koud.

Haar zus heeft aan haar bed gezeten en heel wat afgehuild; ze had in haar eentje de lage waterstand van de Arno kunnen herstellen. Doodsangsten heeft Stefanie uitgestaan, zegt ze, dat zij er ook tussenuit zou knijpen. De artsen keken er zorgelijk genoeg voor, zei ze. Ze weet niet of Stefanie het meende.

Weet je wanneer wij een fijne familie waren? Toen jij er nog niet was.

Tussen de middag hebben ze haar verhuisd naar de verpleegafdeling. Stefanie dacht dat ze gek zou worden van alle piepjes op de ic en dat ze overstuur zou raken van minstens twee patiënten die zo dicht bij haar stierven. Haar vader is dood. Ze weet niet of het van de morfine komt, maar als ze haar ogen sluit, is ze onmiddellijk weer in het lab en beleeft alles opnieuw.

Als ze wakker wordt, is het nog steeds licht. Hoelang heeft ze geslapen? De tijd, de leegte, alles is onwerkelijk, alsof ze meespeelt in een toneelstuk dat ze niet kent. Ze staart wezenloos in de ruimte, als er ineens een grote bos rozen in haar gezichtsveld verschijnt. Erachter blijkt Alexanders gezicht verstopt. Hij heeft zijn mantel van Franse bravoure uitgetrokken. Ze registreert zijn ingevallen wangen, zijn hangende schouders en de doffe blik in zijn ogen. Hij ziet eruit alsof hij het kostbaarste in zijn leven heeft verloren.

Hij vertelt hoe wanhopig hij zich voelde toen hij het lab binnenkwam en door de rook werd bedwelmd. Hoe opgelucht ook, toen zij nog bleek te leven. Nu hij het vertelt, wordt alles ineens vreselijk reëel. Alsof ze tussen de witte lakens haar eigen waarheid nog kon fantaseren. 'Ik wil het niet horen,' zegt ze. 'Ik wil je niet meer zien, ik heb zelfs je telescoop kapot gegooid.'

'Dat geeft niets,' zegt hij.

Hij doet een poging tot troosten die ze afweert. 'Je hebt

tegen me gelogen. Zelfs de laatste keer kon je nog steeds niet eerlijk zijn.'

'Ik weet het, en dat spijt me. Ik heb mezelf aangegeven en zal boeten voor mijn leugens.'

'Als ik niet naar pa toe was gegaan had hij nu nog geleefd. Maar dan had ik ook de waarheid nooit ontdekt.'

'Wat bedoel je?'

'Toen ik zeven was ben ik op een avond nietsvermoedend het lab in geweest. Pa werd kwaad, en ik dacht dat hij kwaad op mij was, omdat ik niet in mijn bed lag, daarom heb ik het nooit aan iemand verteld. Ik bleef ervan dromen, terwijl ik de herinnering verdrong. Nu pas weet ik dat hij niet kwaad op mij was. Hij had die ijskoude blik in zijn ogen omdat een van zijn patiënten doodging. Het was gruwelijk. Hij gaf niets om zijn patiënten, hij deed het voor zichzelf.' Ze ziet hoe hij vertwijfeld zijn handen door zijn haren haalt. 'Jij moet je twijfels hebben gehad, je werkte hele dagen met hem samen.'

'Als het om terminale patiënten ging wilde je vader die zelf behandelen. En als er eens een stierf, dan was hij dagen van slag.'

'Omdat hij had gefaald.'

'Er was niemand meer geëngageerd dan hij, dacht ik. Ik geloofde heilig in zijn goede bedoelingen, in zijn missie om mensen te helpen.'

Is het echt ooit daarom begonnen? Mensen helpen, haar moeder helpen?

'Pas op het moment dat ik begreep wat er met Frits was gebeurd... Ik was bijna te laat bij je geweest in het lab. O, lieve hemel, dat had ik mezelf nooit vergeven.' Hij legt een hand op haar arm.

Ze schuift zijn hand weg.

'Ik had moeten weten dat je zou doorvragen, dat je naar je vader zou gaan. Ik ben dom geweest, zo dom... Ik had dat,' hij wijst naar haar rolstoel, 'kunnen voorkomen, dan had ik tenminste nog iets goed gedaan. Komt het in orde?'

'Geen idee. Het is niets, vergeleken met wat er met pa is gebeurd.'

'Het werd tijd dat iemand hem zou tegenhouden. Jij bent de enige geweest die dat doorhad. Het ging gruwelijk mis, Anne. Ik heb het niet willen zien, maar er zijn patiënten onnodig en voortijdig gestorven in zijn jacht naar onsterfelijkheid. Di Gennaro was er één van. En Ruiterbeeks zus. Zij had nog minstens vijf, misschien wel tien goede jaren kunnen hebben als ze gewoon was doorgegaan met de traditionele medicijnen die ze altijd had. Je vader wilde koste wat kost doorzetten, beloofde patiënten genezing, terwijl we nooit verder hadden mogen gaan met de behandeling van mensen, nooit. Je moet jezelf niet kwellen door een last op je schouders te nemen die niet de jouwe is. Het is mijn schuld, Anne, niet de jouwe. Je moet jezelf niets verwijten.'

Niet meer weglopen. Nee. Alsof ze dat nu zou kunnen…
'Heb je me nou wel of niet in de gaten gehouden?'

'Dat was waar. Je vader vond dat nodig, omdat hij je moeder wilde beschermen tegen wat jij zou kunnen veroorzaken met je gegraaf. Zo zei hij het.'

'Dus jij was het ook, bij Ruiterbeek?' Als hij aarzelt weet ze genoeg. 'Je gaat me toch hoop ik niet nogmaals beledigen met een leugen? Het was pa.'

'Hij heeft het me later min of meer verteld. Dat hij jou zou overtuigen dat je je erbuiten moest houden, dat hij door moest gaan met zijn werk. En dat hij Frits duidelijk moest maken dat hij niet langer welkom was in ons team. Dat hij sprong, dat… dat was ook voor hem een schok, tenminste dat zei hij.'

'Maar is hij elke minuut wezen kijken, of ik nog ademhaalde? Was het wapen niet gespannen?'

'Hij wilde je bang maken. Ik ben ervan overtuigd dat je leven geen moment in gevaar is geweest, daarvoor hield hij te veel van je.'

Haar leven geen moment in gevaar? Mag ze dat geloven? Ze móét het geloven, omdat het alternatief te afschuwelijk, te groot is om te beseffen. Ineens dringen de tranen zich op achter haar ogen. Ze verzet zich ertegen, ze wil niet breken in zijn aanwezigheid. 'Wil je water voor me pakken?'

Ze krijgt een beker water. Met een rietje, ze lijkt haar moeder wel; de pap heeft ze ook al gehad.

'Stefanie zei me dat je wilt dat de waarheid openbaar wordt gemaakt.'

'De waarheid, meer heb ik nooit gewild.'

'Ook over je vader?'

'Misschien had ik getwijfeld als ma van niets had geweten, ik moet er niet aan denken dat ik het haar zou moeten vertellen, maar, ja, ik vind dat iedereen recht heeft op de waarheid.'

'De persconferentie die gepland stond voor gisteren is uiteraard afgeblazen, Tarantini heeft een nieuwe belegd voor maandag, ik zal het er met hem over hebben. Je kunt ervan opaan dat het goed komt, dat beloof ik je. Wat de consequenties voor hem en voor mij ook zijn.'

'Misschien kun je opschrijven en doorgeven wat jullie onderzoeken de afgelopen jaren hebben opgeleverd. Zodat anderen ermee verder kunnen en alles niet voor niets is geweest.'

'Dat lukt me niet in een handomdraai.'

'Tijd mag niet meetellen,' zegt ze. 'Dat had in het onderzoek ook niet gemogen. Maar zou je het kunnen?'

'Al ben ik maar een elementair, tijdelijk deeltje van het universum waar we ons zo graag in verliezen, ik maak wel onlosmakelijk deel uit van de eeuwige flux.' Even trekt hij zijn kromgebogen schouders recht. 'Ik hoop dat ik een minieme bijdrage heb kunnen leveren aan het onderzoek naar een van de meest slopende ziekten die we kennen en ja, natuurlijk, ik zou niets liever doen dan die kennis doorgeven. Dat wordt mijn opdracht, de komende jaren, ook al moet ik die misschien in de cel uitvoeren. Het spijt me, Anne, dat ik het niet heb gezien, dat ik zo blind ben geweest. Ik wilde zo graag dat je vader zou slagen in zijn missie. Het doet me meer pijn dan ik je kan vertellen en ik hoop dat je me het ooit kunt vergeven.'

'Je moet veel van mijn moeder houden, om zo'n groot gebaar te maken.'

Hij schudt zijn hoofd. Is het niet waar? Hij houdt toch van ma? Als hij bij hen thuis kwam, dan leek het alsof hij door de liefde werd aangeraakt, ze zag het in zijn ogen, die net een tikkeltje intenser straalden dan als zij samen op pad waren. Dat was liefde, dat kan niet anders...

'Maar vooral van hem.'

Nu is het haar beurt om verbaasd te zijn. 'Jij? Van pa? Ben jij...' De foto van haar vader en Alexander in zijn appartement. En wat zei hij ook weer, zaterdag in de auto? Ze waren als een stel planeten, onlosmakelijk met elkaar verbonden.

'Mijn toneelcapaciteiten zijn beter dan ik dacht. Ik hield van hem, meer dan wat ook, en ik koesterde een valse hoop dat het ooit wederzijds zou zijn. Maar toch. Ik spendeerde in mijn leven meer tijd met je vader dan ik ooit had durven hopen. En nee, hij wist ook nergens van. Hij zou me er onmiddellijk uit hebben geschopt. En ik durfde er eerlijk gezegd ook niet aan te denken wat ik je moeder en jullie zou aandoen áls...' Ze ziet dat hij moeite moet doen om zijn tranen binnen te houden. 'Ik was veel bij hem, kon met hem praten, iets voor hem betekenen.'

'Je dacht dat ik het wist, vandaar dat je schrok toen ik zei dat je vast bang was om alleen door te moeten, dat pa je niet meer nodig zou hebben. Stefanie opperde zoiets, omdat pa het erover had toen jij net even weg was. En ik dacht dat je schrok omdat ik gelijk had. Dat je meeliftte op zijn succes.'

'Je vader wilde bij de lunch met Stefanie denk ik voorkomen dat ik iets hoorde over het einde van onze samenwerking. Omdat we er kort daarvoor net een discussie over hadden gehad. Ik was het niet eens met zijn plannen, vond dat hij veel te hard van stapel liep. Hij negeerde de problemen, en hij had vast geen zin om er met mij weer over te beginnen.'

Hij draait zich om, en het valt haar op hoe slecht hij loopt en hoe zijn schouders ineen zijn gekrompen. 'Alexander?'

Hij draait zich om. 'Ja?'

'Ik hoop dat je straf niet al te zwaar uitpakt.'

Hij loopt door, draait zich nog een keer om bij de deur. 'Geen oom meer?'

Ze zwijgt.

Hij glimlacht. Het is een trieste glimlach.

Als hij is verdwenen laat ze zich uitgeput in de kussens zakken. Ze prutst het kapje voor haar neus. De extra zuurstof uit het pompende apparaat is meer dan welkom.

50

De vermoeidheid heeft haar overvallen. Als ze wakker wordt, is het donker om haar heen. Tot Stefanie haar hoofd om de deur steekt. 'Lodewijk is met ma naar een specialist voor haar medicatie. Ze komt zo, ze wilde per se naar je toe.'

Ze pakt de hand van haar zus. Die is warm, en zacht.

'Wat is er, zusje, voel je je niet goed?'

'Nee, eigenlijk niet.'

'Wat is er dan?'

'Ik… We hadden ruzie, vlak voordat ik ervandoor rende, op het terras van dat exclusieve tentje op de Piazza della Repubblica. Je zei iets…'

'De dag voordat… Ja, dat klopt.'

Ze bespeurt aarzeling in Stefanies toon. 'Je zei iets. Over dat jullie het fijn hadden, tot ik kwam, tot ik geboren werd, bedoel ik.'

Stefanie wuift haar woorden weg. 'Ik was kwaad. Weet je ook nog dat ik zei dat ik me had verheugd op de week samen, met ons vieren?'

Ze knikt.

'Je lachte me uit. Je zei dat het bij ons niet opging, dat wij nooit een echte familie waren geweest. En dat deed pijn. Ik heb altijd zo mijn best gedaan om er iets van te maken.'

'Maar is het waar?'

'Wat moet ik daar nou op zeggen? Voordat jij er was, mankeerde ma niets, en was pa vaker thuis. Toen ze eenmaal ziek was dook hij steeds meer in zijn werk. Dat had niets met jou te maken, maar het was gewoon zo.'

Stefanie veegt met een tissue onder haar mond langs. Kennelijk kwijlt ze ook nog.

'Ik ben blij dat je er bent, Anne, je bent mijn zusje en ik hou van je, oké?'

En dan, als Stefanie haar omhelst, stromen de tranen over haar wangen. Van verdriet, van alle opgekropte emoties van de afgelopen tijd. Vanwege haar vader.

Stefanie pakt opnieuw een tissue, ditmaal om de tranen weg te vegen. 'Waarom heb je me niet eerder om hulp gevraagd?' vraagt Stefanie. 'Jij wilt ook altijd alles zelf oplossen.'

'Ik zal eraan denken,' glimlacht ze door haar tranen heen. 'En ik zal meteen beginnen. Wil je alsjeblieft iets te eten voor me zien te regelen? Ik doe een moord voor een bord pasta.'

'Als je dat maar laat. Voorlopig verlang ik alleen maar naar rust.' Stefanie omhelst haar. 'Ik ga eten voor je regelen. Plus een tandenborstel en flosdraad, want die ontbreken ook nog, zag ik. O ja, en ik moest je van Floor iets vragen.'

'O?'

'Floor zeurt me de oren van het hoofd omdat ze bij je wil logeren. Mag ze dat?'

'Ja, dat mag. Zodra ik weer op de been ben.' Ze lacht. De tranen komen opnieuw. Ditmaal is zij degene die een rivier kan vullen, al doet haar zus ook haar best.

Als Stefanie haar moeder naast haar bed heeft geïnstalleerd verdwijnt haar zus.

Ze kan niets zeggen, ze is druk met haar tranen binnenhouden, om ze niet opnieuw als een waterval te laten stromen.

'Anne,' fluistert haar moeder. 'Kleine, dappere strijder.'

Ma oogt suf, ze zal wel onder de medicijnen zitten. Ze ziet er moe en fragiel uit, ook dat, maar waar ze het meest van schrikt zijn haar moeders ogen. De grijze ogen, altijd nog zo helder en belangstellend ondanks haar ziekte, lijken nu dof en leeg in het grauwe gezicht. Het verbaast haar niet, maar de pijn is er niet minder om.

'Ik was bang dat ik jou ook niet zou weerzien. Het moet vreselijk zijn geweest voor je, daar in dat lab, met het vuur. Was je erg bang?'

'Ik heb geprobeerd om ons te redden, maar het vuur breidde zich te snel uit. Het spijt me zo.'

'Spijt? Jij mag je niet schuldig voelen. Nooit.'

Ze ziet haar moeders handen bevend plukken aan de deken, die over haar benen is geslagen.

'Hij was zelden thuis, de laatste jaren, maar ik dacht dat ik wist waarvoor hij het deed. Ik hield van hem, Anne, ik dacht dat we het goed hadden en dankzij hem kon ik jullie zien opgroeien. Als ik hem had afgeremd, had gevraagd meer tijd bij mij te zijn, dan had ik nooit zo lang van jullie kunnen genieten. Hij heeft me extra jaren gegeven, Anne. Ik ben hem veel verschuldigd, maar ik had natuurlijk moeten zien waar hij mee bezig was. Ik hield van hem. Ik voel me zo schuldig.'

Mag ze oordelen, over haar moeder, over hun relatie? Nee. Ze kan zich niet voorstellen hoe het voor haar moeder moet zijn geweest, tenminste niet echt. Maar er is nog wel dat andere. Ze probeert tevergeefs overeind te komen, en dan durft ze de woorden eindelijk hardop te zeggen, die haar zo lang onzeker hebben gemaakt. 'Ma, ik weet dat je MS begon toen je zwanger was van mij. Was het je geloof, dat je tegenhield om abortus te laten plegen? Heb je er spijt van gehad?'

Ma kijkt beduusd. 'Hoe... hoe kom je daarbij?'

'Ik heb een dossier gezien, in pa's lab. Over een vrouw, die zwanger was, en hij adviseerde haar om abortus te laten plegen.'

'Van dossiers weet ik niets, maar ik wilde jou en niets anders.' Haar stem klinkt traag, het geeft haar woorden iets gewichtigs. 'Denk je dat je vader een abortus wilde, omdat mijn MS zich dan trager zou ontwikkelen? Ik weet het niet, hij heeft het nooit aan me gevraagd. Het is niet ter sprake gekomen, omdat het voor mij nooit een onderwerp is geweest.'

Ze zal nooit weten of haar vader haar op afstand hield omdat hij haar de schuld gaf van haar moeders MS. De wetenschap geeft geen antwoord, en als er al bewijzen waren dat zwangerschap schadelijk is voor MS, dan zijn die in vlammen opgegaan. Ze heeft het antwoord niet meer nodig. Haar weggestopte herinnering had niets met haar moeders zwangerschap te maken, had ook niets met haar te maken. Misschien ging hij haar uit de weg omdat ze een keer iets zou kunnen vragen over die avond in het lab. Ze betwijfelt het. Hij was – weet ze nu – zo met zichzelf bezig dat hij amper zal hebben opgemerkt hoe ontdaan ze was. Het is niet ondenkbaar dat ze zelf die afstand heeft geschapen, bewust of onbewust. Misschien kan ze daar later beter over oordelen. Het doet er niet meer toe.

'Je hebt je vasthoudendheid van hem, Anne. Een doorzetter, ja, dat was hij. Ik zag soms zijn verlangen naar onsterfelijkheid, ik zag alleen niet hoever hij ging om die te bereiken. Ik heb lange tijd gehoopt dat ik zou delen in die onsterfelijkheid, als hij zou slagen in zijn missie, begrijp je?'

Nee, wil ze zeggen. Ze begrijpt er helemaal niets van. En ze wil niet op haar vader lijken. Maar o, wat ziet ma er breekbaar uit, ze zou hier ter plekke kunnen instorten. Het lukt haar niet om iets zinnigs te zeggen en dus houdt ze haar mond, hun handen in elkaar gevouwen tot er een zuster komt voor haar medicatie.

Ze wil alleen zijn. Nadenken. Of juist helemaal niet denken.

Stefanie komt haar moeder halen en meldt dat ze wat dingen heeft geregeld. Onder andere dat hun vaders lichaam mee terug mag naar Nederland. 'En ma gaat ook mee,' zegt Stef, terwijl ze een bord eten waar de damp vanaf slaat voor haar neerzet. 'Had je het Anne al verteld, ma?'

'Wat heb ik verteld? O ja. Terug naar Nederland.'

Stefanie geeft haar een zoen. 'Jij moet gaan slapen, zusje. Net als deze dame hier.' Stefanie kijkt bezorgd naar haar moeder. 'Gaat het wel, ma?'

'Ik geloof het niet, nee, ik voel me niet zo goed.'

De twee zijn de deur amper uit als ze plotseling jeuk aan haar tenen bespeurt.

51

Haar moeder heeft nog steeds haar waardigheid niet verloren. Ondanks haar uitgemergelde lichaam, dat lijkt te bestaan uit oud vel over willekeurig gerangschikte botten, presteert ze het om haar klasse te behouden. Des te meer bewijs dat ware schoonheid van binnen komt.

Ma wil Vivaldi's *Vier Jaargetijden* horen.

'Vivaldi?'

'Om Cees dichterbij te hebben,' fluistert haar moeder.

Vivaldi's zomerconcert, ook al zitten ze op het randje van de herfst. Allegro non molto. Non molto, weinig beweging, dat past wel bij ma. En misschien zelfs allegro ook wel. Dat klinkt misschien raar in deze omstandigheden, of niet. Anne heeft het antwoord gegeven dat ma graag wilde horen. 'Ja.' Hoewel alles in haar nee schreeuwde. Maar de belangrijkste overweging om nee te zeggen doet er niet meer toe. Na langer aarzelen heeft ook Stefanie uiteindelijk gezegd dat ze er vrede mee heeft.

Haar moeder heeft pa's dood niet kunnen verwerken. Of ma daar echt moeite voor heeft gedaan, durft ze niet te zeggen, het kan zijn dat het laatste beetje levenslust onmiddellijk na die zwarte dag uit haar lijf is verdwenen; ma's lege ogen leken daar wel op te wijzen. Samen met Stef heeft ze toegekeken hoe haar moeder wegkwijnde van verdriet. Het besef, de gruwelijke leugen die haar leven heette, vrat ma langzaam op. Het is des te geruststellender dat ze steeds minder goed beseft wat er om haar heen gebeurt.

'Lig je goed, ma?' vraagt ze. 'Wil je een extra kussen?'

Haar moeder schudt traag haar hoofd. Ze laat ma's hand los en loopt, steunend op haar krukken, naar de keuken. Ze neemt een paar slokken water en haalt diep adem. Stefanie staat met haar armen tegen het aanrecht geleund, haar hoofd moedeloos gebogen.

'Ik kan het niet,' zegt haar zus. 'Ik kan geen afscheid nemen, ik wil niet dat ze er straks niet meer is.'

'Ik weet het,' zegt ze. 'Ik voel hetzelfde. Kom…'

Stefanie knikt, met de grootst mogelijke aarzeling. 'Ik weet niet of je iets aan me hebt.'

Ze pakt Stefanies hand. 'Je bent er. We zijn er. Dat is genoeg.'

Zo moe, zei haar moeder. Ze was zo moe. Zelfs in haar dromen was ze doodmoe.

Ze is erop voorbereid, dacht ze, maar nu vraagt ze zich af in hoeverre dat mogelijk is.

'Ma?'

'Hmm…'

Ze streelt haar moeders haren. Ze zijn dun geworden, op sommige plekken kijkt ze op de hoofdhuid.

'Het is bijna zover.'

Haar moeder knikt. Traag, zoals ze de afgelopen dagen, weken, alles in slow motion lijkt te doen.

Met Vivaldi op de achtergrond lezen ze haar voor. Eerst een van haar eigen gedichten, later eveneens op haar eigen verzoek het zomersonnet.

Zijn vermoeide ledematen verstijven bij voorbaat van angst voor bliksemflits en rollende donder. Helaas, zijn gevoel voor de natuur bedroog

hem niet: het dondert en bliksemt aan het firmament en hagelstenen
knakken de rijpe trotse korenaren...

'Naar Cees...' murmelt ma.

Ze hoort een bescheiden klop op de kamerdeur. Haar moeder
lijkt al half in de wereld die ze verkiest boven deze.

Stefanie staat op en komt terug met de arts. Hij praat met
haar moeder, daarna laat hij hen alleen. Ze mogen hem roepen,
hij zal in de koffiekamer wachten. Alles wat gezegd moest worden is gezegd. Het heeft iets onwerkelijks om het stramme,
moegestreden lijf te omhelzen, in de wetenschap dat het zo
over is. Nog even en ze is een wees. Een raar idee, geen kind
meer. Waar zou ma aan denken? Dat ze straks haar man weer
ziet? Als dat het werkelijke scenario is, hoe zal die ontmoeting
dan verlopen? Het lukt haar niet om afscheid te nemen, ze wil
niet. Ze hangt om haar moeders hals als een verstoten koe-
koeksjong. Het voelt als een wrede grap, een fout einde. Hun
familie. Een leven lang toneelspelen. Maar nee, dat is niet waar.
Niet meer.

'Jullie hebben elkaar,' zegt haar moeder. Ze fluistert de woorden, het kost haar moeite om ze te verstaan. Ze zitten naast
haar moeders bed, Stefanie aan de ene, zij aan de andere kant,
ze houden elkaars handen vast.

Haar moeder prevelt een gebed, ze vangt enkele keren het
woord 'genade' op, en dan wordt ma's stem dunner en dunner,
tot die stilvalt. Haar ademhaling wordt zwakker.

De tijd tikt weg, onwerkelijk, alsof ze zichzelf van een afstandje bekijkt en aanstuurt. Tot ma lichtjes kreunt, en haar
lippen even bewegen. Een miniem zenuwtrekje, lijkt het, en er
verschijnt een flauwe glimlach om haar mond. Als ze Stefanie
aankijkt weet ze dat ook zij beseft dat dit het was. Ze voelt zich
verbonden met haar zus en ze hebben geen woorden nodig om
elkaar te begrijpen. Ze huilen in elkaars armen en ondanks het
verdriet stroomt er een warm geluk door haar aderen.

In een serene stilte wassen ze hun moeder, alsof ze het hebben gerepeteerd. Ze trekken haar de jurk aan die ze zelf heeft uitgezocht. Een paarse, met lange mouwen en een bescheiden decolleté.

Klasse. Ze heeft klasse. Zelfs nu het leven uit haar is weggegleden.

Ze laat Vivaldi opnieuw klinken. Een laatste keer, speciaal voor ma. Ze drinken een glas wijn en eten ma's chocolaatjes op, terwijl ze herinneringen ophalen. De ene keer in tranen van verdriet, de andere keer van het lachen. Als Stefanie in haar tas naar een cryptogram zoekt – ze hebben hun vroegere manie weer in ere hersteld, sinds ze de puzzels regelmatig verkoopt aan de krant – haalt Stefanie een kartonnen koker tevoorschijn. 'Dat is waar ook,' zegt ze. 'Dit zat vandaag bij de post. Raar genoeg werd het bij mij afgeleverd, misschien heb je het nodig?'

'Wat zit erin?'

'Kijk maar.'

Uit de koker haalt ze een opgerold stuk papier. Luca's tekening.

'Het is een prachtig portret,' zegt Stefanie. 'Mag ik een kopie laten maken om in te lijsten?'

'Je mag 'm hebben,' antwoordt ze. 'Ik wil niet de hele dag tegen mijn eigen hoofd aan kijken, zeker niet met die blik.'

'Mysterieus, bedoel je.'

Ze knikt, aarzelend. Eerder zou ze haar zus gewezen hebben op de ware blik in die ogen. Het was vlak nadat haar vader haar op het vliegtuig had willen zetten. Hij keek niet eens achterom. Ze heeft zijn lange benen nagekeken tot ze uit het zicht verdwenen, wensend dat ze samen over de Piazza della Repubblica zouden slenteren, om vervolgens op het terras van La Posta te belanden, discussiërend over Da Vinci's veelzijdigheid. Ze voelde zich verlaten, en bang. Maar het geeft niet, het is goed.

'Er zit ook een briefje bij.'

'Een briefje?'

'Van ene Luca. De kunstenaar?'

Ze pakt het papiertje van haar zus aan. Gelukkig schrijft hij in het Engels. *'Ik was overrompeld en getroffen door je plotselinge verschijning. Maar ik bespeurde dat je iets belangrijks te doen had, waarmee ik me niet moest bemoeien, hoe graag ik ook wilde. Wil je contact met mij opnemen? Ik zou je graag Florence eens door de ogen van een echte Florentijn laten zien.'*

Ze glimlacht. Zij? Opnieuw naar Florence? Ze maakt een propje van het papier, om het daarna weer glad te strijken en in haar broekzak te stoppen. Ze ziet hoe de gordijnen voor het open raam heen en weer beginnen te waaien. Als ze haar hoofd naar buiten steekt en de donkere lucht opsnuift, voelt ze de kou in haar neus. Het is afgelopen met de verzengende zomerhitte en zachte briesjes. De zomerdriehoek is nog aanwezig, maar toont zich nu hoog boven de westelijke horizon, en in het oosten dienen de wintersterrenbeelden zich al aan. Hoe schreef Vivaldi het ook alweer? *... het dondert en bliksemt aan het firmament en hagelstenen knakken de rijpe trotse korenaren.*

Van haar mogen ze.

Lees ook van Karakter Uitgevers B.V.

Corine Hartman

In vreemde handen

Houdt hij genoeg van je om voor je te sterven?

Als een toerist laat ze zich op een terrasje bedienen en ze kiest voor een glas Vernaccia. Deze ochtend hoeft ze helemaal niets. Het zal druk genoeg worden, zodra de eerste gasten zich aandienen, mag ze alsjefblieft genieten van het hier, en nu?

De witte wijn glijdt zacht door haar keel, en met de aangenaam warme voorjaarszon op haar gezicht sluit ze even haar ogen.

Ze zal bewijzen dat ze het kunnen. Een succesverhaal maken van deze versie van 'Het roer om' die van hoger niveau is, die niet te vergelijken is met de meelijwekkende figuren die op tv worden gevolgd bij hun internationale afgang.

Haar twijfels en angsten lijken met elke slok in toenemende mate onwerkelijk, overbodig en onzinnig. Robbert en zij verdienen deze kans. Ze hebben er keihard voor gewerkt en wie in godsnaam zou hun deze stap misgunnen? Niemand.

Ze heeft geen vijanden. Geen enkele.

Het roer om. Een mooier leven. Dat is wat Diana voor ogen heeft. Samen met haar man Robbert en dochter Lieke emigreert ze naar het idyllische Toscane om daar een hotel te gaan runnen. Ze hebben zich perfect voorbereid. Ze kennen de taal, hebben alles zorgvuldig geregeld en niets staat hun geluk in de weg... denkt ze.

De droom van een zorgeloos bestaan in een aangenaam klimaat verandert echter in een angstaanjagende nachtmerrie als iemand hun plannen dwarsboomt. Als Diana ontdekt wie er verantwoordelijk is voor het leed dat haar gezin treft, betekent dat niet het einde van het drama. Integendeel: Diana wordt op een gruwelijke manier met zichzelf en haar verleden geconfronteerd. Een verleden, dat ze juist wilde ontvluchten.

Is ze in staat om, koste wat het kost, haar gezin te redden? En zichzelf?

'Een knap bedacht, prachtig geschreven verhaal met een hartverscheurende ontknoping.' – *Loes den Hollander*

ISBN 978 90 6112 579 2